OLIVIER NOREK

Olivier Norek est capitaine à la police judiciaire du 93 depuis dix-sept ans. *Code 93*, son premier roman, a été salué par la critique. *Territoires* et *Surtensions* sont aussi consacrés aux (més)aventures du capitaine Victor Coste et de son équipe. *Surtensions* a reçu le Prix du polar européen décerné par le magazine *Le Point* et le Grand Prix des Lectrices du magazine *ELLE*, dans la catégorie policier. *Entre deux mondes*, paru en 2017 chez Michel Lafon a été couronné par de nombreux prix (prix du polar les Petits Mots des Libraires, prix de La ligue de l'Imaginaire et le prix polar du Parisien). Son nouveau titre, *Surface*, a paru en mars 2019 chez le même éditeur. Ses ouvrages sont publiés chez Michel Lafon et repris chez Pocket. Olivier Norek a également participé à créer l'histoire de la sixième saison de la série *Engrenages* sur Canal +, et est le scénariste du téléfilm *Flic tout simplement* diffusé sur France 2 en 2015.

SURTENSIONS

OLIVIER NOREK

SURTENSIONS

Tous mes remerciements aux policiers, juges,
greffiers, substituts du procureur, avocats,
médecins légistes et surveillants de prison
qui m'ont fait confiance, m'ont apporté
leur expertise et qui, pour certains,
se sont livrés sur leur quotidien difficile.

MIXTE
Papier issu de
sources responsables
FSC® C003309

Pocket, une marque d'Univers Poche,
est un éditeur qui s'engage pour la préservation
de son environnement et qui utilise du papier fabriqué
à partir de bois provenant de forêts
gérées de manière responsable.

© Éditions Michel Lafon, 2016
ISBN : 978-2-266-27080-9

À Chloé, Marianne, et Xavier.
Vous qui avez tout à construire.

PROLOGUE

La psy poussa le cendrier en verre devant elle. Malgré les stores aux trois quarts baissés, un rayon de soleil traversa la pièce et révéla les arabesques de fumée en suspens.

— Vous voulez bien me raconter comment tout a commencé ?

L'homme écrasa sa cigarette d'un tour de poignet.

— C'est une histoire qui a plusieurs commencements, dit-il.

La psy faisait nerveusement tournoyer son stylo entre ses doigts. Il était évident que l'homme en face d'elle l'intimidait.

— Vous savez au moins pourquoi vous êtes là ?

— Parce que j'ai tué deux personnes. Vous craignez que ça devienne une habitude ?

— Vous n'en avez tué qu'une. En légitime défense qui plus est. Pour le second cas…

Sec et impatient, l'homme ne la laissa pas terminer.

— Un membre de mon équipe est mort. C'est ma responsabilité. Ça revient au même.

Il fouilla dans la poche de sa veste et en sortit un paquet de cigarettes en mauvais état. Entre les doigts de la psy, le stylo tournait de plus belle.

— Personne n'a vécu ce qui vous est arrivé. Personne n'oserait vous juger. Je voudrais simplement que l'on reprenne du début, ensemble.

— Depuis le meurtre ou l'évasion de prison ?

— Un peu avant.

— Alors à partir de l'enlèvement du gosse ?

— C'est un bon départ. Et s'il vous plaît, n'oubliez rien.

L'homme haussa les épaules et s'alluma une nouvelle cigarette.

— Je ne vois vraiment pas l'intérêt, puisque ma décision est prise.

— J'insiste. De plus, dans ces circonstances, cet entretien est obligatoire, vous le savez.

Il tira une large bouffée, puis il céda, à contrecœur.

— Je m'appelle Coste. Victor Coste. Je suis capitaine au SDPJ 93.

Première partie

Entre quatre murs

« T'es tout seul ici. Et si un jour,
tu crois te faire un ami... Méfie-toi de lui. »

Scalpel

– 1 –

Trois mois plus tôt.
Centre pénitentiaire de Marveil.
District 2 – Cellule des arrivants.

Amoureux fou. Presque dépendant. Limite étouffant. Alors elle avait manqué d'air. Et plus elle s'éloignait, plus il s'enfonçait dans une dépression morbide. Trop de médicaments et des nerfs devenus difficilement contrôlables.

Un soir, valises dans l'entrée, elle lui dit adieu, mais il refusa d'y croire, faisant barrage entre elle et la porte. Alors elle lui parla de l'autre homme et quelque chose dans son cerveau se déconnecta. Il passa en mode attaque. Il la frappa une première fois, sur le visage. Sous le choc, elle perdit l'équilibre et posa un genou au sol, effarée de ce tout premier geste de violence, le nez en sang. Puis il regarda ses lèvres, pensant qu'un autre les avaient embrassées, et il recommença, encore et encore, allongé sur elle, à la frapper d'un poing et de l'autre, envoyant la tête valdinguer de gauche à droite, comme un artiste furieux lacère sa toile.

Les flics avaient écrit dans leurs constatations que le visage de la victime était concave, tout rentré à

13

l'intérieur. Les urgentistes tentèrent de sauver son œil gauche, sans succès.

Il avait vu un psy pendant sa garde à vue et avait eu quelques cachets pour le maintenir calme. Mais rien depuis plus de vingt heures. Rien depuis le passage devant le juge des libertés qui avait décidé de sa détention provisoire.

Il était passé des geôles du tribunal à la cage du fourgon cellulaire, puis de la cage aux cellules individuelles de la prison de Marveil, réservées aux nouveaux arrivants pour leurs premières nuits.

Avant que la porte de bois et de métal se referme derrière lui, il demanda au surveillant :

— Comment va-t-elle ?

Le surveillant avait la moitié de son âge et tenta de jouer à l'adulte.

— Recule d'un pas que je ferme la porte.

— Vous allez revenir ? Faut pas me laisser sans cachets, là.

— Demain tu vois le chef de détention pour ton évaluation. Tu lui feras une demande officielle pour voir le psy et tu auras tes médicaments sous deux semaines, si tout va bien, et surtout si tu te tiens bien, que tu recules d'un pas et que je ferme la porte.

— D'accord, mais pour ce soir ?

Le surveillant posa sa main sur l'extincteur lacrymo accroché à sa ceinture et le détenu fit un pas en arrière.

— OK, OK. Alors juste une cigarette et du feu, c'est possible ? J'ai pas fumé depuis trois jours.

— T'es pas tout seul. Laisse-moi terminer ma ronde et je repasse te voir.

Centre pénitentiaire de Marveil.
Vidéosurveillance – 23 h 30.

Sur les moniteurs de contrôle, les cellules des arrivants affichaient toutes le même tableau. Chaque nouveau détenu était assis sur son lit, incapable de dormir, les yeux dans le vide à essayer de réaliser la situation. Surtout de l'accepter. L'espoir allonge le temps et use les nerfs. La résignation permet d'être en paix. Accepter sa peine est le seul moyen de la supporter. Mais cette acceptation peut prendre du temps.

En cellule numéro 6, le détenu se leva. Dans la salle de contrôle, les deux surveillants de nuit passaient à table, se relayant avec leurs boîtes micro-ondables pour réchauffer leurs gamelles. Le détenu s'entoura de ses draps puis de sa couverture et s'assit au milieu de sa cellule. La gamelle d'un des surveillants tournait dans le micro-ondes, réchauffant un gratin de la veille. Une première fumée s'échappa des draps et de la couverture synthétiques. À bonne température, le micro-ondes émit son tintement de clochette. Le plat était prêt. Le surveillant attrapa son Tupperware, l'ouvrit sans grande conviction et, constatant que la petite table avait déjà été squattée par le repas et les magazines de son collègue, il se dirigea vers la chaise des écrans de contrôle. Il déposa ses couverts, déplia sa serviette, leva les yeux et hurla :

— Feu ! Putain, y a le 6 qui se fout le feu !

15

Les flammes prirent tant d'ampleur que l'écran perdit les pédales et ne rendit plus qu'une image blanche.

Au pas de course, les deux surveillants rejoignirent celui de ronde que les hurlements avaient alerté. Il avait déjà déroulé une partie de la lance à incendie et les trois se mirent à la tirer en direction de la cellule numéro 6, tout au fond du couloir. La dernière, évidemment.

— Tirez, merde ! Tirez !

Celui qui venait de gueuler, visiblement le chef d'équipe, s'adressa au surveillant de ronde.

— Demarco ! Va ouvrir la cellule, qu'on l'inonde ! Dépêche !

Ils dépassèrent la trois, puis la quatre, manquèrent de tuyau, tirèrent plus fort défaisant un nœud, gagnèrent un mètre, dépassèrent la cinq et s'arrêtèrent net, tuyau tendu à rompre, à cinquante centimètres exactement de l'entrée de la cellule 6. Sans aucune possibilité de le tourner vers la fournaise et d'y envoyer la moindre goutte d'eau. Demarco restait devant la porte qu'il avait ouverte, paralysé face à cette boule d'une intense luminosité, entourée de flammes assez hautes pour lécher les murs et le plafond. Les draps et la couverture fondaient, ne faisant plus qu'un avec la peau dans une fusion de tissu, de plastique et de chair. Et cette odeur de viande grillée.

— La lance est trop courte !

— C'est impossible. Tirez putain ! Demarco, merde ! Donne-nous un coup de main !

Mais les trois hommes auraient pu avoir la force de six que cela n'y aurait rien changé. Il manquait, depuis son installation, un mètre à cette lance dont la fonctionnalité n'avait jamais été testée par l'administration.

L'un des surveillants courut chercher un extincteur. La peau et la chair avaient déjà été consumées, laissant maintenant la graisse brûler dans une fumée âcre et noire. Le prisonnier ne criait plus depuis de longues secondes.

Deux extincteurs vidés plus tard, la mousse blanche chimique faisait un bonhomme de neige du corps carbonisé.

Le chef d'équipe appela ça un barbecue. Il assura que ce n'était pas le premier qu'il voyait, mais voulut tout de même épauler le nouveau, celui qui était de ronde.

— On pouvait rien faire, OK ? Tu m'entends Demarco ?

Demarco n'avait pas décroché un mot et il était fort probable qu'il n'ait pas non plus entendu le soutien de son responsable d'équipe. Il ne sembla se réveiller qu'à la remarque suivante.

— Il va falloir faire remonter l'info à la Rotonde[1] pour faire doubler les fouilles des arrivants. Comment ce type a-t-il pu se foutre le feu ?

À cette question, le ventre de Demarco se serra. Il laissa sa main glisser le long de sa cuisse pour descendre vers sa poche de treillis. Vide. Le chef surveillant remarqua que le nouveau était passé de blanc choqué à livide malade.

— T'aurais jamais dû assister à ça pour ta première semaine, Demarco. J'suis désolé. Je vais demander à ce que t'aies un jour de repos.

---

1. La Rotonde : quartier général des surveillants.

Demarco acquiesça sans bruit et se dirigea vers les toilettes, laissant les autres persuadés qu'il allait s'y retourner l'estomac. Une fois seul face à la glace, il se mit fébrilement à fouiller les poches de sa veste. Vides, elles aussi. Il manqua de perdre conscience et se maintint droit grâce aux murs.

De son côté, le responsable des surveillants réveilla en plein milieu de la nuit le chef de détention, son supérieur direct, propriétaire d'un charmant pavillon à Marveil, dont les lumières s'allumèrent au fur et à mesure qu'il passait d'une pièce à l'autre, écoutant les mauvaises nouvelles, pendu au téléphone. Son subalterne poursuivit son rapport.

— Vu la tête du nouveau, je pense que c'est lui qui a laissé son briquet au détenu.

— Sûr ?

— C'est moi qui ai fait sa fouille d'arrivée. Il avait rien sur lui.

Le chef de détention se remplit un verre d'eau fraîche à la cuisine et d'un geste rassurant invita sa femme, adossée au chambranle de la porte, à retourner se coucher.

— Bon. Donnez-lui quelques jours de repos. S'il vient vous voir avec des remords, vous me l'envoyez. Profitons-en, la pénitentiaire n'est pas comptable de ses morts.

La ville de Marveil accueille le plus grand centre pénitentiaire d'Europe. Comme un voisin indésirable, un jumeau maléfique. L'un comme l'autre font la même taille. Cent quarante hectares exactement. Si l'on prend la carte de Marveil et la plie en son centre, ville et prison se recouvrent entièrement, parfaitement, avec la symétrie d'un test de Rorschach.

Pour parfaire le malaise, les prisons portent simplement le nom de l'endroit qui les accueille. Ainsi, lorsque l'on dit vivre à Fresnes ou à Fleury-Mérogis, celui qui vous écoute vous imagine déjà assassin ou violeur. Marveil n'échappe pas à la règle.

Une prison aux dimensions d'une ville, dont le maire serait le directeur, dont les surveillants seraient les policiers et les habitants, tous des criminels.

À cinq cents mètres du centre-ville et des familles qui font leurs courses de la semaine, se trouvent les premiers grillages barbelés protégeant les remparts décrépis du monstre de béton à l'architecture étouffante. « Modèle du système carcéral français », avaient-ils dit le jour de l'inauguration, en 1970.

Aujourd'hui ce n'est plus qu'une jungle de violence que les surveillants contrôlent de loin, sans oser pénétrer ni dans les cellules, ni dans la cour de promenade. Un milieu dans lequel le plus aguerri des salopards devient vulnérable comme une bulle de savon.

Et c'est dans ce chenil d'enragés que Nunzio Mosconi, dit Nano, vingt-deux ans, plutôt mignon, pas bien baraqué mais surtout pas du tout préparé, venait d'atterrir à la suite d'un braquage de bijouterie, pourtant réussi. Une bête histoire de montre de luxe numérotée qu'il n'aurait jamais dû porter. Une erreur de gamin, de novice.

Mauvais karma Nano.

*
* *

Alex patientait à l'extérieur, devant la porte d'entrée principale du centre pénitentiaire. Elle écrasa sa troisième cigarette sur le sol. Autour d'elle, d'autres femmes et des familles entières attendaient le moment du parloir, sur une aire de parking immense entourée de champs. Personne pour les accueillir. Le haut-parleur fixé au-dessus de la porte cracha juste une liste de noms. Alex entendit le sien et se dirigea vers l'accueil, un petit sac de sport noir à la main. Derrière l'Hygiaphone et la vitre pare-balles, le visage fermé des surveillants. Eux aussi en prison.

— Je viens voir Nunzio Mosconi.
— Vous êtes ?
— Alex Mosconi. Sa sœur.

Vérification sur les listes de visites. Une sonnerie, un bruit de verrou mécanique. Sur le côté de la gigantesque double porte principale, une autre, plus petite, venait de s'ouvrir. Alex passa sous un portique de détection métallique, puis dans un tunnel à rayons X, serrant les doigts autour du sac de sport, espérant que son contenu donnerait du courage à son frère. Elle fut dirigée vers la Rotonde, centre névralgique de la maison d'arrêt.

De cette Rotonde partent en étoile cinq branches qui donnent à Marveil une architecture en pentagone. Ces branches constituent les cinq blocs pénitentiaires, séparés chacun par une cour de promenade. Un bloc pénitentiaire devrait contenir huit cents prisonniers et les cinq additionnés quatre mille places au total, mais une savante organisation de l'espace, que certains appelleraient un simple bourrage de cellules, permettait d'en accueillir mille de plus que la capacité maximale.

De la Rotonde, Alex fut escortée avec les autres visiteurs vers un escalier menant au couloir parloir. Chaque couloir, chaque cellule ressemble aux autres, si bien qu'une fois à l'intérieur, il n'existe plus aucun repère. On est dans une partie de cette prison comme on pourrait être dans une autre. On n'est nulle part.

Elle échangea sa carte d'identité contre un permis de visite et se vit attribuer un numéro de cabine. Le sac d'Alex fut ouvert et fouillé. Quelques vêtements propres, des magazines et un jeu de cartes. Elle connaissait maintenant presque par cœur la liste des effets personnels autorisés aux détenus.

Une fois la grille du couloir ouverte, nouveau contrôle d'identité, nouveau portique de détection métallique. Trois jours plus tôt, un gardien s'était retrouvé avec un manche aiguisé de brosse à dents en travers de la gorge. Carotide percée. Récupéré in extremis par les infirmiers pénitentiaires. Beaucoup de sang sur le carrelage blanc. Belle frayeur de la direction. Personnel sur les nerfs. Depuis, les contrôles internes et externes avaient été augmentés.

Alex regarda son ticket de cabine parloir et se dirigea vers la numéro 8. Cabine Plexiglas entièrement transparente, intimité zéro. À l'intérieur, Nano l'attendait déjà, le visage baissé. Quand la porte s'ouvrit, il releva la tête et Alex reçut un coup au cœur.

— Merde… mais qui t'a fait ça ?

Excepté le genre et huit années de plus, Alex partageait tout du physique de son petit frère. Son visage de chérubin, ses yeux vert pâle et sa silhouette un peu ficelle.

— Parle-moi, Nano.

Il renifla et son nez dévié lui lança un coup d'électricité jusque derrière le cerveau. Entre son œil droit gonflé et ses côtes endolories, les douleurs lancinantes se mélangeaient.

— Tu veux pas savoir. De toute façon tu peux rien faire. T'as eu l'avocat ?

Alex le dévisagea. Son petit frère se refusait à la réalité.

— Nano, je suis désolée. Y a plus d'avocat. C'est fini. À part les remises de peine, je sais plus trop ce qu'on peut attendre.

C'était le plus douloureux pour elle. Ramener à la raison un gamin qui cherchait constamment l'espoir.

— Tu sais que je prendrais ta place si c'était possible, finit-elle par dire inutilement.

La voix de Nano s'étrangla.

— Il faut que tu me sortes de là Alex, je vais crever. Je vais crever ou je finirai par me faire crever.

Derrière eux, un surveillant, rangers, treillis et chemisette bleue, passa et contrôla l'intérieur de la cabine, à travers le vitrage plastique. Il s'attarda sur les hanches d'Alex et, sans gêne, laissa filer son regard de ses fesses à ses jambes. Dans la rue, elle lui aurait collé son genou dans les couilles en guise d'avertissement. Là, elle serra les dents et laissa passer.

— Nano ! Dis-moi qui t'as mis dans cet état.

— Mon codétenu.

— Le fils de pute. T'es sérieux ? L'avocat m'a assuré que les nouveaux avaient une cellule individuelle.

— Ouais. J'y ai cru aussi. Mais on m'a mis dans le grand bain tout de suite. Paraît qu'il y a eu un incendie dans les cellules arrivants la semaine dernière. Ils sont encore en train de gratter les murs.

— Mais tu ne peux pas en parler aux matons ?

— Ils s'en foutent. Ils ne me cracheraient même pas dessus si j'étais en feu.

Alex s'assura discrètement de ne pas être vue, puis plongea la main dans son soutien-gorge pour en sortir une puce de téléphone portable. Les portiques détecteurs de métal étaient si mal calibrés qu'avec un peu d'intelligence et d'audace, on pouvait tout faire entrer à Marveil.

— Cent unités, comme tu m'as demandé. Tu penses pouvoir récupérer un portable ?

Nano inséra la puce dans sa bouche et d'un coup de langue la fixa entre les gencives et la joue.

— C'est pas pour moi. C'est pour Machine.

— Machine ?

— C'est le surnom de mon codétenu. On perd nos noms ici. Chacun est rebaptisé.

— Et toi ? Ils t'appellent comment ?

— Futé. Parce que je parle correctement.

Une sonnerie stridente retentit, annonçant la fin de la demi-heure de parloir. Nano attrapa la main de sa sœur.

— Alex, tu peux faire quelque chose pour moi ?

— Tout ce que tu veux, assura-t-elle avec conviction.

Les autres visiteurs se levaient déjà et comme ils étaient la seule distraction humaine de la semaine, chaque prisonnier dévisagea qui était venu voir qui. Histoire de jalouser ou de se moquer. Nano baissa les yeux car le service qu'il allait demander allait être gênant pour tous les deux.

— Avant de partir… embrasse-moi sur la bouche. Devant les autres.

Alex ne comprit pas tout de suite. Puis elle réalisa qu'il fallait que son frère démontre son hétérosexualité dans un endroit où chaque faiblesse est mise à profit.

Elle se leva, se pencha au-dessus de la table qui les séparait, faisant volontairement remonter son tee-shirt et découvrant ses hanches, puis elle l'enlaça et l'embrassa tendrement, longuement. Assez pour que tout le monde en profite. Les surveillants, si prompts à mettre un terme aux contacts physiques, eurent quelques secondes de patience de plus. Les autres prisonniers enregistraient la scène, cette peau ambrée et ces courbes, pour se les rediffuser à la nuit tombée.

Alex quitta la cabine 8 et avant de suivre l'escorte vers la sortie, elle se retourna vers Nano et cria assez fort :

— Je t'aime bébé !

– 3 –

District 3 – Cellule 342.
« Machine » (meurtre) et « Futé » (braquage).

Le surveillant ouvrit la porte en faisant cliqueter son lourd jeu de clefs et Nano rejoignit son codétenu. La porte se referma derrière lui et le verrou fut enclenché dans un bruit métallique aussi sec et grave qu'une sentence.

Murs collants recouverts de posters de bagnoles et de porno en gros plan, sol poisseux, deux lits colonisés par les puces, une télé portable grésillante allumée H24, une table en bois brûlée par les gazinières bricolées et des toilettes sans autre intimité qu'un drap tiré devant. Odeur de sueur, de pisse, de chaud et de sale. Une fenêtre bloquée. Pas d'air.

Au centre des neuf mètres carrés institutionnels, un Black imposant enchaînait les pompes en comptant tout haut. Il s'arrêta à 230 et se releva, transpirant, deux larges auréoles sous les bras, les veines du front encore gorgées de sang. Le surnom de Machine lui allait très bien.

— Alors la Biche, t'as vu ton mec ?

Nano s'assit sur son lit et y déposa le sac apporté par sa sœur.

— C'était ma copine.

Machine s'approcha de lui et lui envoya une claque sonore.

— T'as pas de copine la Biche, t'es une pédale.

Il aurait vraiment préféré « Futé », le surnom qu'il s'était inventé devant sa sœur. Mais son regard doux, son jeune âge et ses traits fins n'avaient pas joué en sa faveur et l'avaient classé parmi les proies. Nano encaissa le coup sans broncher. Ce n'était pas le premier.

— T'as ma carte SIM et mon jeu de cartes ?

Nano ouvrit le sac et commença à chercher. Machine, impatient, le lui prit des mains, le vida entièrement sur le sol et récupéra le jeu. Nano mit ensuite les doigts dans sa bouche puis lui tendit la puce téléphonique. Il s'était plié aux exigences de son codétenu, peut-être aurait-il l'après-midi tranquille. Mais Machine n'avait pas reçu de visites depuis longtemps et une certaine frustration le gagna. Une frustration qu'il ne savait gérer que d'une seule manière.

— Approche. Je t'ai pas fait mal quand même ?

Nano se leva. Il était une fois resté assis dans une attitude de rébellion téméraire et il savait maintenant que ce n'était pas une bonne idée. Le Black s'allongea sur sa couche.

— Vas-y doucement, gamin.

Nano se mit à genoux, ferma les yeux et, empoignant l'intimité de Machine, se mit à réciter mentalement, comme une prière : « Vingt et unième jour de détention provisoire. Le vingt-deuxième sera peut-être meilleur. »

– 4 –

Cour de promenade du district 3.
Surnom : la Jungle.
Durée : 1 heure – 300 détenus – 1 surveillant au mirador.

Vingt-deuxième jour. Nano s'était inséré dans un coin, entre un mur de béton armé et le grillage, dont toute la partie haute était barbelée. Il poursuivait un de ses rêves favoris. Celui d'être invisible. Invisible au milieu des loups.

Un autre de ses rêves éveillés le ramenait en Corse, enfant, quand il pouvait courir sur la plage, les yeux fermés, sans craindre de se prendre un détenu de plein fouet ou un barbelé dans la gueule.

Courir les yeux fermés. Être invisible. Comme libre en somme.

Dans la cour, plusieurs centaines de détenus erraient. Certains occupés à faire du sport, à fumer des joints ou à colporter les dernières rumeurs. D'autres, en groupe, se racontaient leurs faits d'armes ou décidaient de leur prochaine cible. Tous se toisaient, se jaugeaient, se défiaient. Des centaines de détenus comme autant de menaces.

Dans le coin nord-ouest de la cour, un mirador s'élevait sur une vingtaine de mètres et dans la cabine de contrôle vitrée, un surveillant observait à la jumelle les allées et venues des prisonniers. Le mirador n'était pas directement construit sur le sol de la cour mais sur un promontoire de trois mètres de haut et de trente mètres carrés de superficie pour éviter que les prisonniers puissent l'escalader. Ainsi, sous le mirador, existaient trente mètres carrés aveugles, volontairement laissés sans aucun contrôle, trente mètres carrés où il valait mieux ne pas se trouver.

Ici, l'avenir, c'est juste demain, et face à cet avenir, une bouffée d'angoisse submergea Nano. Souffle court, vision restreinte, un sanglot dans la gorge. Les symptômes d'une bonne crise d'angoisse, exactement là où il ne fallait pas la faire. Il le savait, il ne tiendrait pas le coup encore très longtemps. Personne, et surtout pas lui, n'était taillé pour cet enfer. Un homme s'adossa à la même grille que lui, un mètre plus loin.

— Respire un grand coup.

Nano ne l'aperçut qu'à ce moment et son corps se contracta. Un individu égale un danger potentiel. Il le détailla. Environ quarante ans, la peau mate, tête rasée, mâchoire serrée et regard noir impassible. L'inconnu poursuivit :

— Respire un grand coup. S'ils te voient chialer, ils vont commencer à s'amuser avec toi.

Nano se ressaisit.

— J'allais pas pleurer.

— C'est bien alors. Qu'est-ce que tu fous là ?

— Braquage.

— Je m'en fous de ça. Sauf si t'es un pointeur ou un pédophile, tout le monde se fout des raisons pour lesquelles t'es là. Je te demande ce que tu fais à côté du Préau ?

Face à la tête de Nano, l'inconnu comprit qu'il allait devoir lui apprendre quelques règles.

— Merde, mais t'es arrivé quand ? Tu devrais savoir tout ça. La zone sous le mirador, ça s'appelle le Préau et tu veux pas t'y faire traîner. Viens, marche avec moi.

Nano n'ignorait pas que chaque sympathie, chaque service ou le moindre conseil avaient un coût. Il se refusa à être débiteur. Branler Machine deux fois par jour était suffisant.

— C'est bon, je vais rester là. Je t'ai rien demandé et j'ai rien à te donner.

— Tout va bien gamin, t'es pas mon style…

L'attention de l'homme se porta à nouveau au fond de la cour. Inquiet, il répéta son conseil.

— Et crois-moi, il faut que tu bouges de là.

À une vingtaine de mètres, dans un coin de la cour, assis sur un bout de pelouse fatiguée, un homme trapu, style aryen skinhead, tatoué du cou aux bras, se roulait un joint sans grande discrétion. Un groupe de six jeunes prisonniers l'approcha, faisant mine de discuter entre eux. Fins et grands, tous en jogging, marchant en ricanant, ils faisaient penser à des hyènes, regardant autour d'eux comme si un mauvais coup pouvait venir de n'importe où, alors que le mauvais coup à venir, c'était eux qui le préparaient. À peine eurent-ils dépassé le tatoué qu'ils firent demi-tour, et par surprise, le soulevèrent de terre pour l'emmener sous le Préau. Porté comme un gibier, l'homme lança pieds et poings, fouettant dans le vide. De part et d'autres des sifflets résonnèrent. Ils ne venaient pas des surveillants, mais des prisonniers appelant au spectacle à venir. Quelqu'un allait prendre une dérouillée et personne ne voulait rater ça.

Dans le coin opposé de la cour, Machine poursuivait sa partie de poker avec quelques autres détenus. Il leva les yeux dans la direction du brouhaha : une punition sous le Préau. Il en avait donné bien plus qu'il n'en avait reçu. La chose avait depuis longtemps perdu de son intérêt. Il se reconcentra sur la partie.

Une foule s'amassa sous le mirador, compacte, si bien que Nano n'eut aucune visibilité. Des cris de douleur, des encouragements joyeux puis en moins de trente secondes, la soixantaine de spectateurs se dispersa, laissant au sol la victime inerte. Le visage en bouillie et le bras gauche dans un angle anatomiquement impossible. Deux des hyènes furent désignées pour l'attraper par les jambes et le traîner hors de l'arène, à la vue du surveillant du mirador. Le soleil tapa sur le verre des jumelles du garde, il fit le point et le haut-parleur cracha :

— À la porte !

Ils le tirèrent sur le sol, laissant derrière eux une traînée terre-sang, et le déposèrent devant la porte d'entrée de la cour qui s'ouvrit timidement. Des bras de surveillants en sortirent, attrapèrent le prisonnier toujours inconscient, le tirèrent à l'intérieur et la porte se referma. Officiellement, rien ne s'était passé et le calme revint. Nano, un peu affolé, s'adressa à l'inconnu.

— Putain, ils auraient pu le tuer. Comment ils peuvent laisser toute cette zone sans surveillance ?

— Le Préau ? C'est un défouloir. Ça régule les tensions. Si les taulards ne le faisaient pas ici, ils le feraient dans leurs cellules, dans les couloirs ou à la cantine, et ça, les surveillants, ça leur fout la trouille. Alors ils leur laissent un ring pour régler leurs différends. Plus t'es proche du Préau, plus tu risques de te faire aspirer et sans vouloir te vexer, t'as pas les épaules.

Une tache rouge colorait le sol poussiéreux sous le mirador. Nano réalisa que la cour était probablement encore plus dangereuse que sa cellule. Même avec cette ordure de Machine. Il tendit la main.

— Merci, mec. Moi c'est Nunzio. Enfin, Nano.

— Je sais, la Biche. Moi c'est Gabriel. Ici, Scalpel.

— Pourquoi ?

— Ils disent que j'ai égorgé une femme.

— Et c'est vrai ?

Scalpel éclata de rire.

— Évidemment que oui.

La sonnerie annonça la fin de la promenade. Nano profita de cet ange gardien pour lui demander un service.

— Dans ma cellule, ça se passe pas très bien. Tu crois que tu peux m'aider ? Je peux te faire envoyer de l'argent si tu veux.

Scalpel lui tapa deux fois dans le dos, tout sourire.

— T'es tout seul ici. Et si un jour, tu crois te faire un ami… Méfie-toi de lui.

District 3 – Cellule 342.
« Machine » (meurtre) et « la Biche » (braquage).

Machine entra dans la cellule, les poings serrés, visiblement furieux. Quand la porte se referma derrière lui, il tapa deux grands coups dans le mur et Nano se recroquevilla sur son matelas. Machine se rendit vers sa couche, passa la main sous l'oreiller et en sortit un joint déjà roulé. Il se posta à nouveau devant la porte, tambourina et gueula avec une voix grave animale :

— Gardien ! Oh, gardien !

Un œil apparut et assombrit le judas de la porte.

— Oh gardien, passe-moi du feu.

— T'en as plus ?

— Non, je l'ai perdu au poker.

Bruit de clef, de verrou, puis la porte s'ouvrit. Le surveillant tendit son briquet et alluma le joint de Machine qui tira deux grosses bouffées odorantes. Le gardien disparut dans la fumée et la porte se referma.

Le cannabis. Encore un moyen de se garantir un peu de calme. Une partie non négligeable des prisonniers se retrouvent à Marveil pour des délits relatifs à la drogue. Qu'elle soit tolérée à l'intérieur de la prison relève de l'ironie.

Avant que ne vienne à Machine l'idée de s'en prendre à lui, Nano essaya d'être compatissant.

— Je suis désolé pour ton briquet.

Le Black fit rougeoyer le bout de son joint en tirant dessus comme un aspirateur.

— J'ai aussi perdu ton jeu de cartes. Il m'en faudra un autre.

— Je demanderai à ma copine.

— Tu lui demanderas aussi des photos d'elle à poil. Ça te dérange pas de partager ?

Nano imagina la tête de Machine explosée contre le mur.

— Non, bien sûr.

*
* *

District 3 – Cellule 321.
« Scalpel » (assassinat) et « Cuistot » (empoisonnement).

Scalpel terminait de se raser pendant que son codétenu, un vieux Turc de soixante-dix ans à l'odeur épicée, finissait la construction d'une chauffe pour la nourriture, faite d'une boîte de conserve et de deux résistances.

Un rasoir par mois. La lame fatiguée entailla superficiellement la gorge de Scalpel. Il apposa un morceau de papier toilette sur la blessure pour endiguer les quelques gouttes de sang.

— Tu connais Machine ?

Cuistot ne releva même pas la tête, tout accaparé par son bricolage. Il avait écopé de douze ans pour empoisonnement et depuis quelques années avait pris, au sein de la prison, la place de cantinier. S'il vous fallait des affaires de toilette, de la bouffe correcte ou des clopes, Cuistot pouvait vous trouver ça.

— Ouais. Il fait partie des Blacks de Saint-Ouen. Pas très commode et pas très intelligent. Mauvais mélange.

Scalpel termina d'enlever le reste de mousse à raser d'un coup d'eau et passa la paume de sa main sur sa peau. Cuistot fit une pause.

— Tu demandes ça pour le gamin ? Je t'ai vu lui parler dans la cour.

— Tu crois qu'on peut faire quelque chose ?

— Arrête, tu sais qu'on doit juste se protéger des autres. Je vends de la bouffe à ces animaux, c'est pour ça qu'ils me foutent la paix. Et aussi parce que je vais crever ici. Ils respectent ça. Toi, depuis qu'ils savent que t'as décapité ta femme, ils ont peur que tu les plantes.

— Égorgée, pas décapitée. Et c'était pas ma femme. J'en ai une, de femme. Elle, je la connaissais à peine. Et puis surtout, j'ai rien fait.

Le Turc leva les yeux au ciel, exaspéré.

— Mais ta gueule ! Je me suis assez donné de mal pour construire ta légende. Même ton surnom, « Scalpel », c'est moi qui l'ai inventé. Rends-toi service Gabriel, oublie ce gamin.

Scalpel vérifia l'heure, attrapa sa serviette et se positionna devant la porte.

— Tu vas pas à la plage, Cuistot ?

— Non, je dois terminer cette chauffe pour la 323.

En rang avec dix autres prisonniers, Scalpel suivit le surveillant jusqu'aux douches. Dans la file, Machine et Nano avaient pris la tête. Sol moisi, carrelage cassé et tranchant, constellation de taches de tous les fluides que le corps peut fabriquer, profondément incrustées dans les murs, rats et tiques, mycoses assurées. Chacun s'installa sous un pommeau rouillé d'où un maigre filet d'eau s'échappait difficilement.

— Vous avez dix minutes, lança le gardien avant de quitter la salle et de les laisser sans aucune surveillance.

Machine et Nano s'installèrent à côté de Scalpel. Le grand Black le toisa quelques secondes et Scalpel ne laissa pas passer cette défiance.

— Arrête de me fixer comme ça, je vais tomber amoureux. Tu sais que c'est pas bon quand je suis amoureux.

Machine sourit en révélant deux dents cassées. Il connaissait la réputation aiguisée de cet homme au crâne rasé et au regard noir, presque vide. Il regarda autour de lui, puis son attention revint sur Gabriel.

— Je crois que t'es propre là, Scalpel. Faudrait nous laisser un peu d'intimité.

Sa phrase à peine terminée, trois gaillards entrèrent dans la salle de douche commune qui se vida rapidement des autres prisonniers. Nano garda les yeux baissés tandis que Gabriel estimait les nouveaux arrivants. S'il en défonçait un salement, peut-être les autres feraient-ils marche arrière. Machine s'étonna de le voir rester.

— T'es sûr de toi Scalpel ? Tu veux vraiment pas m'écouter ?

Gabriel se souvint des premières paroles de Cuistot : « Si y a bien quelque chose à profusion, ici, c'est les emmerdes, et sois sûr que t'en auras. Alors cherche pas celles des autres, tu pourrais faire une indigestion. »

Il croisa le regard de Nano. Même la posture voûtée du gamin parlait pour lui. Il avait cédé, abandonné, il était devenu victime. À contrecœur, Gabriel prit son gel nettoyant, sa serviette et quitta les douches. À la surprise de Nano, Machine fit de même et le jeune homme se mit à espérer un répit. Il récupéra ses affaires et s'apprêta à le suivre mais Machine le freina, posant une main sur son épaule.

— Non. Toi tu restes un peu.

Nano regarda avec inquiétude les trois autres détenus qui se déshabillaient, puis, comme on dit s'il te plaît :

— Mais j'ai terminé.

— Je sais. Mais toi aussi je t'ai perdu au poker.

À quelques mètres de la porte des douches, le surveillant Demarco recompta deux fois ses prisonniers. Deux fois et il en manquait toujours un. Il remplaçait depuis moins d'un mois le surveillant Chabert qui avait, dit-on, reçu un mauvais coup au niveau de la carotide avec une brosse à dents frottée sur le sol et aiguisée comme un poignard. Alors il avait vite appris à identifier les endroits à fort potentiel merdique : la cour de promenade, les douches et la cantine. Ici, avec l'humour résigné des détenus, c'était la Jungle, la Plage et le Restaurant.

Le centre pénitentiaire de Marveil avait connu trois grandes ères. De 1970 à 1990, la prison avait respecté le ratio surveillants/prisonniers et permettait un contrôle interne favorable à la vie en communauté des éléments les plus dangereux de la société. À partir des années 1990 ont commencé en même temps la surpopulation carcérale et les coupes budgétaires. Avec un surveillant pour cent prisonniers, les ennuis devenaient inévitables. Alors les surveillants sont entrés dans la deuxième grande ère de Marveil, celle de la répression. Violente, parfois injuste, constante, autorisée. Par peur, par autoprotection et, dérive oblige, parfois par plaisir. Cette route vers la violence, quand elle est tolérée par la hiérarchie, s'appelle l'effet Lucifer. Des scientifiques et des psys américains ont même mené une expérience avec des étudiants volontaires dans une fac[1], et ça ne loupe jamais : quand tu as le droit, tu cognes.

Puis vers les années 2000, avec un nombre toujours plus important de prisonniers, des effectifs de surveillants encore plus resserrés et des locaux qui rendraient sélecte la pire des porcheries, est arrivée la dernière et troisième grande période de Marveil. Celle du secret et de l'abandon. La seule mission du surveillant étant de rentrer chez lui en un seul morceau, il n'y avait plus qu'à laisser les détenus s'insulter, se battre, faire du commerce, se droguer et baiser entre eux, avec, comme seule limite morale, le suicide et le meurtre.

Demarco commençait à comprendre doucement la différence entre les promesses de l'emploi et ses réalités. Comme celle entre la photo sur le paquet du plat surgelé et le truc marron dégueulasse qu'il contient réellement. Rentrer chez lui, retrouver sa femme et son gosse, il ne demandait que ça, mais voilà, il avait compté deux fois et il lui manquait toujours un prisonnier. Numéro d'écrou 4657. Nunzio Mosconi.

Demarco ouvrit la porte des douches et aperçut, dans un coin, un corps inerte sur lequel finissait de pisser un pommeau de douche. Du sang s'échappait de ses lèvres comme de l'intérieur de ses cuisses. Il entra, constata que le ventre se soulevait encore et

---

1. The Stanford Prison Study. Étude de l'université de Stanford sur l'effet Lucifer, 1971.

que le prisonnier respirait. Pris de panique, il actionna l'alarme bien que sa hiérarchie le lui ait fortement déconseillé. En moins de vingt secondes, deux surveillants débarquèrent, l'air contrarié.

— Y a un mort ?

— Non, mais il est bien amoché, répondit Demarco. Le second surveillant enchaîna :

— Merde ! On t'a dit quoi ? Pas d'alarme ! Maintenant tout le monde est au courant qu'il y a eu de l'action. L'alarme c'est quand il y a un mort, sinon c'est comme du Viagra sur ces connards.

L'autre poursuivit :

— Petite allumeuse ! C'est toi qui les as excités, c'est toi qui vas les calmer cette nuit.

— On s'occupe de ramener ta colonne en cellule. Toi, t'emmènes ton protégé à l'infirmerie.

Ils s'éloignèrent en laissant derrière eux Demarco, à qui cette engueulade donna l'impression qu'il était lui-même responsable de la situation. Qu'il avait lui-même bastonné et violé 4657.

Nano avait plongé au plus profond de la mer, s'était retourné et observait maintenant le soleil à travers l'eau, changeant de forme au gré des vagues, dans un silence hypnotique. Un rouleau s'écrasa au-dessus de lui en un million de bulles, nuage de mousse dans un ciel d'eau. Il poussa sur le sol sablonneux et, alors qu'il rejoignait l'air, il retrouva le bruit du vent et de la Méditerranée à chacune des brasses qui le rapprochaient du rivage. Il sentait maintenant le sable fin atteindre ses chevilles à chaque nouvelle enjambée sur la plage. Le soleil sur ses épaules comme une caresse réconfortante. Le goût du sel quand sa langue passait sur ses lèvres. Derrière la forêt de pins, Cargèse, un village côtier, paisible. Celui de ses parents. Haletant et encore ruisselant d'eau, il s'assit sur un rocher à côté de sa sœur. Qu'elle portât cinq montres à chaque poignet ne l'étonna pas plus que ça. Elle faisait bien ce qu'elle voulait après tout.

— Quand j'étais gamin, tu me disais qu'il y avait un trésor dans ces eaux. Une vieille histoire de pirates.

— Il y en a un, mais tu cherches mal, 4657.

— J'ai plongé tant de fois ici que s'il y avait eu la moindre pièce d'or je l'aurais trouvée et je te l'aurais déjà offerte.

— Le trésor existe. Il faut que tu ouvres les yeux, 4657.

Les pieds de Nano quittèrent le sable, son corps entier se souleva dans les airs et la mer recula d'une vingtaine de mètres d'un coup, comme elle le fait avant un tsunami.

— Oh ! 4657 ! Ouvre les yeux ! Ça va ?

Le médecin se tourna vers l'infirmier.

— Il a pris cher. Vaudrait mieux qu'il passe la nuit ici.

Nano ferma les yeux et retomba sur le sable de Corse.

*
* *

District 3.
Infirmerie.

Le personnel médical en avait conscience, passer la nuit à l'infirmerie devait rester quelque chose d'exceptionnel. Dans le cas contraire, tout le monde tenterait le coup et l'endroit serait vite saturé. Ainsi, il était hors de question que Nano passe une heure de plus au chaud. L'infirmier bouscula son lit d'un coup de hanche, d'assez loin pour éviter un réveil agressif. Et Nano subit la torture quotidienne des deux secondes de réglage de son cerveau.

Deux secondes, tous les matins, depuis qu'il était enfermé. Deux secondes pendant lesquelles il pouvait se croire partout, n'importe où. En Corse, à Paris, dans une chambre d'hôtel ou dans le lit d'une inconnue. Puis son esprit s'allumait et ses yeux se mettaient à reconnaître l'endroit, comme si la sentence tombait à nouveau : centre pénitentiaire de Marveil.

— Réveille-toi. Martineau veut te parler.

— Qui ?

— Martineau. Le chef de détention. À propos d'hier soir.

Nano se redressa dans son lit et aussitôt, la douleur embua ses yeux et le bas de son dos se crispa. L'infirmier l'avertit.

— C'est déchiré. Pas assez pour avoir besoin de recoudre, mais faudra laisser reposer.

Nano toisa son interlocuteur.

— Promis, j'essaierai de plus me faire violer.

8

District 3.
Rotonde – Quartier des surveillants.

Demarco entra dans le bureau du chef de détention où Martineau terminait un entretien avec un surveillant d'un autre étage qui, les mains posées sur ses genoux, n'en menait pas large. Il se mit dans un coin de la pièce et laissa la conversation se poursuivre.

— Il te l'a réclamée cette visite parloir ou pas ? demanda Martineau.

— Oui, mais il réclame toujours dix services par jour.

— Le parloir, c'est le seul truc avec lequel il faut pas déconner, tu le sais. Si tu leur enlèves ça, ils te le font payer.

Le surveillant passé au gril tenta tout de même une esquive, désignant Demarco d'un coup de menton.

— Je suis obligé d'y aller ? On peut pas faire faire ça à un nouveau ?

— Tu lui as fait rater la visite de sa copine. Rien que pour toi il s'est enduit tout le corps avec sa propre merde. Ce serait pas poli d'y envoyer quelqu'un d'autre. Alors tu prends la lance à incendie et tu me le nettoies.

44

Le surveillant se leva, la mine sombre, et prit la porte, laissant la place à Demarco. En s'asseyant, la jeune recrue ne put s'empêcher de commenter :

— Mais ça s'arrête jamais ici ?

Martineau le toisa. Il lui avait fallu deux cent dix points de suture, majoritairement sur les mains et les bras, pour devenir le chef de détention passablement blasé qu'il était aujourd'hui. Il savait que deux semaines plus tôt, Demarco avait assisté à un barbecue. Aujourd'hui, un viol collectif. Il se demanda combien de temps il faudrait à ce gamin pour craquer. Puisque chacun craque un jour.

— J'ai près de cinq mille fauves qui ont vingt-quatre heures par jour pour penser à la connerie qu'ils préparent. Alors, non, ça s'arrête jamais. Efface-moi cette gueule de novice et fais entrer le détenu.

Demarco se tenait maintenant debout derrière Martineau, lui-même bien assis dans son fauteuil rembourré, tous deux faisant face à Nano. Petite moustache et tonsure de moine, le chef des surveillants menait la conversation.

— Bon, c'était quoi ce bordel, hier, aux douches ?

Nano tenta de rester calme.

— C'est à moi que vous posez la question ?

— Pourquoi n'avez-vous pas appelé le surveillant en charge des douches ?

— C'est une blague ? Y a jamais de surveillant.

— C'est vous qui le dites. C'est obligatoire, c'est dans les textes. Donc hier, il y avait un surveillant.

Nano réalisa rapidement que l'entretien n'avait pour seul but que de couvrir l'administration pénitentiaire en cas de suites.

— Bon, vous voulez déposer plainte nominativement et retourner dans votre cellule ?

— Non. Je veux déposer plainte nominativement
et être placé seul, ailleurs. Si je reviens dans ma
cellule après avoir balancé, je vais pas faire une nuit.

Le surveillant chef se cala confortablement sur son
trône et joignit les mains devant lui.

— Mosconi, c'est ça ? Écoutez-moi Mosconi, soit
vous estimez que ce qui s'est passé hier était inaccep-
table et vous pouvez déposer plainte, soit vous êtes
d'accord avec moi pour dire que ce genre de choses
peut arriver et qu'une attitude appropriée vous aurait
peut-être évité ces ennuis.

Nano se leva d'un bond de sa chaise avant de se
faire rasseoir avec force par un troisième surveillant
qu'il n'avait pas vu jusque-là, réveillant immédiatement sa blessure intime. Une larme de douleur perla.

— Une attitude appropriée ? Vous déconnez ? Je
les aurais provoqués ?

— Dans le cas contraire, n'hésitez pas à me faire
la liste de vos agresseurs. Je procéderai à leur audition, comme je le fais maintenant avec vous, et nous
verrons bien où tout ça nous mène.

Martineau poussa devant lui un stylo-bille et un
carnet à spirale puis attendit. Nano observa Demarco,
silencieux jusque-là. Le jeune surveillant faisait
beaucoup d'efforts pour ne pas croiser le regard du
détenu 4657. Nano soupira et repoussa le bloc-notes.

— Ça ira, merci.

Le chef se retourna vers son subalterne et se débarrassa du cas Mosconi en une phrase.

— Parfait. Demarco, vous le faites passer par le
psy et retour cellule.

Planqué derrière ses moustaches, Martineau devait se dire qu'il avait géré cette situation au mieux. Sans vagues, le navire ne tangue pas.

Une partie non négligeable des prisonniers se retrouvent à Marveil pour des agressions sexuelles. Qu'elles soient tues, voire tolérées à l'intérieur de la prison, voilà encore qui relève de l'ironie.

9

District 3.
Bureau du psychiatre.

Attentionné, le docteur avait prévu de placer un petit coussin sur la chaise de Nano. Celui-ci aurait pu être touché par le geste, mais il fut au contraire atterré que le psy ait un coussin exprès pour ceux qui avaient du mal à s'asseoir. Il balaya cette idée et attaqua de front.

— Si on me fait voir un psy c'est qu'on est quand même conscient que je suis victime de quelque chose, non ?

Le psy, la soixantaine bien tassée et l'embonpoint bureaucratique qui va avec, se frotta les yeux derrière ses lunettes. Nano lut l'indifférence et la fatigue comme si elles étaient tatouées sur le front du médecin.

— Mosconi, c'est ça ? Alors je vais vous la faire courte, Mosconi. Si vous pensez que j'ai la moindre capacité à régler vos problèmes, vous vous mettez le doigt dans l'œil jusqu'à l'épaule. Je gère les toxicos, les dépressifs, les suicidaires et tout autre cas psychiatrique de la même manière, à coups d'antidépresseurs et de méthadone. Ici, je suis juste un dealer.

— Et votre taf de psy, vous le faites sur votre temps libre ?

— De l'humour ? C'est bon signe. Cher ami, ça fait bien longtemps que je n'ai pas mis en place une psychothérapie. Tout n'est qu'inégalité et ultra-violence, ça ne sert à rien de réparer les esprits en pleine tempête. Et de toute façon, la plupart sont sûrs de ne rien valoir. Depuis le temps qu'on le leur répète, il ne faut pas s'étonner du chiffre de récidive. Soixante pour cent, c'est effrayant, non ? Vous avez déjà entendu parler de la théorie de l'échec programmé[1] ?

Nano ne fit pas attention à l'exposé ni à la question qui le concluait, et pour peu qu'il en ait eu, il vit ses espoirs se désagréger.

— Docteur, dites-moi pourquoi je suis là, alors ?

Le psy ouvrit le dossier devant lui et bien qu'il n'y ait que deux pages, réussit à les feuilleter d'avant en arrière jusqu'à l'agacement.

— Actes sexuels dans la douche commune sans dépôt de plainte. J'imagine que je dois vous parler de votre homosexualité et des problèmes qu'elle peut engendrer dans un milieu fermé exclusivement mas-culin.

Malgré la situation, Nano s'empêcha presque de s'esclaffer.

— Vous vous foutez de moi ? Je suis pas homo, j'ai été violé ! C'est juste l'autre avec ses moustaches qui refuse de me protéger si je donne les noms.

---

1. Syndrome de l'échec programmé, dit « effet Pygmalion », par le docteur Charisse Nixon, *in* « Projet Ophélia », États-Unis, 2008.

— Martineau. Et ne vous moquez pas de ses moustaches, il est très susceptible.

La susceptibilité faisait partie des sentiments qui n'avaient plus cours dans la vie de Nano, tout comme la vexation, l'amertume, l'offense, la mélancolie, l'indignation. Des états émotionnels d'homme libre.

— Je me fous qu'il soit susceptible. Je veux que vous me disiez comment ne pas retourner dans ces égouts. Il y a bien un quartier disciplinaire où je peux être gardé, non ?

Le psy sembla réfléchir sérieusement à la question et y répondit avec une lassitude décourageante.

— Oui bien sûr, mais il faudrait que vous ayez commis un acte grave, comme une agression de surveillant.

— C'est ce que vous me conseillez ?

— Évidemment non. Ça ne ferait que rallonger votre future peine de quelques mois. Mais si vous êtes homosexuel, vous pouvez aller en isolement.

— Pardon ? Je ne peux pas aller en isolement parce que je risque ma peau, mais je peux y être collé parce que je suis homo ?

— Ou pédophile, ou transsexuel, ou encore ancien flic, choisissez. En fait, toute déviance lourde qui vous mettrait en danger par rapport aux autres. On est obligé de les prendre en compte.

Nano se prit la tête entre les mains, à quelques secondes d'exploser de rire ou de fondre en larmes. Le psy poursuivit avec la même nonchalance, comme s'il avait un job d'été et qu'il prenait une commande au restaurant :

— Bon, j'écris quoi ?

Nano hésita une seconde.

— Mettez que je suis homo.

— Je vous mets des antidépresseurs ?

— Ils sont comment ?

— Efficaces.

— Alors va pour les médocs.

10

Alex Mosconi patientait depuis près d'une heure sur un banc de la Rotonde, au centre de la prison. Elle avait vu le groupe des visiteurs dirigé vers les cabines du parloir, mais son nom à elle ne figurait pas sur les listes. Plus qu'impatiente, elle était anxieuse. Elle reconnut le surveillant aux yeux baladeurs qui se dirigeait vers elle.

— C'est pour Nunzio Mosconi, c'est ça ?

Elle acquiesça.

— Ça va pas être possible là. Il est en isolement.

— En isolement ? C'est quoi ces conneries ? Il lui est arrivé quoi ?

— On m'a pas dit, répondit mollement le surveillant.

— Mais pour combien de temps ?

— On m'a pas dit non plus.

Envie de meurtre passagère. Elle reprit son calme.

— Alors je fais quoi ?

— Vous rentrez chez vous et vous faites une nouvelle demande de parloir.

Sans lui laisser le temps de protester, le surveillant, d'un geste, l'invita à se lever et à le suivre hors de l'enceinte. Elle ne se vit même pas faire le trajet jusqu'à la porte de sortie tant son esprit était occupé à imaginer les raisons pour lesquelles son frère avait pu atterrir en isolement. De loin, dans une coursive un étage au-dessus, Demarco l'avait observée et lui avait trouvé sans hésitation un air de famille avec 4657. Il connaissait bien les raisons pour lesquelles son parloir était annulé. Lorsque la jeune femme sortit de son champ de vision, il resta seul, avec un sentiment de culpabilité collant comme un rideau de douche.

Ramenée à l'extérieur, Alex se retrouva sur le parking désert. Elle attrapa son portable, composa fébrilement un numéro appris par cœur depuis le temps et, quelque part dans le VIIIe arrondissement de Paris, le téléphone d'un cabinet d'avocats retentit.

À la troisième sonnerie, maître Tiretto décrocha. Bureau en ébène, costume impeccable, coupe de cheveux parfaite, la quarantaine entretenue, le genre de type après qui court Barbie. Derrière lui, un tableau immense, fait de taches de couleur jetées au hasard, gerbées comme un lendemain de cuite à la peinture. De l'art moderne assez moche pour être hors de prix.

— Mademoiselle Mosconi, bonjour. Comment allez-vous ?

— Salut Tiretto. Mal. Je vais mal. Nano est à l'isolement et je ne sais pas pourquoi.

— Vous ne m'avez pas dit qu'il était un peu amoché la semaine dernière ? Il s'est peut-être défendu cette fois-ci ?

— Nano ? Vous le connaissez. C'est pas le genre.

— Ce n'est pas non plus le quartier disciplinaire, seulement de l'isolement. C'est peut-être tout aussi bien pour lui.

— Sans fenêtre et sans effets personnels ? Dans une cellule encore plus petite ? Il a mis six mois pour tout juste commencer à supporter Paris. Il faut que vous me disiez ce qui s'est passé. Pourquoi ils l'ont mis là. Je ne peux pas le laisser comme ça.

— J'ai plusieurs clients à Marveil. Je peux vérifier. Mais ça va me prendre un peu de temps. Et quelques billets.

Alex serra les poings et passa la vitesse supérieure.

— Tiretto, si c'est de l'argent que tu veux, ma famille t'en a déjà passé beaucoup. Beaucoup trop. Alors donne-moi les infos que je te demande ou je te fais manger tes couilles.

Il tenta de désamorcer sa cliente mais elle lui raccrocha au nez. Il resta en suspens, le téléphone encore à l'oreille. Alex Mosconi venait d'une de ces familles corses dont les avocats raffolent. Toujours entre deux coups, toujours un cousin ou un frère à sortir d'un mauvais pas. D'affaires en plaidoiries, les Mosconi lui avaient payé sa piscine à Nice et son Audi TT de flambeur. Il ne pouvait pas laisser cet appel sans réponse.

11

Première nuit.
Cellule d'isolement 2.
Nunzio Mosconi.

De neuf mètres carrés, Nano passa à quatre, sans se plaindre. Le couloir de l'isolement comptait vingt cellules individuelles et il avait récupéré la numéro 2. D'abord une porte, comme celle de chaque cellule. Derrière la porte un sas de un mètre carré, puis une grille, et enfin, derrière la grille, le détenu à isoler. À l'intérieur, un banc de béton, une table scellée au sol, un lavabo et des toilettes à la turque comme ameublement. Sur les murs, des centaines de messages, pas tous cohérents, écrits à la cendre, au sang ou à la merde. Au-dessus de lui, un néon protégé d'une grille projetait une lumière blanche crue, de celles qu'on voit à l'hôpital, comme si à n'importe quel moment un type en blouse allait se présenter, bistouri à la main.

La première heure, Nano se délecta du silence, libéré du poids de la peur et des menaces. La deuxième heure lui sembla étrange. Tendu, il se mit à tourner en rond. Les heures suivantes lui donnèrent l'impression que sa cellule rétrécissait et il eut du mal à respirer. Avant la fin de la nuit, il comprit pourquoi l'isolement était insupportable pour certains.

En plein centre du mur du fond, un des messages, gratté d'une écriture maladroite, lui sauta aux yeux : « Tu es ton seul ennemi ».

Vers 21 heures, un bruit étrange retentit, similaire à un coup lourd, frappé contre le mur, suivi d'un hurlement. Quelques secondes plus tard, le même bruit. Puis le silence retrouvé. Nano referma les yeux, allongé sur sa plage de Corse. Pourtant, rien n'y faisait, même dans ses songes, la réalité le rattrapait. Le sable était collant, comme mazouté, et la mer sentait l'essence. Au loin, sa sœur n'était qu'une silhouette indistincte. La nuit serait une torture.

Cellule d'isolement 13.
Antoine Doucey.

Douze jours que le détenu avait fait sa requête. Ce qui paraît banal à l'extérieur devient, entre ces quatre murs, un parcours d'obstacles administratif. Même une simple demande de dentiste. Les douze jours n'étaient pas vraiment le problème. Mais les douze nuits, quand la rage de dents reprenait, s'égrenaient seconde après seconde. Sur l'échelle de la douleur supportable, la rage de dents se situe dans les souffrances suicidaires. De celles qui vous font penser que la mort est une délivrance. Ainsi, tous les soirs depuis douze lunes, Doucey se recroquevillait sur sa couche et refusait son repas, incapable de mâcher sans s'envoyer dix mille volts dans le cerveau. Il passait ses nuits à pleurer, la main posée sur le côté droit du visage, enflé, gonflé comme s'il cachait une balle de golf sous sa joue. Des nuits à rêver d'un marteau, pour tout casser à l'intérieur de sa bouche, une bonne fois pour toutes.

La cinquantaine, un léger boitement de la jambe gauche dû à une malformation de la hanche, Doucey en était à son deuxième passage à Marveil. Deux fois pour le même fait. Et toujours en isolement. À l'écart des autres, il n'avait pas eu la chance d'être affublé d'un surnom comme la Biche, Scalpel ou Machine. Il se demandait parfois celui qu'il aurait mérité. Le Monstre ? Le Diable ? Doucey n'avait pas besoin d'être enfermé, mais d'être réparé. La particularité de ses crimes en aurait fait une cible s'il avait été placé avec les détenus « communs » et son espérance de vie n'aurait pas dépassé deux jours.

À 21 heures, la douleur devint insupportable. Un étau brûlant à en perdre la raison, l'acculant à des mesures radicales. Une technique qu'il avait mise au point depuis quelques nuits. Il se leva, les yeux mouillés de larmes incontrôlables. Seul le sommeil pouvait le délivrer. Dos contre la porte de sa cellule, il respira doucement, puis s'emplit les poumons au maximum et courut tête baissée contre le mur d'en face. Le bruit résonna dans tout l'étage. Le choc, crâne contre pierre, lui colla des papillons dans la tête et fit entrer en résonance toutes les terminaisons nerveuses de son corps. Il hurla de douleur. Le premier coup était toujours trop timide. Chancelant, il se reposta, dos contre la porte de sa cellule, respira une fois et s'élança, plus vite pour frapper plus fort. Il s'écrasa contre le mur et s'écroula comme une poupée de chiffon, inanimé sur le sol collant de sa cellule. Enfin en paix. Il retrouva son Léo, huit ans, si présent dans ses souvenirs. Il lui manquait tellement. S'il pouvait encore le serrer dans ses bras, juste une fois, à peine quelques secondes, à l'écart de ses parents.

Léo.

Cellule d'isolement 20.
Boyan Mladic.

Martineau avait évoqué la dangerosité du détenu de la cellule d'isolement numéro 20. Depuis, lui et lui seul s'occupait de ce cas particulier et, face à ses dix-huit années d'expérience en tant que chef de détention à Marveil, personne n'y avait trouvé à redire.

À 21 heures, comme tous les soirs, il se dirigea vers la cellule 20, une glacière à la main. Il frappa deux coups secs à la porte avant d'actionner la clef dans la serrure. Odeur de propre, matelas épais sur le sommier de béton, micro-ondes, télévision câblée, ordinateur portable avec lecteur DVD et connexion Internet. Des attentions inhabituelles, comme autant de fausses notes sur une partition.

— Bonsoir, Boyan.

Au fond de la cellule, le détenu se leva et s'approcha de Martineau. L'effet était toujours saisissant. Boyan n'était rien moins qu'une montagne. Un Serbe, ancien militaire décoré de médailles. Tuer en avait fait un héros en temps de guerre. Mais la paix relative dont profitait l'ex-Yougoslavie l'avait mis au chômage et le retour à la vie civile l'avait totalement déboussolé. Du sang sur les mains après un mauvais regard dans un bar, tuer l'avait rendu cette fois-ci criminel et il avait trouvé refuge dans la Légion étrangère. Il avait passé six années sous le drapeau français avant de le quitter pour devenir garde du corps. De patrons paranoïaques en commanditaires vicieux, il avait fait le tour du monde, contrat après contrat, pour enfin arriver trois ans plus tôt en France. Personne ne connaissait réellement les raisons de son incarcération. Mais surtout, personne ne savait comment un simple homme de main pouvait, au sein de Marveil, bénéficier de tels privilèges. Personne à part Martineau.

Le chef de détention déposa la glacière et en sortit, sous forme de trois boîtes en plastique coloré, le repas de Boyan.

— Je repasserai dans une heure pour tout récupérer.

Boyan leva ses yeux gris presque blancs vers Martineau et hocha la tête en signe de remerciement. Malgré le calme apparent et la douceur surprenante du détenu, le chef de détention quitta la cellule à reculons sans jamais le lâcher du regard.

— Je te laisse manger.

Boyan ne répondit pas. À dire vrai, Martineau ne savait même pas si Boyan parlait français. Il savait juste qu'il fallait correctement s'occuper de lui pour qu'il ne sente pas le temps passer, car pour quelqu'un, quelque part, Boyan était à ce point important. Et ce que lui, Martineau, touchait pour s'acquitter de cette mission le confirmait.

Cellule d'isolement 2.
Nunzio Mosconi.

À 23 heures, Demarco se rendit aux cellules d'isolement pour s'arrêter devant celle de Nano. Il ouvrit la première porte, entra dans le sas et se posta devant la grille. À l'intérieur, le jeune homme tournait encore en rond et ne s'arrêta même pas à la vue du surveillant.

— Salut Mosconi. Tu tiens le coup ?

Nano arrêta net sa course et en une enjambée fit face à Demarco, barreaux d'acier entre eux. Il lui adressa la parole comme s'ils discutaient depuis dix minutes déjà.

— Vous pouvez me laisser votre montre ? Je voudrais savoir l'heure qu'il est.

— Il est presque minuit, répondit le surveillant.

— Non. Non, tu m'as pas compris. Je veux savoir l'heure qu'il est tout le temps. Je suis en train de me perdre.

— T'as plus de repères. T'as même pas de fenêtre. C'est normal d'être désorienté.

Tout en finissant sa phrase, Demarco fouilla dans sa poche et en sortit une cigarette, une barre chocolatée et un livre qu'il tendit à travers la grille. *Le Meilleur des mondes*, d'Aldous Huxley.

— C'est de la part de Scalpel. Il me dit de te dire que t'as fait le bon choix. Que c'est le meilleur endroit pour toi.

Nano laissa échapper un ricanement et alluma sa cigarette au briquet tendu, puis vite récupéré.

— Le meilleur endroit, je sais où il est, mais y a la Méditerranée entre nous. Avec les communs j'ai peur de me faire massacrer. Ici, tout seul, j'ai peur de devenir fou.

— Je ne suis pas sûr qu'il y ait un endroit mieux qu'un autre, si c'est ce que tu cherches. Écoute Mosconi, je vais être honnête avec toi. Vu que t'es passé de l'infirmerie à l'isolement et que ça ressemble à un traitement de faveur, au bloc 3, ils commencent à penser que t'as parlé ou que t'as déposé plainte. Pas certain que tu sois en sécurité si tu y retournes. J'ai peur que Scalpel ait raison. Pour l'instant, le meilleur endroit pour toi, c'est ici.

Demarco lui désigna le livre d'un coup de menton.

— Ça va devenir ton meilleur ami. Finis-le et je t'en apporterai un autre.

— Un livre ? Rétorqua Nano, presque dédaigneux.

— Fais-moi confiance.

En quittant le couloir de l'isolement, Demarco fit un point sur ses premières semaines à Marveil. Ce qu'il y avait vu et ce qu'il en comprenait maintenant. Il se rappela ce reportage dans lequel il avait entendu l'ancien directeur lui-même considérer la prison comme inutile dans son organisation actuelle : « Un centre pénitentiaire n'est efficace que s'il reconstitue une société carcérale juste, avait-il dit. Sans prédateurs, sans proies, dans une parfaite équité, sans privilèges ni passe-droits, sans nécessité de violence, sans jalousie de ce que l'autre pourrait avoir de plus ou de mieux. La force devenant inutile, il ne reste plus qu'à vivre ensemble, en bonne société. Malheureusement, il n'existe pas d'endroit plus dangereux, inégal et injuste que la prison. Et au lieu de ressortir équilibré ou cadré, les détenus en sortent plus violents, désabusés, perdus et agressifs, sans aucun projet de réinsertion. Plus venimeux en sorte. La prison comme une école du crime. »

Deux semaines après cette interview, le directeur avait été débarqué et remplacé. Ce qui se passe à Marveil reste à Marveil.

12

— Donne-moi ta main s'il te plaît. J'ai besoin de contact.

Il avait fallu une semaine à Alex pour décrocher une nouvelle autorisation parloir. Aucune information ne lui avait été donnée par l'administration pénitentiaire, malgré les heures pendues au téléphone.

Une semaine que son frère était à l'isolement et elle n'avait pu qu'imaginer. L'ignorance force à penser au pire.

Elle se retrouvait maintenant dans cette cabine transparente, Nano enfin face à elle, comme un enfant perdu et traumatisé. Des phrases sans fin, sans vraiment de sens. Des menaces, des peurs, pas mal de déraison. Nano perdait doucement pied. Même lui le ressentait. Il avait besoin de toucher terre à nouveau.

— Donne-moi ta main s'il te plaît. J'ai besoin de contact.

Alex s'exécuta et à peine leurs doigts se touchèrent-ils qu'un violent coup de matraque vint faire trembler le Plexiglas de la cabine.

— Pas de contact !

Alex et Nano s'éloignèrent comme deux aimants opposés.

— Tu peux m'expliquer ce qui se passe ? demanda-t-elle.

Nano se lança dans une nouvelle tirade, à moitié compréhensible.

— Tu veux parler de l'isolement ? C'est fou, non ? C'est une prison à l'intérieur de la prison. Scalpel dit que je dois rester là, mais moi ça me rend un peu nerveux. Je lis. Des livres. Et les messages des autres. Je suis mon propre ennemi, tu savais ça ? De toute façon si je retourne avec les communs c'est pas bon. Il paraît que j'ai un contrat parce que j'aurais balancé. Mais moi j'ai rien dit. Putain qu'est-ce que ça fait du bien de parler. De parler à quelqu'un, je veux dire. Comment va le reste de l'équipe ? Tu me manques. J'aimerais bien que tu sois là avec moi.

Alex ne réagit pas. Que son frère l'imagine, elle, à l'intérieur, plutôt que de se projeter, lui, dehors, dans le vrai monde, reflétait l'état de son esprit malmené.

— Et t'as fait quoi pour atterrir là ? insista-t-elle, anxieuse.

— Je me suis battu contre des Blacks. Mais ils ont compris, ils me feront plus chier maintenant.

Elle l'avait protégé toute son enfance et le connaissait trop bien pour l'imaginer au corps-à-corps, les poings serrés. Nano en fier bagarreur, elle n'en crut pas un seul mot. Elle avait déjà été surprise qu'il veuille monter au braquage avec Dorian et son équipe un mois plus tôt et elle avait fait tout son possible pour l'amener à changer d'idée. Mais rien n'y avait fait et d'un coup d'avion, il avait rejoint Paris.

Alex et Dorian étaient en couple depuis cinq ans et accusaient cinq braquages à leur actif. Uniquement des bijouteries. Comme autant de fêtes d'anniversaire.

Elle avait aussi essayé de dissuader son homme, prétextant l'immaturité de son frère, mais Dorian lui avait assuré que le coup était sans risque. Et il l'était. S'il n'y avait pas eu cette bête histoire de montre numérotée.

À la fin du temps réglementaire retentit la sonnerie et Alex enlaça Nano jusqu'à ce que le Plexiglas tremble à nouveau. Elle le regarda s'éloigner et attendit qu'il se retourne pour lui sourire et lui donner du courage, mais en vain. L'esprit de Nano était déjà retourné dans ses quatre mètres carrés.

Une fois dehors, elle monta dans sa voiture, dévisagea le bâtiment lugubre qu'était Marveil comme s'il s'agissait d'une personne, ressortit précipitamment et vomit sur le parking, à l'abri d'une portière ouverte. De nouveau derrière le volant, elle ne trouva même pas la force de démarrer.

13

— Je crains que ça ne vous plaise pas.

— Je me suis joué tous les scénarios, Tiretto. Ce que je veux maintenant, c'est savoir.

L'avocat attrapa son carnet et consulta ses notes.

— Ça se passe vraiment mal pour lui. J'ai plusieurs clients à l'intérieur de Marveil et leurs infos se recoupent. Nunzio a d'abord été en cellule avec un vrai dur. Un type qui se fait appeler Machine. Il passait régulièrement ses nerfs sur lui, mais il l'utilisait surtout comme petite copine.

Le silence d'Alex poussa Tiretto à continuer.

— Ensuite, il s'est mis tout un groupe à dos. Une histoire de plainte qu'il aurait déposée contre eux, selon la rumeur.

— Une plainte ? Suite à quoi ?

L'avocat eut du mal à formuler la suite et Alex manqua de patience.

— Parle, Tiretto !

— Un viol collectif. Je pense que l'isolement n'est pas une punition. Plutôt une protection. C'est lui-même qui en a fait la demande.

Alex manqua d'exploser son téléphone entre ses doigts. Une série d'images évocatrices afflua sans qu'elle la maîtrise. Elle contrôla sa respiration en même temps que ses nerfs qui ne demandaient qu'à lâcher.

— On a de l'argent, tu sais ça. Dis à tes gars à l'intérieur de protéger mon frère et on sera reconnaissants. Tu sais qu'on sera reconnaissants. Tu peux faire ça, non ?

Tiretto fit une grimace. Il ne considérait pas sa ligne de téléphone fixe comme sûre et cette conversation devenait gênante.

— Ce ne sont pas les méthodes de mon cabinet, conclut-il sèchement avant de lui raccrocher au nez.

Il laissa passer son agacement avant de sortir de son tiroir un téléphone portable presque neuf, ouvert à un faux nom et uniquement dévolu à ce genre d'appel. Alex décrocha immédiatement.

— Désolée, maître.

— Ce n'est rien. Reprenons. On a tous un point faible. Vous, c'est votre frère. Même à votre dernier braquage, il a été votre point faible.

Alex ne le savait que trop.

— Alors ? Vous pensez pouvoir payer du monde à l'intérieur ?

— Je peux demander, mais l'argent n'a pas la même valeur en prison. Je ne sais pas si quelqu'un voudra bien se mettre en danger pour lui. Même avec un bonus à la clef.

— Alors on pourrait graisser un des matons ?

— Je ne suis pas sûr qu'ils soient les mieux placés pour chaperonner votre frère. Ils ne sont pas tout le temps avec les détenus et les tours de garde changent. Il faudrait les payer tous, et encore. En plus, si on lui assure une protection des surveillants, les autres prisonniers vont le remarquer et très mal le prendre. On pourrait tout aussi bien creuser sa tombe.

— Tiretto, c'est ton cerveau que tu vas te creuser. Je ne vais pas laisser Nano dans ces conditions !

L'avocat recula dans son fauteuil et, puisque c'était là qu'il voulait en venir depuis le début, lança son hameçon.

— Depuis votre appel de la semaine dernière, j'ai réfléchi. Il y a peut-être une solution envisageable, mais elle est audacieuse. Voire dangereuse.

— Si ça peut l'aider, je suis prête à tout.

— Je ne pensais pas à seulement l'aider. J'avais plutôt envisagé de le faire sortir.

— Une évasion ?

— Comme vous y allez ! Les prisons ont beau être dans un état lamentable, ça reste toujours compliqué. Et puis après, cela n'offre qu'une vie de cavale. Disons que c'est une forme d'évasion. Un peu plus maligne. Sans explosion de portes ni hélicoptère. Une évasion, disons, légale.

La curiosité d'Alex fut piquée, mais par-dessus tout, l'avocat lui offrait une porte de sortie qu'elle était prête à enfoncer d'un coup d'épaule.

— Je vous écoute, maître.

La secrétaire de Tiretto entra dans son bureau, un café serré sur un plateau. L'avocat fronça les sourcils en plaçant la main sur le micro du téléphone et l'employée comprit immédiatement qu'elle n'était pas la bienvenue. Elle fit demi-tour, ferma la porte derrière elle et se reposta devant son ordinateur. Un sucre, un peu de lait et elle s'offrit le café de son boss.

Une quinzaine de minutes plus tard, Alex raccrocha, mettant fin à cette discussion dont Dorian avait entendu chaque parole. Après le braquage, un oncle d'Alex lui avait prêté un logement sur Paris. Un loft aménagé sous les toits d'une société qui n'avait jamais vu le jour faute d'autorisations. Une seule et même pièce de deux cents mètres carrés qui englobait, sans séparation, un salon spacieux, une cuisine, un immense canapé convertible et quelques lits d'appoint dans un coin. Une baie vitrée s'étendait sur une quinzaine de mètres, offrant une vue de carte postale de Belleville et du XXe arrondissement. Une table au centre, sur laquelle se trouvaient une dizaine de téléphones portables en charge, un ordinateur, quelques fauteuils et chaises autour. Contre un mur, un portant de vêtements dont plusieurs uniformes de différentes tailles et sociétés. Un de La Poste. L'autre d'EDF. Si un flic avait mis les pieds dans cet endroit, les expressions « appartement de repli » ou « planque » lui auraient sauté à l'esprit.

Alex fit plusieurs fois le tour du loft en marchant silencieusement. Dorian la regarda faire sans l'interrompre. Sur leurs cinq braquages, elle avait été le cerveau et lui, l'exécutant. Il savait qu'il n'aurait réussi aucun d'entre eux sans son aide. Et l'aide logistique de sa famille. Il la laissa donc prendre la décision sur cette nouvelle opération.

Dorian l'avait rencontrée six ans plus tôt et avait mis plus d'un an pour qu'elle accepte de boire un verre avec un Parisien, un type du continent. Quand pour la première fois elle l'avait amené sur l'île, ses parents et cousins avaient accueilli froidement ce produit de la capitale. Mais avec ses éternels costume noir et chemise blanche, si bien portés qu'ils semblaient une seconde peau, sa mâchoire carrée à l'américaine et son bagout de vendeur de bagnoles, il avait été rapidement accepté et même apprécié. À condition qu'il traite correctement leur Alexandra. C'était un voleur à la petite semaine, professionnel du cambriolage de villas et de l'escroquerie rapide sans grand bénéfice, elle en avait fait un braqueur de bijouterie : expert en alarmes, systèmes de verrouillage des portes et des sas de sécurité, avec un faible avéré pour tous les coffres-forts anciens. L'équipe, pour être complète, était formée de deux autres personnes. Franck Mosconi, un cousin direct, assurait le rôle de pilote, Paris cartographié au millimètre dans son cerveau, des grandes artères aux impasses en passant par les parkings souterrains à sorties multiples. Un rôle dont on ne saisit toute l'importance qu'avec une guirlande de gyrophares collés au pare-chocs. Mais le cantonner à cette qualité ne lui rendait pas hommage. Franck était aussi un très bon intendant et assurait le lien entre le butin et le receleur, entre le continent et la Corse, via l'aéroport privé du Bourget. Il savait trouver les voitures adéquates et les armes sans passé. Pardessus tout, il savait les faire disparaître pour que jamais personne ne remonte jusqu'à eux. Une sorte de majordome ou de couteau suisse.

Enfin, Rhinocéros, un modèle réduit d'à peine un mètre soixante, tout en nerfs, solide comme le chêne avec sa belle balafre d'une joue à l'autre, se chargeait de la partie « Tout le monde reste calme, c'est un hold-up. » La partie la plus importante. Pour Alex, un bon braquage ne pouvait se faire que si tout le monde était bien à l'écoute et de préférence terrorisé. Ainsi, après les présentations, s'ensuivait généralement un nez cassé ou une mâchoire déplacée. La peur paralyse et c'était exactement le rôle de Rhinocéros.

Le braquage effectué, le butin repartait en avion privé sur l'île où l'attendait un receleur de confiance. Alex et son équipe récupéraient trois semaines plus tard cinquante pour cent de la valeur des bijoux et produits de luxe en cash. Leur affaire roulait. Jusqu'à ce que Nano fasse le malin et décide de ne pas écouter les instructions de sécurité de base, comme ne jamais porter sur soi un des objets volés. Jamais.

Sa décision prise, Alex rejoignit Dorian sur un des confortables fauteuils et s'allongea presque sur lui.

— Tu penses qu'on peut lui faire confiance ? l'interrogea-t-il.

— Je pense qu'il sait qu'il vaut mieux éviter de nous la faire à l'envers. Surtout, je ne vois pas son intérêt à nous embrouiller.

— Tu veux le faire ?

Alex tira la chemise de Dorian hors de son pantalon et glissa sa main sur son torse.

— S'il faut en passer par là pour sortir Nano… En fait c'est un cambriolage. Probablement le plus audacieux des cambriolages, mais ça reste un cambriolage. Je me dis que c'est jouable.

— Ouais. Mais là, y aura des flics partout. Ça doit être le truc genre le mieux gardé du 93. Et avant, il faut trouver notre point d'entrée.

— L'avocat s'en charge. T'as entendu comme moi. Il dit qu'il aura le nom d'un contact et son adresse sous quarante-huit heures.

Dorian ne semblait pas chaud.

— Après ça, on aura tous les flics du département sur le dos...

La main d'Alex passa du torse de son homme à son bas-ventre, toujours plus agréablement intrusive.

— On peut le faire. Je sais qu'on peut le faire. Et depuis quand les poulets t'inquiètent ?

— Tu sais, il suffit d'un flic entêté...

*
* *

L'avocat demanda son café et sa secrétaire se dépêcha d'en faire couler un nouveau et de le lui apporter. Elle quitta la pièce alors qu'il composait un numéro sur son portable sécurisé. Après quelques sonneries son interlocuteur décrocha.

— Monsieur Darcy, bonjour. Maître Tiretto à l'appareil.

— J'ai des ennuis ? répondit l'homme presque par habitude.

— Plutôt le contraire. Une opportunité. Boyan Mladic vous inquiète toujours autant ?

— C'est ce que je lui ai fait faire et ce qu'il sait qui m'inquiète.

— Vous me l'aviez pourtant décrit comme loyal.

— Boyan est un soldat. Légionnaire et mercenaire, il ne parlerait pas sous les coups, j'en reste persuadé. Mais l'enfermement a raison de la plus grande des loyautés et le juge d'instruction est un Faust bien tentant. Je crains que face à un marché avantageux, il ne devienne bavard. Comment comptez-vous vous y prendre ?

— En le faisant sortir. Mais en faisant faire le travail par d'autres.

— Sans aucune possibilité de remonter jusqu'à moi ou mes sociétés ?

— Rassurez-vous. Même eux ne sauront pas qu'ils travaillent pour nous.

DEUXIÈME PARTIE

La rançon

*« Ne vous trompez pas, c'est à nous de transformer
ce bordel en happy end. »*

Capitaine Victor Coste

14

Coste sonna pour la deuxième fois à la porte d'entrée dont la partie supérieure était vitrée. Toujours personne. La poignée bougea timidement et la porte s'ouvrit toute seule. Il dut baisser les yeux pour voir un petit bout de fille aux yeux pétillants. Lorsqu'elle le reconnut, son visage s'éclaira, elle fit un demi-tour immédiat et disparut au fond de la maison en criant :

— M'man ! M'man ! C'est Victor !

Coste se retrouva seul un instant, les bras encombrés d'un bouquet de fleurs et d'une bouteille de vin, avant de voir apparaître Johanna De Ritter.

— Hello, chef.

Le mari de Johanna apparut à sa suite et le salua à son tour avec un respect taquin.

— Bonjour, monsieur Coste.

— Ah non, Karl ! « Victor », je préfère. Monsieur Coste, c'est mon père.

Johanna l'enlaça chaleureusement sur le perron et Coste, malgré ses larges épaules, disparut presque dans ses bras. Karl fit mine de s'offusquer.

— Ça va vous deux ? C'est pas comme si vous bossiez tous les jours ensemble.

Coste lui tendit les fleurs.

— Sois pas jaloux, j'ai pris tes préférées.

Johanna lança un air mi-navré, mi-amusé à son mari et invita Coste à traverser la maison. Passé le salon et un couloir, une porte donnait sur le jardin. Quelques marches en pierre menaient à une pelouse entretenue, table et chaises en bois, fraises bien mûres, cerisier chargé et barbecue au centre. Coste prit quelques secondes pour observer son équipe. Le Groupe crime 1 du SDPJ 93.

Ronan, son second, chemise ouverte et lunettes de soleil, aux prises avec les braises du barbecue rougeoyant, sifflait une bière fraîche. Sam, le geek informaticien de l'équipe, était assis, un petit garçon sur un genou et un ordinateur portable sur l'autre, l'air concentré, les sourcils froncés. Restait Johanna, le seul élément féminin du groupe, bien que « féminin » ne soit pas le premier mot qui vienne à l'esprit lorsqu'on évoquait De Ritter.

— Mais c'est pas vrai que t'as pas d'antivirus ? s'écria Sam, penché sur l'écran de l'ordinateur.

Il se tourna vers Johanna qui venait d'arriver à la table du jardin.

— Jo ? Le nouveau PC de Malo n'a aucune protection. Tu m'étonnes qu'il plante toutes les semaines.

Ronan délaissa un instant la monstrueuse côte de bœuf qu'il s'appliquait à cuire.

— Pas d'antivirus ? Même moi, je sais que c'est pas une bonne idée. C'est comme partir en Thaïlande sans capotes.

Johanna lui asséna derrière le crâne un taquet maternel qui mit fin à son exemple déplacé.

— Oh Ronan ! Tu voudrais bien t'adapter à ton public ? Malo, sept ans. Chloé, cinq ans. C'est pas vrai comme t'es goret, des fois.

— C'est qui capote ? demanda Chloé avec autant d'innocence que si elle parlait d'une licorne.

Johanna assassina Ronan du regard.

— Bravo, crétin.

Coste descendit les quelques marches. Johanna le bouscula presque, sa fille dans les bras, fuyant en direction du coin télé, histoire de lui éviter de grandir trop vite. En passant, elle lui désigna Ronan d'un coup de menton, au fond du jardin.

— Sérieux, Victor, tu sais que j'aime bien Ronan, mais promets-moi que si on le casse on n'en rachète pas un autre.

Sam éclata de rire, Malo l'imita de bon cœur et tout le monde accueillit Coste d'une seule voix.

— Salut, chef.

*
* *

Assiettes vides mais verres encore pleins, la conversation se poursuivait en petits îlots séparés. Johanna, la main de Karl dans la sienne, évoquait les éventuels aménagements de leur nouvelle maison et le fait que Chloé et Malo pourraient enfin avoir chacun leur chambre. Ronan et Sam riaient bêtement dans leur coin comme deux gamins partageant le secret d'avoir découvert un *Playboy* dans le grenier. De son côté Coste, Chloé sur ses genoux, écoutait avec patience une histoire surprenante mais interminable de monstre sous le lit. Attendrie, Johanna leva les yeux dans sa direction.

— Ça te va bien.

Karl, involontairement, mit les pieds dans le plat.

— D'ailleurs, Victor, t'aurais pu venir accompagné, non ?

Johanna lui envoya un coup de pied sous la table, tout en se disant qu'elle n'allait pas pouvoir cogner tous ceux qui ne savaient pas se tenir en ce dimanche après-midi.

— C'est compliqué, souffla Coste, amusé.

— Et parce que c'est compliqué, je me tape toutes les autopsies, poursuivit Ronan.

Tout le monde savait qu'une histoire à rebondissements unissait Coste et Léa Marquant, la médecin légiste de l'Institut médico-légal. Une histoire entre creux et crêtes qui se situait au plus bas ces derniers temps. Karl profita de la gêne qu'il avait lui-même provoquée pour filer en douce à la cuisine, en mission dessert et cafés. Dès qu'ils furent seuls, Johanna s'adressa à Sam et Ronan.

— Bon, les couillons, maintenant que Karl est parti, vous allez me dire pourquoi vous rigoliez comme deux baleines ?

Ronan ne put s'empêcher de révéler ce que Coste lui avait pourtant conseillé de garder pour lui quelques jours plus tôt.

— Tu nous as demandé, tout à l'heure, si on avait pas eu trop de mal à trouver ton adresse.

— Et ?

— Et ça risquait pas, pouffa-t-il bêtement.

Johanna réfléchit quelques secondes avant de comprendre par elle-même.

— Non ? Pour de vrai ? Dans le quartier ?

— Dans cette rue même, à deux numéros d'ici.

Après douze ans à la Crime du 93, il devenait compliqué pour ces flics de parler d'une rue sans la connaître pour un viol, un enlèvement ou un homicide.

— Racontez.

— C'est l'affaire du Norvégien. Un type de soixante ans qu'on a retrouvé poignets et chevilles accrochés à un lit après une overdose à l'ecstasy et au poppers. C'est son jeune amant qui nous a appelés. Quand on a essayé de contacter sa famille, on a découvert qu'il était ici en voyage d'affaires sur un projet de jumelage de deux églises, entre la France et la Norvège. Le type était prêtre. Je sais que là-bas ils sont ouverts d'esprit et qu'ils aiment bien se baigner à poil dans l'eau glacée, mais ils ont quand même dû être un peu secoués par la nouvelle.

— Bon, OK, conclut Johanna. Merci de me pourrir mon premier accès à la propriété. Mais s'il te plaît, Ronan, ne dis rien à Karl. Il est juste marié à une flic, il est pas obligé de supporter le reste.

— Je peux quand même raconter l'histoire aux gosses, non ?

— Tu sais que j'ai une cave insonorisée ici ? le menaça Johanna.

Karl arriva à ce moment et mit fin aux messes basses de l'équipe. Il portait les cafés et Malo le gâteau au chocolat.

— Parliez de quoi ?

— Rien, para Coste. On bénissait l'endroit.

Johanna posa les mains sur les épaules de son fils et fit un clin d'œil à Karl avant de se lancer, un peu émue.

— Je suis arrivée en dernier dans ce groupe. J'ai remplacé un bon ami à toi, Victor, et pourtant, vous m'avez intégrée tout de suite. Pour Karl, emménager sur le 93 n'était pas vraiment une bonne nouvelle, mais c'était mon affectation et il savait que je voulais être flic. Un couple d'amis devait nous rejoindre sur la région mais ça ne s'est pas fait. Comme le mari est un ami d'enfance de Karl, on avait pensé à lui proposer d'être le parrain de Malo. Puis le temps passant on a laissé filer et Malo, à sept ans, n'a toujours pas de parrain. Donc, voilà, on se demandait si tu voulais pas nous faire cet honneur.

Sam leva les yeux vers Coste qui le regardait déjà puis, intrigué, se tourna vers Ronan, avant de comprendre que c'était bien à lui qu'on s'adressait.

— Pardon ? bafouilla-t-il.

— T'es là un week-end sur deux à lui réparer son ordi. Vous passez des heures ensemble. Tu lui inventes des programmes, tu lui as refilé ta collection de figurines. Il ne parle que de toi. Et on sait bien avec Karl que tu feras attention à lui mieux que personne.

— Mais bien sûr, railla Ronan. C'est surtout parce que t'es orphelin et que tu fais de la peine. Parce que moi j'aurais pu lui apprendre à se battre et à draguer.

— C'est vrai que, vu comme ça, je commence à regretter notre choix, rétorqua Karl, affligé.

Sam posa sa fourchette pleine de chocolat tandis que Malo restait en apnée, fixant son éventuel futur parrain.

— Alors ? poursuivit Johanna.

— Euh, ouais, bien sûr. Avec plaisir.

Malo fit le tour de la table en courant et lui sauta au cou. Sam l'enlaça de ses grands bras maigres avec une émotion touchante. Si une seule larme coulait,

Ronan s'en abreuverait pendant des semaines, à coups de vannes pompeuses et machos.

— Eh bien voilà. Un problème de réglé, enchaîna Ronan. Maintenant, on passe au chat ou pas ?

Johanna se tourna vers lui, surprise. Ronan lui rappela ses incessantes complaintes des dernières semaines.

— Quoi ? Tu nous as bien dit qu'il y avait un con de chat qui passait d'une clôture à l'autre pour chier exprès dans ton jardin, non ?

— Pas n'importe où dans le jardin. Précisément dans le bac à sable de Chloé. Il bouffe aussi toutes nos fraises alors qu'il est gros comme un lamantin. Et donc ?

Ronan fouilla dans son sac à dos et en sortit quatre petites boîtes en carton sur lesquelles était dessiné un pistolet à pression sur un lit de petites billes jaunes.

— Et donc ? La chasse est ouverte !

*
* *

Confortablement allongés dans les chaises longues de jardin, Coste, Sam, Ronan et Johanna alimentaient leurs chargeurs de petites billes, s'amusant du fait que le stand de tir n'avait jamais été aussi agréable. Un petit verre d'eau-de-vie à leurs pieds et les gosses évacués par Karl, le jardin était à eux. Manquait plus que le chat.

Un imposant matou gris béton glissa une patte sous la clôture et fit irruption sur la pelouse fraîchement tondue le matin même par Karl. Pas peureux pour un sou, il les toisa avant d'avancer, confiant, à croire qu'un autre lui aurait suggéré qu'il était un tigre.

La balle de Sam explosa une fraise juteuse et le chat leva une oreille. Sam était le seul de l'équipe à manier son flingue comme s'il avait des mains en bois. Malheureusement pour l'animal, Coste et Ronan étaient bons tireurs et Johanna faisait partie de l'élite de la police dans ce domaine. Les trois flics ajustèrent leur cible et visèrent le cul. Les petits projectiles jaunes filèrent dans l'air et giflèrent l'arrière-train du chat qui sauta bêtement en hauteur mais sur place, dans un miaulement de surprise. Il détala en moins d'une seconde, assurant un traité de paix relatif aux fraises et au bac à sable. Ronan éclata de rire.

— Yes ! Con de chat, va.

Ils avaient espéré encore quelque temps, surestimant le courage du chat qui ne se représenta pas. Alors, de guerre lasse, Ronan se mit à prendre Sam pour cible. Les enfants, excités par l'animation de la journée, dormaient à poings fermés. Le soleil se faisait de plus en plus timide et Coste attrapa sa veste.

— Je décolle, Jo. Merci pour cette magnifique journée. Reposez-vous. Je ne veux voir personne au bureau avant 10 heures demain matin.

Cette grasse matinée en perspective, Ronan redéboucha la bouteille d'eau-de-vie et remplit les verres.

15

Service départemental de police judiciaire
de Seine-Saint-Denis – SDPJ 93.
5 h 45 du matin.

Coste traversa les couloirs du service, passa devant le bureau du Groupe crime 1 sans même s'y arrêter, prit la passerelle vitrée qui séparait les deux ailes de la PJ pour se rendre là où il était certain de trouver son équipe : salle café. À cette heure bien trop matinale, personne n'aurait eu le courage de mettre de l'eau dans la cafetière du bureau et d'appuyer sur le bouton « on », ni surtout d'attendre les quelques minutes de goutte à goutte nécessaires sans s'endormir devant et debout. Puisque la veille, tout le monde s'était quasiment mis sur le toit avec cette petite eau-de-vie traître comme un virage serré, il fallait de la caféine, vite, beaucoup. Coste ouvrit la porte de la salle repos, doucement.

— Alors, mes biquets ? Vous avez des têtes de papier mâché.

Ronan inséra une pièce dans le distributeur.

— Arrête. Me dis pas que t'es en forme, ça va me fatiguer encore plus.

Le café passa et il tendit le gobelet plastique à Sam avant de nourrir le distributeur de quelques pièces de plus et d'en offrir un à Coste. Johanna se massait les tempes, les coudes sur les genoux.

— Tu nous dis pourquoi on est là ? demanda Ronan.

— Parce que j'ai été réveillé par une magistrate à 4 h 30. Fleur Saint-Croix. Y a plus désagréable. Mais tu connais ça.

Malgré le cerveau au ralenti, Sam attrapa la balle au bond.

— Oh oui, Ronan, raconte-nous comment c'est, le réveil avec Fleur.

L'intéressé touilla son café, un peu gêné. Fleur Saint-Croix décidait quand il venait et quand il partait, généralement en plein milieu de la nuit. Les matins à deux étaient rares. Parce qu'elle était femme de pouvoir ? Parce qu'il n'était qu'un simple lieutenant de police ? Parce qu'elle ne le considérait pas mieux qu'un sex toy ? Ronan se posait régulièrement toutes ces questions. Ce joli cœur s'était évidemment accroché à la seule qui le malmenait.

— La vie privée, ça éveille un truc chez vous ? se défila-t-il.

Johanna sortit des brumes et articula les premiers mots de sa journée.

— Bon, on s'est levés avant les poules pour parler zizi ou on a du boulot ?

Coste reprit les rênes de son équipe sur un ton plus professionnel.

— Voilà le résumé que m'a fait Saint-Croix. David Sebag. Dix-neuf ans. Samedi soir, ses amis l'ont vu quitter la boîte de nuit dans laquelle ils passaient la soirée. Apparemment pour acheter un gramme de coke à un type qui ne voulait pas le lui vendre à l'intérieur. Ils ne l'ont pas revu de la nuit. Dimanche après-midi, Marc Sebag, le père, s'inquiète et appelle les amis de son fils. Les gamins ont commencé par le mener en bateau mais quand ils ont vu qu'il était mort de trouille, ils ont avoué pour la coke.

— Attends, mais c'est une disparition qui n'a même pas quarante-huit heures. Ton David doit roupiller chez une copine. C'est une affaire pour le commissariat, ça, fit remarquer Sam.

— Sauf qu'à 2 heures du matin, le père a reçu le SMS.

— Merde, souffla Ronan.

Johanna perdit le fil de la conversation.

— C'est quoi cette histoire de SMS ?

— Le début d'un enlèvement avec demande de rançon. C'est pas une bonne nouvelle, conclut Coste. Mais c'est pas nouveau non plus. On sait faire.

16

Avant 6 heures du matin, Victor Coste avait attribué sa mission à chacun de ses effectifs. Sam et Ronan convoquaient un à un les amis de David Sebag présents ce soir-là pendant que Johanna bataillait avec le patron de l'établissement de nuit pour se faire transmettre toutes les vidéosurveillances. De son côté, Coste faisait maintenant face au père, Marc Sebag, dont le visage affichait les traits tirés d'une nuit sans sommeil. Il était habillé d'un jean, d'un vieux tee-shirt distendu et de baskets sans chaussettes, comme s'il avait quitté son domicile à la hâte, en plein incendie. À la demande du policier, Sebag lui tendit son portable.

— J'ai reçu ce SMS à 2 heures du matin, précises.

Coste effleura l'écran tactile et le message s'afficha :

« 74 rue Favan BR 616 VE aile arrière Tombola 16.03.90 Samuel. Pas de police si tu veux le retrouver vivant. »

Il poursuivit l'entretien sans lever les yeux du téléphone.

— Où se trouve votre femme, monsieur Sebag ?

— Chez nous, à Stains, au cas où David rentrerait.

Comme pour les annonces décès, Coste savait d'expérience qu'il ne servait à rien de tourner autour du pot ni d'enrober l'histoire. Précis et concis, il n'y avait pas d'autre méthode.

— Monsieur Sebag, je vais malheureusement confirmer ce que vous craignez déjà. Mon équipe et moi-même pensons que votre fils a été enlevé. Samedi, dans la nuit, aux alentours du VIP Room, une boîte de nuit sur Paris.

Le père plongea son visage dans ses mains et souffla dedans pour évacuer l'afflux de peur et d'inquiétude qui allait le submerger. Coste ne le laissa pas réfléchir.

— L'adresse, dans le SMS, j'imagine que vous vous y êtes rendu ?

— Oui, bien sûr, mais je n'y ai vu aucune voiture avec cette immatriculation. Je ne comprends pas, mon fils aurait dû être à l'intérieur, c'est ça ? J'ai raté ou mal fait quelque chose ?

— Non, rassurez-vous. Même si la voiture avait été là, votre fils ne s'y serait pas trouvé. L'adresse et l'immatriculation sont juste une indication. Selon le mode opératoire du département, les ravisseurs auraient accroché un téléphone portable sous une des ailes arrière de la voiture BR 616 VE au 74, rue Favan sur votre commune, à Stains. Pour le reste, ce sont des informations personnelles pour vous prouver qu'ils détiennent bien votre fils. Il n'y a que vous qui puissiez me les confirmer.

Et Sebag confirma.

— Tombola, c'est le nom de son furet. 16 mars 1990, la date de naissance de mon fils. Samuel, c'est son deuxième prénom. Tout est correct.

Coste nota au fur et à mesure, puis poursuivit :

— Le portable aurait été votre moyen de contact avec les ravisseurs pour connaître leurs demandes.

— Vous parlez d'une rançon ?

— Qu'il ne faut jamais payer, monsieur Sebag. Juste leur faire croire qu'on en a l'intention. Mais tout ça, nous allons nous en charger si vous voulez bien collaborer avec nous.

— Tout ce que vous voudrez, mais on n'a toujours pas la voiture.

— À ce sujet, je ne vois que deux options. Soit elle a été volée, soit elle est en fourrière.

— Je ne comprends pas. S'ils ont mon numéro de portable pour m'envoyer le SMS, pourquoi vouloir m'en donner un autre pour communiquer ?

— On appelle ça des portables de guerre. Ils sont à usage unique. À chaque contact ils vont en changer, de peur que vous soyez allé nous voir et qu'on tente de les localiser ou de les mettre sur écoute. Pour l'instant, la vitesse est notre alliée et il faut que vous nous fassiez confiance.

Les paroles de Coste semblèrent ricocher sans atteindre ce père brisé dont le monde venait d'imploser.

— Vous devriez aussi demander à votre femme de vous rejoindre. Patienter à domicile ne servira à rien en l'état des choses.

Ce flic qu'il n'avait jamais vu auparavant lui demandait de s'en remettre à lui pour retrouver son fils. Le SMS mentionnait « pas de police » et il aurait bel et bien respecté cette consigne si la voiture avait été à l'emplacement prévu. Mais elle n'y était pas. Alors, contre l'avis de sa femme, il s'était rendu à la PJ face à ce capitaine, Victor Coste. Était-ce son calme ou la sagesse de son regard, Sebag l'ignorait mais il se sentit, l'espace de quelques secondes, presque rassuré. À partir de cet instant, le policier prenait toute la responsabilité sur ses épaules.

17

Fourrière de Saint-Denis.
6 h 15.

Un type passablement sale, au pantalon qui n'arrivait pas à recouvrir la totalité de ses fesses, guida Coste et Johanna vers les dernières voitures enlevées. La fourrière recevait les véhicules en infraction de plusieurs communes, dont Stains, la ville où le couple Sebag était domicilié.

Sur un terrain sans fin, les piles de carcasses rouillées donnaient à l'endroit un air post-apocalyptique. Dans un 4 × 4 blanc aux vitres brisées dont tout l'avant avait été compressé par le choc d'un accident, une chienne avait mis bas et flingué irrémédiablement les fauteuils en cuir beige. Elle s'intéressait maintenant aux nouveaux arrivants, quelque peu préoccupée pour sa progéniture, mais ces derniers semblaient chercher autre chose et elle se rassura.

— Je l'ai ! 616 machin c'est ça ? avertit Johanna par radio.

— Bravo Roméo 616 Victor Écho, tu confirmes ?

— Ouais c'est bien elle. Je suis au fond, derrière le camion La Poste brûlé.

Coste se dirigea vers l'épave calcinée et manqua de se prendre les pieds dans la chienne qui avait abandonné un instant son abri. Elle remua la queue et mendia. Coste lui caressa le flanc.

— J'ai rien pour toi ma belle. Fiche le camp.

Une fois devant la voiture, une Twingo en piètre état, il retrouva Johanna, un genou à terre, sa main gantée glissée derrière l'aile arrière gauche. Elle sentit quelque chose sous ses doigts, tira dessus et récupéra le portable enroulé d'un solide Scotch double face.

— Heureusement qu'ils l'ont bien accroché.

Elle se releva, frotta la poussière de son jean et tendit le portable à Coste qui avait déjà sorti un sac à scellés pour le protéger.

— Capitaine Coste ?

Il se retourna. Deux hommes, visiblement parachutés des années 1980, lui faisaient face. Le premier, Perfecto de cuir et bandana rouge, encore blond malgré sa cinquantaine prononcée, et le second, un grassouillet d'une quarantaine d'années à qui il fallait reconnaître le courage de porter encore des santiags au XXIe siècle. Malgré un accoutrement à la limite de la légalité, Coste sut immédiatement qu'il faisait face à deux flics. Comme si la fonction laissait une aura, ou une odeur.

— Commandant Tissier et capitaine Matin, BRI[1] Paris.

---

1. BRI : Brigade de recherche et d'intervention, dite Brigade antigang.

Tissier, le blond, fit un pas en avant et lui prit le sac à scellés des mains.

— Ça c'est pour nous…

Puis il tendit son propre téléphone à Coste.

— Et ça c'est pour toi.

Johanna comprit rapidement ce qui était en train de se passer et Coste se rembrunit. Il colla l'appareil à son oreille.

— Victor Coste, j'écoute.

Quelques secondes, juste assez de temps pour se faire voler l'affaire. Il tenta malgré tout de s'opposer à la magistrate à l'autre bout du fil.

— Vous n'êtes pas sérieuse, Saint-Croix ? Vous nous passez l'affaire et vous nous la retirez en moins de deux heures ? La victime vient du 93 et le père s'est déplacé à notre service. Paris fera pas mieux que nous.

— Ça ne vient pas de moi, Victor. Sinon, je vous aurais prévenu avant.

— Un enlèvement, s'il y a une demande de rançon derrière, ça se résout en vingt-quatre heures, c'est pas comme si on débutait.

— Ça n'a rien à voir avec vos compétences, capitaine. C'est juste que mon procureur préfère que la BRI s'en charge.

— OK, mais ça n'explique rien. On peut très bien traiter l'affaire avec…

Il s'arrêta au beau milieu de sa phrase, au moment même où il se souvint de l'origine du nom de la victime et comprit qu'il ne servait à rien de débattre.

— Putain. Sebag, évidemment. C'est parce qu'il est juif, c'est ça ?

— Vous ne leur ferez jamais avouer, mais oui. Ils tremblent comme des parkinsoniens à l'idée d'un nouvel Ilan Halimi. Marc Sebag a ouvert cette année sa troisième boîte de consulting informatique sur le 93. Ses affaires marchent très bien et ça lui a collé une cible dans le dos. Jalousie de quartier. Quoi qu'il en soit, quand la presse s'en emparera, elle ne pourra pas s'empêcher de verser dans l'antisémitisme et l'affaire prendra une ampleur nationale. Laissez faire Paris et sortez-vous de cette histoire, Coste.

Saint-Croix raccrocha comme dans les films, sans laisser à son interlocuteur le temps de répondre. Il s'agissait de toute façon d'une instruction et Coste était sous ses ordres.

— Tu pourras nous libérer un bureau à ton service ? demanda Tissier à Johanna tout en envoyant balader d'un coup de talon la chienne qui avait eu le malheur de s'égarer entre ses jambes.

— On va faire de notre mieux pour vous faciliter le travail, évidemment.

La chienne, pas rancunière et la queue fouettant l'air, se rapprocha de nouveau de Tissier qui s'agenouilla pour attraper une pierre et visa. Johanna ne laissa pas passer une seconde fois.

— Je te promets que t'as pas envie de faire ça.

Tissier jaugea cette grande blonde aux allures militaires et, pour ce faire, dut lever les yeux. L'envie lui passa effectivement et il laissa tomber le caillou au sol.

— On a la Mégane bleue à l'entrée de la fourrière, on vous suit, désamorça Matin, le second officier de la BRI.

Les deux flics parisiens s'éloignèrent. Johanna posa la main sur la crosse de son pistolet et jeta un œil à Coste.

— Allez, Victor. On est dans une fourrière, sans témoin. On mettra les corps dans la broyeuse. Personne n'en saura jamais rien.

L'idée amusa Coste.

18

Déjà deux heures s'étaient écoulées sans que Matin et Tissier, les deux négociateurs de Paris, ne sortent du bureau qui leur avait été réservé. Sandra Sebag, prise en charge par un véhicule police, avait rejoint son mari au SDPJ 93 et se retrouvait maintenant enfermée à huis clos au-dessus du téléphone portable, attendant le premier contact réel avec les ravisseurs.

Deux heures d'angoisse, et bien que l'enquête leur ait été soufflée, Coste et son équipe restaient à l'affût du moindre mouvement. Il y avait une vie en suspens et le stress était palpable.

Dans l'attente, Sam et Ronan s'étaient vus renforcés de quatre effectifs pour terminer au plus vite les auditions des amis de David Sebag. Aucune n'avait donné de résultat, chacune avait tracé la même soirée. Pas mal d'alcool, un David bien éméché et cette même phrase : « Je vais acheter un gramme, le type est dehors, je reviens. » Mais ce type, personne ne l'avait vu. Même sur les vidéos, déjà scrutées par Sam, David Sebag quittait seul le VIP Room à 1 h 30 du matin puis disparaissait définitivement du champ de la caméra.

Quand le commandant Tissier sortit enfin de son bureau, toute l'attention se porta sur lui. Il traversa le couloir, se rendit à la machine à café puis revint, un gobelet fumant à la main, sans apparemment avoir l'intention de faire un état de la situation à quiconque. Coste le rattrapa avant qu'il ne disparaisse à nouveau.

— Ça te dérange si je viens avec toi ? Je sais que c'est devenu votre affaire, mais j'ai eu un bon contact avec le père, c'est toujours utile, il me fait confiance.

— C'est cool pour toi, vous n'aurez qu'à vous faire un restau quand tout sera terminé, le sécha Tissier avant de lui fermer la porte au nez.

Coste, laissé sur le seuil, ne put s'empêcher de sourire.

— Je crois que j'ai un faible pour lui.

À la troisième heure de silence, même le commandant Marie-Charlotte Damiani, la supérieure directe de Coste et chef des deux Groupes crime, commença à s'inquiéter. Elle convoqua Victor dans son bureau dont elle ferma la porte. Des cartons empilés et des murs nus. Une vague impression de déménagement. Dans son tailleur anthracite en accord avec ses cheveux blancs coupés à la garçonne, Damiani gardait toujours cet air de professeur des écoles, un peu hautain et précieux. Une attitude de façade dont le vernis s'écaillait dès que l'on touchait à l'une de ses équipes.

— C'est fâcheux, Victor.

— Je confirme. On aurait très bien pu garder l'affaire.

— Cette affaire, une autre… Pas si grave. C'est pas vraiment le boulot qui vous manque, non ? C'est ma dernière semaine et je la voulais calme, histoire de profiter un peu de vous tous et de faire mon pot de départ. À la place, j'ai un enlèvement sur mon département avec la BRI qui nidifie dans nos locaux.

— Profiter de nous ? C'est mignon, ça, Marie-Charlotte.

— Sois pas bête, Victor. Tu sais que vous allez me manquer.

— Je le vois surtout. Déjà que tu as repoussé ton départ de six mois… Ça fait combien de jours que tu dis que tu vas descendre ces cartons dans ta voiture ?

Damiani embrassa son bureau du regard et choisit de ne pas répondre à la question.

— Toujours est-il qu'une semaine à tirer, c'est sept jours à assurer. J'ai pas envie de partir sur une affaire foirée.

— Si elle foire, ça viendra de la BRI. Tu peux commander les petits-fours.

— Je ne serais pas si confiante que ça. S'ils se plantent, pas impossible qu'ils nous la laissent sur le dos. Et trois heures sans aucun contact avec les ravisseurs, ça sent le soufre.

— Donc ?

— Donc, prépare-toi à récupérer une bouse et garde ton équipe sur le feu. En attendant je vais faire en sorte que Tic et Tac nous fassent un topo. Ils sont quand même invités chez nous.

*
* *

Ce n'est qu'à la quatrième heure de statu quo que Matin et Tissier daignèrent organiser une table ronde en salle de réunion. Il y avait là le Groupe crime 1 de Coste, le Groupe crime 2, dirigé par la rondouillette et autoritaire capitaine Lara Jevric, homologue de Coste, ainsi que quelques effectifs du Groupe de répression du banditisme, habitués aux opérations tendues. L'introduction de la BRI laissa clairement entendre que l'idée de partager leurs infos ne venait pas d'eux.

— À part perdre du temps, je ne vois pas très bien ce qu'on va gagner ici, mais voilà où nous en sommes.

En une phrase, Tissier avait réussi l'exploit de se mettre tout le monde à dos. Une qualité rare que seule Lara Jevric partageait avec lui. Il raconta à nouveau l'histoire de la boîte de nuit, de l'inconnu avec le gramme de coke, de l'enlèvement de David Sebag et du SMS reçu par son père depuis maintenant huit heures et quinze minutes.

— On aurait dû recevoir des instructions depuis un bout de temps, mais apparemment on a affaire à des amateurs. Ils ont même peut-être pris froid et abandonné, mais on attend toujours. Une hospitalité comme la vôtre, ça ne se refuse pas.

— Plus de huit heures sans aucun contact. Y a un loupé. Pas un appel et aucune info dans le portable scotché à la voiture. Ça n'a pas de sens, s'inquiéta Sam.

Sur cette table ronde, Sam se trouvait être le plus proche de Matin et sa remarque sembla désarçonner le flic de la BRI. Matin se pencha vers Tissier, murmura à son oreille et, à la manière d'un caméléon, Tissier prit la même teinte blanchâtre que son comparse. Les deux flics refermèrent leur dossier et se levèrent, mais Coste n'avait rien manqué de leur embarras.

— Oh, police ! Personne ne bouge. C'est quoi vos gueules coupables, là ? Quelque chose que vous nous dites pas ?

— Juste un truc à vérifier, bafouilla Matin, qui hérita d'un regard noir de son supérieur.

Un silence glacial s'installa dans la pièce. Personne n'osait dire tout haut ce que tout le monde redoutait. Coste se porta volontaire.

— C'est pas vrai ? Dites-moi juste que vous avez vérifié dans le portable ! Dites-moi que vous le fixez pas comme des connards depuis quatre heures en attendant qu'il sonne sans avoir pensé une seconde que les instructions n'étaient pas simplement déjà dedans ?

Matin et Tissier optèrent pour un regard fuyant. Coste lança l'offensive.

— Johanna, récupère-le.

Matin fit un pas en arrière.

— Attendez, on va…

— La ferme, le coupa Johanna, la main déjà sur le téléphone.

Elle le lança à son chef à travers la salle de réunion et Coste l'attrapa au vol. Il appuya sur quelques touches, se rendit dans le fichier « messages ». Vide. Nouvelles touches composées et Coste consulta le fichier « notes ». L'écran afficha une note enregistrée. Il lut tout haut :

« 80 000 euros. 9 heures. Le Millénaire. Entrée principale ».

— Putain. On a raté le rendez-vous d'une heure et demie, souffla Coste. C'est pas bon du tout.

Tissier baissa les yeux, Matin laissa échapper un juron alors que de son côté Sam pianotait déjà sur sa tablette tactile.

— Centre commercial Le Millénaire, Aubervilliers, 93. 56 000 mètres carrés commerciaux, 12 000 mètres carrés d'espaces verts, 150 magasins. C'est beaucoup trop grand pour être surveillé.

— Et pour filer ? se fit préciser Ronan.

— C'est juste parfait : une vingtaine d'entrées et sorties, sans compter les parkings, deux lignes de métro, deux lignes de bus, quatre de tramway, le périphérique, une nationale, une départementale et une navette fluviale par les quais de Seine. C'est une passoire de la taille de quinze terrains de football entourée d'un labyrinthe d'accès.

Coste relut le message avant de lancer, à son tour, le portable à Sam.

— Trouve-moi tout ce que tu peux sur cet appareil et sur la ligne qui a envoyé le SMS au père cette nuit. T'as dix minutes. Ronan, récupère les vidéos du centre commercial entre 8 heures et 9 h 30. Juste celles de l'entrée principale. Cinquante-six mille mètres carrés, on n'aura pas le temps de visionner les autres. Johanna, tu fais un avis magistrat à Saint-Croix, elle va certainement apprécier le déroulement des choses. Moi, en attendant, je vais essayer d'expliquer la situation aux parents.

Coste se tourna vers Tissier et l'alluma, juste pour le plaisir.

— J'ai une bonne relation avec le père, il me fait confiance. Ça te dérange pas ?

19

L'info avait tapé comme une balle rebondissante dans plusieurs services police et justice : la BRI s'était plantée comme un clou. Pour le directeur de la PJ parisienne, il était impensable que son service d'élite reparte du 93 la queue entre les jambes. Pour le commissaire divisionnaire de la PJ 93, il n'était pas question que la BRI continue à jouer sur son territoire sans que ses hommes participent. Guerre de services ou guerre d'ego, la décision fut délocalisée et prise au plus haut niveau du ministère de l'Intérieur avec le concert des procureurs de la République de Seine-Saint-Denis et de Paris. Beaucoup d'huiles au-dessus d'une situation déjà glissante. Le résultat fut une décision médiane et tiède qui ne résolvait pas grand-chose. Ainsi, la BRI poursuivait son attente, prête à diriger les parents Sebag dans leurs négociations avec les ravisseurs, quand le Groupe crime du capitaine Coste était autorisé à enquêter sur tout ce qui était connexe.

— Connexe ? Ça veut rien dire, râla Johanna qui affichait, sur le tableau blanc du bureau, une photo de David Sebag sur la plage avec sa petite copine du moment et une autre en costume gris clair lors d'une soirée de son université.

— Au contraire, la rassura Coste. Plus l'ordre est imprécis, plus on a de latitude pour agir. Nos nouveaux potes sont bloqués au-dessus du portable à faire les secrétaires en attente du coup de fil. Nous avons le reste. Ne vous trompez pas, c'est à nous de transformer ce bordel en happy end. Le tout avec des ravisseurs à qui on vient de poser un lapin et qui doivent être à bonne température.

— Espérons juste qu'ils ne vont pas passer leurs nerfs sur le gamin, pensa Sam, tout haut.

*
* *

Une pluie d'été giflait la baie vitrée du bureau dans lequel Marc Sebag et sa femme Sandra patientaient, la peur au ventre. Aussi violente que courte, elle laissa après elle des immeubles et des trottoirs brillants d'humidité. Le jardin intérieur du SDPJ 93 avait reçu un coup de frais et les gouttes perlaient au bout des feuilles des arbres et des buissons entretenus.

Coste avait demandé un entretien privé avec le couple Sebag que Tissier et Matin n'osèrent pas lui refuser. Maintenant face aux parents, il pouvait lire sur leurs visages un scepticisme justifié.

— Vous m'avez demandé de vous faire confiance, attaqua Sebag.

Coste aurait pu se cacher derrière l'erreur de la BRI ou se défausser sur le procureur qui les avait écartés de l'affaire, mais il ne servait à rien de chercher un fautif. Pour les Sebag, il y avait une seule institution Police et les secrets de son fonctionnement et de sa chaîne de commandement n'étaient pas leur souci. Ni une excuse.

— C'est entièrement notre faute, assuma Coste. J'en suis désolé. Mais je vous promets qu'aucun de mes hommes ne fermera l'œil tant que David ne sera pas rentré.

— Vous pensez qu'ils vont reprendre contact ?

— Très certainement. Et les négociateurs de la BRI seront là pour vous accompagner et vous conseiller. Par exemple, les ravisseurs vont se demander pourquoi vous ne vous êtes pas présenté au centre commercial. Il faudra savoir répondre correctement, monsieur Sebag.

— Je raconterai la vérité. Que je n'ai pas trouvé la voiture à son emplacement mais qu'elle était en fourrière.

— Surtout pas. Vous n'avez aucune raison de savoir dans quelle fourrière elle se trouvait et surtout aucun moyen de l'approcher et de la fouiller si vous n'en êtes pas propriétaire.

— Alors je dis quoi ?

— L'autre vérité. Que vous n'avez pas pensé à regarder dans le portable si les instructions s'y trouvaient déjà.

— Faut-il que je sois con, non ?

Coste le prit directement pour lui et encaissa.

— Mais nous ne sommes pas tous en attente. De mon côté, avec mon équipe, nous allons travailler sur les ravisseurs, tenter de les identifier, chercher un coup d'avance.

Le père tiqua sur cette dernière phrase. Lui et sa femme ne se lâchaient pas les mains, se rassurant mutuellement de leur simple présence. Pas d'hystérie bruyante, ni de larmes à profusion. Une peur digne, une terreur presque contrôlée qui étonna Coste.

Les cheveux attachés à la va-vite, un léger parfum de sommeil… Si la nuit avait été blanche, Sandra Sebag était maintenant bien éveillée, et elle n'allait pas laisser ces flics prendre des risques avec la vie de son fils.

— Courez après eux si vous voulez. Nous ne souhaitons que le retour de David. Et nous allons payer.

— Je comprends tout à fait, mais…

— Je me moque de savoir si c'est une erreur. S'ils veulent de l'argent, ils en auront, autant qu'ils en souhaitent. J'ai appelé le comptable de notre société qui réunit déjà la somme. Nous paierons. Vous m'entendez ?

Verser la rançon pouvait probablement être une issue favorable pour cette affaire précise, mais l'information ferait rapidement le tour des cités et donnerait peut-être l'idée à d'autres. Pourtant, Coste comprit sans problème qu'à ce moment de leur vie, le couple Sebag se foutait royalement des éventuelles futures victimes et il n'insista pas.

20

D'un coup de moto, Ronan avait fait l'aller-retour en un temps record et était revenu avec les vidéos de l'entrée principale du centre commercial Le Millénaire chargées sur la clef USB du Groupe crime.

— D'après la sécurité, il y a entre treize et quinze mille personnes par jour qui viennent pousser ici leur Caddie. Visionner les bandes ne nous fera que perdre du temps si on ne sait pas qui on cherche.

— Je sais, rétorqua Coste. Mais au point où on en est, mieux vaut avoir tous les éléments de preuve à notre disposition.

De son côté, Sam était dans son élément. Nouvelles technologies et téléphonie mobile. Malheureusement, les ravisseurs étaient d'une prudence inhabituelle et leur coup avait été monté avec intelligence. Il s'adressa au reste de l'équipe.

— OK. Dans la nuit de dimanche à lundi, Marc Sebag reçoit un SMS mentionnant une adresse rue Favan et une immatriculation de Twingo. Le portable qui a envoyé ce SMS a été acheté il y a deux jours sous une fausse identité.

— Comment peux-tu en être sûr ? le coupa Ronan.

— Écoute, à moins que notre type s'appelle vraiment Bruce Willis, je pencherais d'instinct pour la fausse identité.

— Bruce Willis ? Putain, ils ont peur de rien.

— Le SMS reçu par le père nous dirige vers un autre portable, scotché sous une bagnole, celui que fixent Tintin et Milou de la BRI en espérant qu'il sonne. Celui-ci n'est qu'un support, il a juste servi pour y noter leurs revendications, soit la somme demandée et le lieu de livraison. Donc, ils crament un portable par action. Inutile de les mettre sur écoute puisqu'ils ne les réutilisent pas. J'ai récupéré son numéro de série et celui-ci aussi a été acheté sous une fausse identité.

— Et le casting s'est porté sur qui, cette fois-ci ?

— Christopher Walken. Deux acteurs qui ont joué des rôles de parrains de la Mafia.

— Merde, avec tous les contrôles que les vendeurs de téléphones se cognent, ça ne devrait plus être aussi simple d'ouvrir des lignes avec des identités bidon, s'étonna Johanna.

— C'est pour cette raison qu'ils ont utilisé Arbarel, un des opérateurs spécialisés dans les appels vers l'étranger. Leurs portables prépayés se vendent pour trois sous dans des petits commerces, des boutiques d'à peine quelques mètres carrés, sans presque aucun contrôle, tenues généralement par des Pakistanais incapables de reconnaître une vraie pièce d'identité d'une fausse.

— Bruce Willis ! *Piège de cristal*, quand même, ça a traversé les frontières. Même au Pakistan, ça doit leur dire quelque chose.

Coste s'affala dans le grand canapé rouge du bureau. À travers les fenêtres, son regard s'était posé sur la ville. Quelque part dans le département, peut-être à deux rues de là, il y avait un gamin prisonnier qui devait s'en remettre autant à Dieu qu'à ses parents. Et vu la belle foirade de la BRI, il y avait surtout un gamin qui ne comprenait pas pourquoi sa famille n'avait pas payé, face à des ravisseurs certainement très remontés. Coste laissa sa pensée s'égarer et il tenta d'imaginer leurs nouveaux adversaires. Il fallait un type pour garder David Sebag. Un type à zoner autour du centre commercial pour se faire remettre la rançon et au moins un autre à la tête de l'équipe, les mains libres pour pouvoir diriger le tout. Ils étaient donc trois, au minimum. Trois inconnus, géographiquement séparés, qui devaient constamment rester en contact les uns avec les autres. Une idée chatouilla le cerveau du flic.

— Sam, tu peux remonter sur le point d'achat des deux portables ?

Sam reprit les informations reçues via sa réquisition téléphonique et en feuilleta les pages.

— Easy Phone Shop à Drancy. Je vois où tu veux en venir, Victor, mais si nos types ont acheté ces mobiles il y a deux jours, comment veux-tu que le vendeur se souvienne de leurs visages ?

— Mais surtout, est-ce qu'il aura envie de s'en souvenir, douta Ronan.

— La mémoire du vendeur, je m'en passerai, trancha Coste. Si comme tu le penses, les ravisseurs se servent de portables de guerre à usage unique pour communiquer avec le père, ils sont assez prudents pour ne pas utiliser leurs propres portables pour communiquer entre eux le temps que prendra l'opération.

109

Donc, ils n'auront pas acheté que deux appareils, mais bien plus.

— Au moins un par personne.

— Et si on sait où ils ont acheté les deux premiers, avec un peu de chance, ils y auront aussi acheté les autres. Donc on pourrait savoir quelles lignes ils vont utiliser par la suite et…

Comme un écolier avec la bonne réponse qui lui brûle les lèvres, Sam n'eut pas la patience de le laisser terminer.

— Et on peut prendre de l'avance ! Les mettre sur écoute et les géolocaliser ! Dès qu'ils s'appelleront ou s'enverront le moindre texto, on sera en coulisses.

Une piste fraîche. Coste tapa deux fois dans ses mains.

— Allez. Voiture. Sirène. Gyrophare. Drancy. On est partis.

21

Ronan, au volant de la 306 du service, grilla quelques feux rouges et se fit klaxonner deux fois sur le trajet, malgré la sirène et le bleu du gyrophare qui n'impressionnaient plus grand monde dans le département. Coste, côté passager, était en ligne avec la magistrate Fleur Saint-Croix et lui expliquait comment il pensait pouvoir devancer les ravisseurs grâce à leurs portables de guerre, autrement appelés des Paul Bismuth. Des téléphones de président déchu, appellation donnée non par les flics, mais bien par les criminels qui ont vu chez cet illustre politique dans la tourmente un frère d'armes. Ronan coupa la sirène, monta sur le trottoir et se gara directement en face du magasin. Discret comme une péniche hors de l'eau.

La porte de la boutique de Ravisha Kumar activa une clochette en s'ouvrant. L'intérieur était tapissé d'affiches de stars indiennes et des étagères couraient le long des murs, proposant des DVD contrefaits, des crèmes de beauté, des gâteaux secs et accessoirement des portables. Assis sur une chaise haute pivotante, Kumar leva les yeux de son ordinateur et vit les deux hommes entrer. Il baissa le son de sa radio et, en signe de bienvenue, ouvrit les bras comme s'il présentait un show au cirque. Son fort accent semblait faire rebondir et trébucher les mots dans sa bouche avant qu'ils ne sortent.

— Bonjour la police !

Le sixième sens de ceux qui ont quelque chose à se reprocher.

— Bonjour, répondit Coste tout en sortant de sa poche de veste une feuille qu'il fit glisser devant le vendeur et sur laquelle il pointa du doigt un paragraphe en particulier. Ça, c'est deux lignes que tu as ouvertes il y a deux jours. On n'a pas beaucoup de temps. Je veux que tu les retrouves pour nous dans ton fichier vente.

Le Pakistanais dodelina de la tête sans se départir de son sourire de façade.

— Et secret client ? Réquisition police ?

Coste constata que si son interlocuteur n'avait pas beaucoup de vocabulaire français, il avait tout de même le nécessaire. D'une main sur l'épaule, il retint Ronan qui avait déjà fait un pas en avant, prêt à remplacer les mots par des gestes. Le vendeur se sentit l'âme à collaborer et se ravisa.

— OK. Pas réquisition. Pas problème.

D'un coup de souris, les lignes défilèrent sur l'écran de l'ordinateur et Kumar remonta jusqu'à la date demandée.

— Yes. Bruce Willis and Christopher Walken.

Ronan fulmina.

— Ça va ? Tu le dis sans te brûler la langue ? Tu leur as demandé un autographe au moins ? Ils t'ont présenté une pièce d'identité, tes Américains ?

Kumar dodelina et sourit à nouveau, espérant que sa bonne humeur pourrait le sortir de là.

112

— Évidemment non, en conclut Ronan. Je sais même pas pourquoi je pose la question.

Coste reprit les commandes.

— Je veux que tu me dises combien ils ont acheté de portables prêts à l'usage et comment ils ont payé.

— Réquisition ? tenta une dernière fois Kumar qui avait tout aussi peur de la police que des représailles du quartier s'il leur parlait.

Ronan, qui savait jusqu'où être poli, l'attrapa par le col, le secoua un peu pour lui remettre les idées en place et le raisonna à voix basse.

— Tu veux vraiment aller en garde à vue avec ton sourire à la con ?

Et Kumar se replongea, plein de bonne volonté, dans son fichier clients. Au fur et à mesure de sa lecture, il perdit de son assurance et ses gestes se firent plus lents, comme s'il cherchait à gagner du temps. Coste fit le tour du comptoir, le dégagea d'un coup d'épaule et prit sa place. Il retrouva les deux premiers achats : Willis et Walken. Il fit défiler la page un peu plus bas pour consulter ceux qui suivaient. Hollywood était de retour, avec un brin de *French touch*.

— Pacino, Brando et… Delon.

Trois nouvelles lignes. Ronan toisa Kumar qui s'était perdu dans la contemplation du bout de ses chaussures.

— Je veux bien croire que tu sois pas cinéphile et je veux bien croire que tu ne connaisses même pas le mot, mais merde ! C'est à cause de petits vendeurs comme toi qu'on se retrouve à la traîne dans nos affaires.

Coste lança l'impression de la partie du fichier qui l'intéressait et, levant les yeux, aperçut une caméra, en hauteur, dont le champ englobait l'entrée et la caisse enregistreuse. Plein d'espoir, il interpella le vendeur et la pointa du doigt.

— Elle fonctionne ?

Kumar retrouva son sourire.

— Caméra ? Fausse. Plastique. Vingt euros. Tu veux cadeau ?

Les deux flics sortirent du magasin avant de commettre l'irréparable.

22

Durant le trajet retour, toujours à grande vitesse, Coste transmit toutes les informations à Sam, déjà sur des braises. Les fausses identités, les lignes accordées et les numéros d'identification propres aux trois nouveaux téléphones portables, évidemment payés en liquide. La mise sur écoute comme la géolocalisation étaient en pause et n'attendaient que cela pour démarrer.

La chef des deux Groupes crime était bien évidemment au courant de l'avancée de l'enquête et regarda son officier rentrer au service, plutôt fière. Marie-Charlotte Damiani adressa un clin d'œil amical à Coste alors qu'il la dépassait pour retrouver son bureau. Cette dernière semaine ne serait peut-être pas si catastrophique que cela, après tout.

Sam ne laissa même pas le temps à Coste de déposer sa veste sur le dossier de sa chaise. Il tourna deux écrans d'ordinateurs portables devant lui et expliqua :

— Les trois lignes que tu viens de découvrir sont sous surveillance. Sur l'écran de gauche, t'as une carte du 93. Aucune raison qu'ils fassent leurs conneries ailleurs, sauf s'ils ne sont pas du coin, mais j'en doute. Ils ont plutôt l'habitude de voler dans leur propre poulailler. Donc dès qu'un des trois portables sera activé, même par un simple SMS, il sera repéré par les relais téléphoniques et on pourra le localiser. Mais s'ils nous font le plaisir de s'appeler et de se parler, ce sera retranscrit sur l'écran droit, et là, c'est « Confessions intimes ». On sera carrément avec eux et on entendra tout. Ils sont bagués comme une espèce en voie de disparition.

— Et les lignes ont été utilisées depuis leur achat ?

— Oui. Delon a appelé Brando aujourd'hui à 8 h 30. Dix secondes de communication. Brando a activé un relais vers la porte de la Chapelle sur le dix-huitième arrondissement et Delon, un relais à Aubervilliers, au niveau du centre commercial. Mais comme ils n'étaient pas encore sur écoute, j'ignore ce qu'ils se sont dit.

— OK. Donc, Delon a dû avertir Brando qu'il se trouvait bien au centre commercial, en attente de la rançon. Normal. J'imagine qu'il y a eu un autre appel, quand ils n'ont pas vu arriver l'argent.

— Exact. Delon a recontacté Brando à 10 h 30. Douze secondes de com. Delon était toujours localisé au centre commercial, mais Brando, cette fois, se trouvait vers la Porte Maillot.

— Et personne n'appelle jamais Pacino ?

— Rien sur le relevé.

Coste se redressa et quitta les écrans des yeux, assez satisfait.

— Parfait, alors on a notre équipe au complet. Delon est au centre commercial, c'est le receveur. Brando est toujours en mouvement, c'est la tête de l'équipe. Et Pacino reste sous les radars. Personne ne

116

l'appelle et il n'appelle personne. C'est lui qui garde David Sebag.

Sam se posta devant les deux ordinateurs, attentif.

— Allez les gars. Faites pas les timides. Parlez-vous.

— Va falloir être patient. Je déteste être en position d'attente, pesta Ronan en faisant les cent pas dans le bureau, clope allumée aux lèvres. Je sais pas comment tu fais pour rester assis devant tes écrans, Sam.

— J'ai l'habitude. Tu sais que mis bout à bout, un utilisateur normal d'ordinateur va passer trois mois de sa vie à regarder une barre de téléchargement avancer. Pour un geek comme moi, tu peux multiplier par quatre ou cinq. Alors, ouais, j'ai l'habitude. Et il est interdit de fumer dans le bureau.

— Marrant, tu le dis jamais à Coste.

Sam s'apprêtait à répondre quand la porte du bureau s'ouvrit à la volée sur Matin, le capitaine de la BRI, une excitation palpable dans la voix.

— Ça appelle. Vous avez quelque chose ?

Sam se retourna. Le temps que le relais téléphonique renvoie l'information et l'écran s'activa.

— C'est Marlon Brando, l'organisateur.

— C'est parti, souffla Coste.

Dans le bureau contigu, la première sonnerie du portable avait saisi le couple Sebag et les flics de la BRI, comme lorsque l'on manque de tomber de haut et que tout votre corps se contracte de peur. Cette sonnerie encore inconnue qu'ils attendaient depuis longtemps et qui imitait celle des vieux téléphones fixes à cadran.

Matin était sorti avertir l'équipe de Coste et à la deuxième sonnerie, Tissier tendit le portable à Marc Sebag qui approcha une main tremblante.

— Calmez-vous, monsieur Sebag. On a tout répété ensemble, ça va bien se passer. Laissez-les parler et quand vous hésitez sur vos réponses, regardez-moi. Vous en êtes capable. Ça va bien se passer.

À la troisième sonnerie, Sandra Sebag s'approcha de son mari, lui chuchota qu'elle l'aimait et qu'il fallait qu'il ramène leur fils à la maison. Il décrocha.

— Je suis Marc Sebag.

— Ça va ? T'as bien dormi ? T'as pas l'impression d'avoir oublié quelque chose ?

Il y avait, pour les parents, encore un bête espoir d'une blague excessivement perverse, une notion d'impossible et de « ça n'arrive qu'aux autres ». Mais maintenant, à travers cette voix au ton agressif de banlieue mais étonnamment posée, la menace devenait réelle, personnifiée. Tout cela était vrai et c'était à eux que cela arrivait.

— Je suis désolé. On n'a pas pensé à vérifier dans le portable. C'est pour ça qu'on a raté le rendez-vous. Mais je vous promets qu'on va faire tout ce que vous nous dites. Comment va David ? Je peux lui parler ?

— Vrai ? On te passe un portable et tu mates pas dedans ? T'es con ou quoi ?

Sebag jeta un regard noir à Tissier et resta sans répondre. Le ravisseur enchaîna :

— Tu sais que c'est une discussion qu'on devrait même pas avoir ?

— Je suis désolé.

— Tu t'excuseras sur la tombe de ton fils, connard. Et dis-toi que t'as appuyé sur la gâchette.

Sandra Sebag, bien qu'assise, manqua de défaillir et son mari, affolé, faillit laisser échapper le téléphone de ses mains. Tissier, d'un geste apaisant, tenta de le rassurer. Les ravisseurs ne faisaient que montrer les crocs, histoire de garder la main.

Bureau du Groupe crime 1. Toute l'équipe de Coste était rivée aux deux écrans d'ordinateur de Sam. La conversation débuta et les voix retransmises avaient un petit supplément métallique.

« Je suis désolé. On n'a pas pensé à vérifier dans le portable… », s'excusait Marc Sebag.

— OK, je l'ai. Le téléphone de Brando vient d'activer un relais sur le 93, vers la commune des Lilas.

« Tu sais que c'est une discussion qu'on devrait même pas avoir… »

Chacun chercha dans la voix et l'attitude de l'inconnu des éléments d'enquête. Un accent, une intonation, le vocabulaire utilisé, la manière dont il gérait la situation, les bruits extérieurs. Chaque particularité pouvait se révéler utile. Un nouveau point rouge s'afficha sur l'écran.

— Brando est en mouvement, il vient d'activer un nouveau relais. Paris vingt, vers Bagnolet. Il va trop vite pour être à pied.

La conversation se poursuivit et tout le monde fronça les sourcils à son moment critique : « Tu t'excuseras sur la tombe de ton fils… »

La vitesse de déplacement de Brando étonna Sam.

— On a un problème là, il vient d'arriver sur Vincennes en moins d'une minute.

119

Ronan, habitué des trajets rapides, s'attarda sur le nouveau point rouge qui venait de s'allumer. Sam se leva et se posta devant une carte de Paris et du 93 qui occupait la moitié d'un des murs du bureau.

— Nord-est de Paris vingtième jusque porte de Vincennes en une minute, à moins de traverser les immeubles, c'est impossible, souffla Sam.

— C'est parce qu'il est pas dans la ville. Il est au-dessus, en conclut Ronan.

— En avion ?

— Mais t'as huit ans ou quoi ? Non, pas en avion, il est sur le périphérique et il tourne. Intraçable.

— L'enfoiré.

Dans le bureau réservé à la BRI et aux parents, la tension était montée d'un cran après les menaces. La suite allait encore malmener le pauvre père.

— Écoutez. Vous avez demandé quatre-vingt mille, je peux monter jusque cent mille. D'accord ? Je les ai. Ils sont prêts. Je veux juste entendre la voix de mon fils.

— Pas possible. Je suis pas avec. Va falloir nous faire confiance.

Faire confiance. C'était la deuxième fois dans la journée et la première n'avait pas été une réussite. La voix enchaîna :

— Mais moi, est-ce que je peux te faire confiance ?

— Bien sûr. Je ferai tout ce qu'il faudra.

— T'as pas eu l'idée d'aller voir les flics au moins ?

— Je vous jure que non.

Un silence glacial fit suite à cette promesse, comme si l'interlocuteur en jaugeait la crédibilité.

— Tu comprends ce que tu risques à nous mentir ?

— Je ne vous mens pas.

— Je voulais juste vérifier. Je vais te faire confiance, alors. Reste bien sage, je te recontacte dans une heure.

L'inconnu raccrocha et Sebag garda le combiné fixé contre son oreille, paralysé. Sa femme s'approcha de lui, saisit doucement le téléphone et prit son mari dans ses bras, où il fondit en larmes.

— Vous vous en êtes très bien sorti, lui assura Matin.

Tissier vérifia que son second prenait en charge les parents, sortit du bureau et passa dans celui d'à côté.

— Alors, Coste ? T'as quelque chose ?

Victor décrocha des deux écrans et l'invita à s'approcher.

— Non, rien d'utilisable. Il est sur le périphérique, il tourne comme une horloge. Mais il va devoir appeler ses hommes pour les tenir informés que leur opération reprend. On aura d'autres fenêtres.

— Je te fais pas la leçon, mais les enlèvements se font par des gens qui sont obligatoirement au courant des capacités financières de leurs victimes, donc souvent des proches ou des anciens employés.

— Et tu voudrais que Sebag écoute les voix ?

— Il a pas reconnu la première, celle de l'organisateur. On aura peut-être plus de chance avec les autres ?

— OK… Fais-le venir. Brando doit remettre en alerte son équipe, ça ne devrait pas trop prendre de temps.

Et comme si les ravisseurs avaient écouté le conseil, le téléphone de Brando s'activa de nouveau. Sam, aux premières loges, demanda l'attention de tous.

121

— C'est reparti, mais c'est pas un appel. Brando envoie un SMS.

Il se décala vers le second écran pour en lire à voix haute le contenu.

— 919 235 #1# LOC

— Un code ? On connaît le destinataire ?

Sam pointa sur l'écran le numéro qui s'était affiché. Il ne s'agissait ni de Delon, ni de Pacino. Le message était parti chez un inconnu et laissait penser qu'un quatrième homme pouvait faire partie de l'équipe.

— C'est quoi ces conneries ? s'emporta Ronan. Ils s'échangent des infos sous notre nez et on ne comprend rien !

Coste ne se laissa pas désarçonner.

— Johanna, passe le numéro destinataire en annuaire inversé, ça coûte rien de tenter.

Ne les laissant pas respirer une seconde, l'écran des écoutes s'activa encore. Sam traduisit ce qui s'y passait :

— Brando, une nouvelle fois. Cette fois-ci c'est un appel. Et ça va chez… Delon, toujours au centre commercial.

— Normal, se rassura Coste à haute voix. Il appelle le receveur pour lui dire que la rançon va arriver et de rester en place. On ouvre les oreilles et on note tout ce qui peut nous être utile.

La connexion se fit et la voix, maintenant familière, se fit plus autoritaire.

— Ouais, t'es où ?

— Millénaire, gros, j'ai pas bougé du centre co.

Accent cité. Un peu plus jeune. Mineur ? Interférences. Sensation de foule autour.

— Vas-y, tu peux te barrer, c'est annulé, ordonna Brando.

Les policiers se regardèrent avec une certaine incompréhension face à ce retournement de situation inattendu.

— Qu'est-ce qui s'est passé ?

— Ce fils de pute est chez les flics.

— Comment tu sais ?

— Je le vois. Il est pas à Stains. Le signal bloque sur la rue de Carency à Bobigny, juste à l'adresse de la PJ.

— C'est chaud pour nous ou quoi ?

— Non, on a utilisé que des téléphones de guerre, ils peuvent pas connaître les lignes. Juste vire la puce et la batterie de ton portable et bouge d'ici.

Un cliquetis de déconnexion et le silence prit toute la place dans le bureau du Groupe crime 1. Coste partageait avec Ronan un certain amateurisme en ce qui concerne les nouvelles technologies et il se tourna vers leur expert officiel.

— Il vient de se passer quoi, là, Sam ?

— Attends, laisse-moi quelques secondes. Moi aussi, j'ai perdu le fil. On géolocalise Brando sur le périphérique et pourtant il dit qu'il voit Sebag chez nous. Je comprends plus, je suis largué.

Johanna avait été chargée de remonter la ligne inconnue qui avait reçu le SMS codé de Brando et qui y avait répondu dans l'instant. Face à la réponse affichée sur le site, elle avertit Coste.

— Brando a envoyé un SMS à Arbarel, son opérateur. Je ne vois pas l'intérêt de discuter avec son opérateur en plein enlèvement.

Sam réorganisa mentalement toutes les infos et tenta d'en faire un tableau cohérent. Une fois les pièces assemblées, l'évidence lui colla une bonne gifle.

— Oh putain ! Si c'est ça, ils sont malins.

— Tu nous fais partager ? s'impatienta Johanna.

— Tu dis qu'il a envoyé un SMS à son opérateur et juste après, il sait, à distance, que le portable refilé à Sebag borne chez nous à la PJ et pas chez eux à Stains. Ça me paraît simple, il a dû prendre l'option « localiser mon téléphone ». Tous les opérateurs le font, maintenant.

Il lut de nouveau le message, maintenant décodé.

— 919, ça doit être son identifiant, 235, son mot de passe et #1# LOC, sa demande. En gros, il refile à Marc Sebag un portable scotché sous une bagnole, et nous on fait entrer ce portable dans notre service. Pour être sûr que Sebag n'est pas allé voir les flics, l'organisateur annonce par SMS qu'il a perdu son portable et l'opérateur lui répond par une géolocalisation. On pensait qu'il s'agissait juste d'un moyen de communication entre Sebag et les ravisseurs alors que c'était un téléphone espion qu'on a gentiment invité chez nous. Un cheval de Troie et je l'ai pas vu venir. Ça fait quinze ans qu'on les baise avec leurs téléphones, normal qu'ils se mettent à utiliser les mêmes armes que nous, ça devait bien nous arriver un jour ou l'autre.

— De là à inaugurer, j'en demandais pas tant, fulmina Coste. C'est un cauchemar, cette affaire.

L'attention de Ronan fut attirée par l'écran de droite qui avertissait d'une nouvelle communication entrante. Il tapa sur l'épaule de Sam qui se reconcentra immédiatement.

— Attention ! Nouvel appel. Toujours Brando, et ça va chez… Yes ! Il appelle Al Pacino.

— Celui qui garde David Sebag ! s'exclama Johanna. C'est notre première chance de connaître l'endroit où il est détenu.

— Et ce sera notre dernière, précisa Sam, parce qu'après, il va certainement lui demander de griller la ligne.

Cliquetis de connexion. Voix métalliques.

— Ouais, c'est moi.

— C'est bon ?

Nouvelle voix. Presque adulte. Stressée. Impression sonore de résonance et de profondeur, comme dans une église.

— Non, il est chez les flics. On annule.

— Le fils de pute.

— Le reste, ce sera sa faute. On l'avait prévenu.

— Ouais, je sais, mais je suis plus très chaud.

— T'as pas intérêt à nous lâcher. Tu sais ce que tu dois faire. On a choisi un juif exprès pour qu'on parle de nous et là, si on le laisse partir, tout le monde saura qu'on est des petits joueurs. Personne nous prendra plus au sérieux. Y a pas le choix. On se fera de la thune sur le prochain. Ils oseront plus appeler la police. Mais toi, si tu vas pas jusqu'au bout, tu sais de quoi je suis capable.

La respiration de Pacino se fit entendre, saccadée. Brando ne le laissa pas hésiter et lui asséna son ordre.

— Crame le portable et barre-toi. Mais d'abord, bute-le.

Ces derniers mots restèrent à flotter dans le bureau. L'avenir de David Sebag se jouait dans les quelques minutes à suivre, ou peut-être était-ce déjà trop tard. Il fallait réagir vite. Coste se leva et se retourna vers son équipe, prêt à donner ses ordres. C'est alors qu'il se retrouva face à Marc Sebag, dont il avait oublié la présence, pétrifié dans l'embrasure de la porte. Comme les autres, il venait d'entendre la sentence. « Bute-le. » Hagard, le regard perdu, comme si rien n'avait de sens autour de lui, il dévisagea les flics les uns après les autres. Quelle que soit l'issue de cette histoire, chacun se souviendrait de ce regard désespéré, lourd de reproches. Les jambes de Marc Sebag faiblirent et il se laissa glisser doucement contre le mur, jusqu'à s'asseoir par terre. Le commandant Tissier l'aida à se relever et, passant un bras sous le sien, le fit sortir de la pièce. Il y aurait le temps pour les excuses, pour subir la rage des parents ou se prendre un poing dans la gueule certainement mérité, mais pour l'instant, Coste fit table rase des sentiments parasites et se focalisa de nouveau sur leur dernière chance de localiser David.

— Sam, dis-moi quel relais Pacino a activé ?

— Borne 2 347. Le relais couvre la rue Jacques-Saussey à Pantin.

— On a quoi à cet endroit ?

Ronan s'assit devant son ordinateur, rentra l'adresse sur l'application Street View et, face aux photos qui s'affichèrent, en fit le détail.

— C'est quasiment pas habité. Un immeuble de quatre étages, la mairie de Pantin, une école maternelle et une piscine publique.

— On peut écarter la mairie de Pantin, l'école maternelle et la piscine publique, je les vois mal garder David Sebag dans des lieux aussi fréquentés.

Reste l'immeuble, mais certainement pas dans un des appartements, pas assez discret. Un voisin aurait pu les voir arriver ou entendre les cris de David. Peut-être les caves.

De son côté, Sam avait contrôlé par ordinateur tous les endroits cités. Fermetures éventuelles, grèves, travaux en cours, tout ce qui aurait pu laisser le champ libre aux ravisseurs était vérifié. Sur le site de la mairie, le tableau des horaires d'ouverture et de fermeture de la piscine publique s'afficha, et ce qu'il lut leur offrit un espoir.

— La piscine ! Elle est fermée depuis un an. Pas assez de fréquentation. Le terrain est à vendre. T'as entendu, quand Pacino parlait ? Il y avait une impression de résonance, comme dans une grande pièce vide.

— Bon, faut prendre une décision tout de suite, s'énerva Ronan. Les caves de l'immeuble ou la piscine ? Fil bleu ou fil rouge ?

Et d'instinct, ils se tournèrent vers Coste. Ce dernier s'autorisa une seconde de réflexion et regarda une dernière fois le visage de David Sebag sur les photos accrochées sur le tableau blanc.

— Avec Sam et Ronan, on prend la piscine. C'est le choix le plus prudent pour eux. Johanna, tu récupères tous les flics disponibles du service et vous fouillez l'immeuble. Pétez les portes s'il le faut. On s'excusera après.

23

Pantin.
11 h 45.

— On y est dans combien de temps ?

— C'est à quinze minutes, assura Ronan en bouclant sa ceinture de sécurité. Je peux y être dans six.

Coste attrapa la radio, régla la fréquence et contacta Johanna, dans la voiture juste derrière.

— Johanna, on va aller un peu vite. Tu nous colles au pare-chocs, OK ? Ronan ouvre la voie.

— OK pour moi. Je vous lâche pas.

Les sirènes rugirent et les voitures police firent se retourner les piétons sur leur passage. Quelques-uns, qui avaient pris la route pour un trottoir, durent même faire un bond de côté et les cyclistes, prudents, posèrent un pied à terre.

Dès qu'ils arrivèrent à proximité de la zone ciblée, Johanna enquilla à gauche vers l'immeuble d'habitation et Ronan prit à droite. Juste en face de la piscine publique, il opéra un virage au frein à main pour s'arrêter, parallèle à la grille qui en fermait l'accès. Derrière, le vieux bâtiment de briques rouges sur trois étages était entouré de filets de protection pour parer à son délabrement. Ainsi, il donnait l'impression d'une proie prisonnière d'une immense toile d'araignée.

Les trois flics s'éjectèrent de la voiture, longèrent la grille et s'arrêtèrent face au cadenas, cisaillé d'un coup net, pendant sur le côté.

— On n'est pas les premiers, constata l'un d'eux.

Coste, Ronan et Sam se glissèrent dans l'enceinte, passèrent devant un panneau de plastique vieilli qui mentionnait un début des travaux de rénovation en 2013, le prix des travaux et le nom de la société qui aurait dû les effectuer deux ans plus tôt. Ils faisaient maintenant face aux neuf marches qui menaient à l'entrée. Là aussi, la porte avait été forcée. L'absence de gardiennage de ce bâtiment où il n'y avait rien à voler avait facilité l'opération des ravisseurs et très certainement justifié leur choix.

Malgré l'abandon des lieux, la porte vitrée à peine poussée révéla un relent de chlore et de javel, probablement incrustés à jamais dans les murs et les sols carrelés. Leurs pas résonnèrent dans l'espace vide. Chacun avait sorti son arme de l'étui et la tenait braquée devant lui, légèrement inclinée vers le bas. Ils passèrent l'accueil et poussèrent les deux portes battantes qui donnaient directement sur le bassin. Au-dessus d'eux, les trois étages de coursives qui accueillaient les vestiaires et les douches faisaient le tour de la piscine, vidée de son eau.

L'équipe s'accorda cinq secondes, immobile, cherchant le moindre bruit, le moindre mouvement, retenant sa respiration. Coste fit quelques pas en avant, regarda au fond du bassin. Puis il rangea son arme.

La bonde devait être bouchée de quelques mouchoirs, sparadraps et touffes de cheveux emmêlés et l'eau n'avait pas été totalement évacuée. Il en restait des centaines de litres, formant une mare trouble, d'un rouge sale, dans laquelle flottait un corps, sur le ventre, les bras en étoile. Ronan s'assit sur un des plots de départ, hébété, alors que Sam s'agenouillait au sol, l'arme toujours à la main.

Coste enleva sa veste, sur laquelle il déposa son pistolet. Il ôta son gilet pare-balles et ses menottes qu'il laissa tomber au sol. Il descendit les marches métalliques de l'échelle et se retrouva dans le bassin. Il commença à marcher, d'abord sur le carrelage sec, puis, arrivant vers le fond de la piscine, il s'enfonça dans l'eau au fur et à mesure. Jusqu'aux chevilles, puis jusqu'aux genoux, enfin jusqu'à la taille. Il attrapa l'une des mains, inerte, rapprocha le corps entier et le tira vers lui, léger comme en apesanteur. Au niveau de la nuque, un trou carmin de sang visqueux.

La radio de Sam tonna et la voix de Johanna résonna contre les murs.

— On a fait les deux tiers des caves, toujours rien de notre côté.

Sam, tout en regardant Coste la moitié du corps dans la flotte, appuya sur le bouton de communication.

— Tu peux arrêter de chercher.

Johanna connaissait assez son collègue pour savoir que si David avait été retrouvé en vie, il aurait répondu différemment, autre chose, sur un autre ton.

— Merde. OK, on se dirige vers vous, conclut-elle à mi-voix.

Arrivé sur la partie sèche du bassin, Coste retourna le corps et, malgré l'état du visage, la joue gauche explosée en moins, il reconnut le gamin dont les photos avaient été affichées sur le tableau blanc de leur bureau. Celle à la plage, l'autre à la fête de sa fac. David Sebag. Fils de Marc et Sandra Sebag. Dix-neuf ans.

Il s'assit à côté de lui et s'adossa contre le mur. Johanna et l'équipe qui l'accompagnait allaient arriver dans deux minutes à peu près. Sans se concerter, les trois flics décidèrent de passer ce temps sans rien faire, à juste rester là, ensemble. Ronan sur son plot de départ, Coste dans la piscine et Sam assis sur le rebord, les jambes dans le vide d'un bassin abandonné.

24

Vers 18 h 30, Yassine Chelli gara sa voiture sur la commune de Stains, au milieu de la cité du Clos-Saint-Lazare, l'une des plus sensibles du département. D'un coup de chiffon méticuleux, il nettoya le volant, le levier de vitesses, le rétroviseur intérieur, toute la surface du tableau de bord et même les fils du démarreur qui pendaient sous leur boîtier et qui lui avaient permis de voler le véhicule le matin même pour faire des tours incessants de périphérique. Plus aucune trace d'empreintes.

Un gamin en jogging, juché sur son vélo, fit quelques tours de pédales autour de la voiture. Il reconnut rapidement Yassine, lui adressa un salut et fila vers le groupe de dealers sous capuche que sa présence avait inquiétés.

Sur le siège passager, Yassine récupéra les trois portables Brando, Pacino et Delon dont il devrait se débarrasser au plus vite, en les détruisant ou en les revendant au black aux puces. Il contrôla une dernière fois l'habitacle pour ne rien y oublier. Du coffre ouvert il sortit un extincteur, le dégoupilla et, par la fenêtre, le vida complètement à l'intérieur, sur les sièges, les portes, les poignées, les appuie-têtes et les tapis de sol. Intérieur neige. Altération des traces ADN.

Il glissa les portables dans son sac à dos qu'il passa sur une épaule et se dirigea vers sa tour, à quelques blocs de là. Sur son chemin, les rideaux de fer baissés sur les commerces donnaient une impression de morte-saison et la vie de la cité pouvait se lire en braille sur les fenêtres des immeubles, étoilées par les balles perdues. Treize morts dans l'année au cours de règlements de comptes au fusil-mitrailleur, en pleine journée. Une municipalité amorphe et une police fatiguée se rejetaient la faute continuellement dans la deuxième ville la plus pauvre de Seine-Saint-Denis, à dix minutes de Paris. Le directeur départemental de la sécurité publique du 93 avait même avoué son impuissance face caméra, lors d'un reportage dont il devait encore se mordre les doigts : « Pourquoi la police ne stoppe pas le trafic ? Pourquoi la police n'arrête pas la délinquance ? Et pourquoi la Terre continue-t-elle de tourner[1] ? » Affligeant.

Un endroit que l'on abandonne à la première occasion, sans se retourner, sans mélancolie, comme on quitte un village irradié après une catastrophe nucléaire, laissant prisonniers ceux qui n'ont pas eu le choix et qui s'enferment, dépérissent et agonisent.

Une ville où la réussite d'un Marc Sebag n'était pas passée inaperçue.

Yassine arriva au bas de sa tour, poussa du pied la porte d'entrée défoncée, passa devant l'ascenseur en panne aux portes toujours ouvertes et grimpa les

_____
1. « Pièces à conviction », interview du DDSP 93, France 3.

quatre étages, slalomant entre les poubelles éventrées que l'on ne prenait plus la peine de descendre. Avant même d'ouvrir la porte de chez lui, il reconnut l'odeur familière de la cuisine de sa mère.

Une douche rapide et il passa à table. Son père, ouvrier en bâtiment, avait pendant plusieurs années effectué toutes les opérations de désamiantage des facs de Paris, puis les médecins avaient essayé à leur tour de désamianter ses poumons, sans succès cette fois-ci. La famille de Yassine était maintenant composée de sa mère Souila et de son petit frère de douze ans, Saïd. À vingt-deux ans, Yassine était l'homme de la maison, et sans diplômes, il s'arrangeait comme il pouvait pour tenir le tout à bout de bras.

Souila remplit de pleines assiettes de chorba et ce n'est qu'en s'asseyant que Yassine remarqua la mine sombre de son frangin et, sur la table, son carnet de correspondance du collège Pablo-Neruda.

— Qu'est-ce qui t'arrive ?

Souila n'attendait qu'une introduction pour embrayer dans l'instant.

— Vas-y, Saïd. Dis-lui à ton frère. Dis-lui qu'est-ce que t'as fait. Que ton professeur il t'envoie à la prison de l'école.

— C'est quoi ces conneries ? gronda Yassine.

— Mais c'est pas ça, rassura Saïd. J'ai été collé trois heures samedi.

— T'as fait quoi ?

— Je suis arrivé en retard. J'y suis pour rien, je dois aller au collège à pied, le bus passe plus. Le chauffeur a été agressé y a deux jours, et maintenant ils font la grève. C'est pas ma faute.

— C'est tout ? C'est pour ça qu'on t'a collé ?

Souila jeta un regard noir à son cadet qui lui ôta toute envie de déformer la vérité.

— Aussi, j'ai reçu un coup de téléphone en classe et j'avais pas mis mon portable sur vibreur. Je me suis fait renvoyer du cours.

À la manière d'une voiture de course, Yassine passa de zéro à cent en quelques secondes et s'enflamma. Il attrapa son petit frère par les cheveux, fermement, jusqu'à l'immobiliser, les yeux plongés dans les siens, le ton menaçant, violent comme un cri, un manque d'oxygène.

— Tu crois quoi ? Que tu vas t'en sortir sans l'école ? Tu veux faire comme les petits pédés du quartier à vendre du shit aux Parisiens, c'est ça ? T'as pas compris que c'est la seule manière de sortir d'ici ? S'il m'arrive un problème, c'est qui qui va s'occuper de maman ?

— Quand même, Yassine, lâche-le, ça va, souffla Souila, protectrice.

Il se retrouva idiot face à son petit frère qui, les mâchoires serrées et les yeux remplis de larmes dont pas une seule n'avait encore coulé, soutenait son regard. Il lui avait sauté dessus et il avait hurlé ses propres peurs et ses propres frustrations. Il le libéra, gêné.

— Excuse-moi, Saïd. Mais faut que tu comprennes que c'est foutu pour moi. Je fais que des conneries. C'est sur toi qu'on compte.

— Je sais, chuchota l'enfant.

— Passe-moi ton portable.

— Vas-y, fais pas ça… steuplé, pas le portable.

Et comme son grand frère avait toujours la main tendue à travers la table, Saïd se leva, fit un passage éclair dans sa chambre et revint avec son téléphone. Yassine récupéra l'appareil et observa l'espoir de la famille.

— C'est moi qui t'amènerai à l'école demain. T'arriveras pas en retard cette fois-ci.

— T'as une voiture ?

— Cherche pas. Je trouverai.

25

Damiani fouilla dans un des cartons de son bureau et, parmi les souvenirs de toute une carrière, en sortit une vieille bouteille brune à l'étiquette abîmée. Un cognac d'exception qu'elle ne s'était jamais autorisée à ouvrir.

— Ça va pas nous rendre intelligents, remarqua Coste.

— C'est pas le but souhaité.

À minuit passé, le service était vide et les couloirs, lugubres, n'étaient éclairés que par les lumières des issues de secours. Coste venait de renvoyer toute son équipe à domicile, jugeant qu'il n'y avait désormais plus vraiment d'urgence. Seul le ronronnement de la photocopieuse et des ordinateurs allumés s'entendait encore. Parfois, dans un bureau, un téléphone sonnait, insistait, puis se taisait.

— L'Identité judiciaire ? s'enquit Damiani.

— Ils ont passé la piscine au peigne fin. Empreintes et ADN. Demain matin ils s'occuperont du portable, avec un peu de chance on aura peut-être une trace sur la batterie ou sur la carte SIM. Sinon, on a retrouvé l'ogive dans un coin de la piscine. Inutilisable pour la balistique, complètement écrasée, on ne pourra pas remonter à l'arme qui l'a tirée.

— Et nos acteurs américains ?

— Ils ont cramé toutes les lignes. La géolocalisation est inactive et les écoutes sont mortes. Ils ont disparu et on n'a pas une piste.

Coste siffla son verre et le cognac, légèrement sucré, lui brûla la gorge.

— Je n'ai pas vu les parents à mon retour. Je pensais pourtant que j'allais me faire allumer.

— Ils sont directement partis à la morgue. Je leur ai dit que cela ne servait à rien, mais ils voulaient rester près de leur fils. Je les comprends.

Association d'idées, Coste pensa à Léa Marquant, la légiste de l'Institut médico-légal, qui avait dû recevoir le corps dans l'après-midi. Il ne l'avait pas vue depuis des mois et espérait, autant qu'il le redoutait, qu'elle se soit trouvé un type bien. Au moins, mieux.

— Je vais prendre quelques jours, Marie-Charlotte.

— Et laisser ton groupe en plein milieu d'une enquête ?

— On les aura. Ils tomberont. Ils tombent toujours. Ce n'est qu'une histoire de temps. Vous n'avez pas besoin de moi, je passe les commandes à Ronan. Il est bientôt capitaine, il faut qu'il s'entraîne à diriger un groupe.

— Tu lui fais confiance ?

— Et toi aussi. Je le sais, tu l'aimes bien. Même s'il a tendance à s'emporter un peu. Une fois chef d'équipe, il se canalisera lui-même.

— D'accord, mais avant de partir, tu veux bien superviser l'autopsie demain matin ?

— Non. Vraiment pas.

— Tu as eu un bon contact avec les parents et je sais qu'ils seront à l'IML. Ils ont besoin de savoir qu'on est sur le coup, qu'on ne laisse pas tomber.

— Pour l'instant, je crois qu'ils s'en foutent un peu. La haine et le besoin de vengeance ne viennent pas tout de suite.

Damiani détailla son officier. Belle quarantaine, poivre et sel rassurant, un flic sur lequel elle comptait les yeux fermés et dont elle appréciait les décisions, pourtant pas toujours réglementaires. Malgré tout, il semblait absent, comme détaché. Elle savait faire la différence entre la fatigue et l'usure, et ce qu'elle voyait la préoccupa.

— Tu prends quelques jours et tu reviens ?

— Je prends quelques jours.

Cette réponse laconique fut loin de la réconforter.

— À la fin de cette semaine je serai partie, Victor. Il faudra assurer l'intérim de chef de la Crime dans l'attente de mon remplaçant. Tu imagines bien que je ne vais pas demander ça à Lara Jevric. Diplomate comme elle est, elle risque de nous faire péter le service. Reste toi.

— Combien de temps ?

— Une semaine, maximum dix jours.

Coste leva un sourcil intéressé.

— Donc tu veux dire que je serai aux commandes de mon groupe, mais que je dirigerai aussi celui de Jevric ? Tu sais qu'elle va détester ça ?

Marie-Charlotte sourit.

— Tu vois, tu commences déjà à t'amuser.

*
* *

139

Minuit. Une sonnerie résonna. Sur l'écran du visiophone de l'appartement de Ronan s'afficha une silhouette connue et il appuya sur le bouton. Il laissa la porte d'entrée entrouverte et rejoignit le salon. Fleur Saint-Croix referma derrière elle et déposa son manteau sur le canapé blanc. Elle s'assit à un mètre de distance dans une sorte de périmètre de sécurité, pas encore sûre d'être totalement acceptée. Jeune magistrate, parachutée à vingt-cinq ans dans le 93, elle avait eu des débuts difficiles et connu quelques frictions avec le groupe de Coste, avant de comprendre qu'elle n'apprendrait jamais le métier aussi vite qu'avec lui. Son attitude, un peu gamine et précieuse, s'était vite adaptée à la violence de son métier. Elle passa une boucle blonde derrière son oreille, s'alluma une des cigarettes de Ronan et, du bout du pied, fit tomber ses talons hauts sur le sol.

— Coste m'en veut ?

— Non. Il sait que toi aussi, t'as une hiérarchie.

— Comment tu gères ?

— Comme je peux. Coste dit toujours « C'est pas tes proches, c'est pas ta peine », mais là, j'ai un peu de mal.

— Je peux rester ce soir ? tenta Fleur.

La proposition étonna Ronan, plutôt habitué dans leur relation à ne pas prendre les décisions.

— Si tu dors chez moi, tu ne vas pas pouvoir me renvoyer dans la nuit. Tu m'auras au petit dej.

— Arrête. J'ai juste envie d'être avec toi.

Ronan lui chipa la cigarette des doigts. Une partie de lui était encore assise sur le rebord d'une piscine abandonnée. Fleur Saint-Croix se rapprocha et lui passa la main dans les cheveux.

— Tu sais, on n'est pas obligés de baiser.

— La vulgarité te va moins bien qu'à moi, mais je suis ravi de savoir que je ne te sers pas qu'à ça, constata Ronan.

*
* *

Karl De Ritter, le mari de Johanna, ouvrit le plus doucement possible la porte de la chambre de sa fille Chloé. Il fit le tour du lit, s'assit sur la moquette, tendit le bras et affectueusement posa la main sur l'épaule qu'il caressa.

— Jo ?

Johanna ouvrit les yeux et se réveilla presque en sursaut, prise en faute. Dans son assoupissement, elle avait enserré sa fille comme pour la protéger de mauvais rêves.

— Tu es allée border Chloé et tu t'es endormie avec elle.

— Merde, pardon. Quelle heure il est ? bafouilla-t-elle, pas encore connectée.

— Un peu moins de 1 heure du matin. T'as encore ton flingue à la ceinture.

Johanna se redressa et s'assit sur le bord du lit. Karl tendit la main.

— Donne-le-moi, je vais le ranger.

Sans regarder ce que ses mains faisaient, elle attrapa son arme et la présenta à son homme puis elle l'embrassa sur la bouche et lui chuchota qu'elle allait se coucher. Karl descendit d'un étage vers le salon et, aussi calmement et professionnellement que l'aurait fait un flic, ôta le chargeur, fit reculer la culasse pour en récupérer la dernière cartouche et remisa le tout sur l'étagère la plus haute d'une armoire en bois. À côté de celle de service, deux autres armes reposaient dans leurs étuis. Des armes de concours, dont une avait permis à Johanna de décrocher la première place au prestigieux championnat de France de tir police. Avec son mètre quatre-vingts et ses origines nordiques tirant sur le Viking, Karl De Ritter aurait pu faire partie des forces de l'ordre. C'était d'ailleurs sans se faire prier qu'il laissait de côté son activité d'ingénieur dans le génie civil pour accompagner de temps en temps Johanna sur les stands de tir et balancer quelques chargeurs sur des cibles en papier.

— Tu viens ? s'impatienta Johanna à l'étage.

Karl referma l'armoire à double tour et rangea la clef au-dessus du meuble.

— J'arrive.

Il monta les escaliers, passa devant les portes ouvertes de Malo et de Chloé, vérifia à l'oreille qu'ils dormaient bien, puis éteignit toutes les lumières au fur et à mesure qu'il se dirigeait vers leur chambre. Seule la lampe de la table de chevet éclairait faiblement la silhouette de Johanna.

— Tu es fatigué ? demanda-t-elle.

— Non.

Elle se leva, se plaça devant lui et le regarda comme si c'était la première fois.

— Déshabille-moi s'il te plaît.

*
* *

L'appartement trois pièces de Sam était partiellement plongé dans le noir. Il fallait passer l'entrée, le couloir qui longeait la chambre pour arriver, à tâtons, dans le salon et poursuivre dans un renfoncement pour découvrir le bureau, éclairé d'une lampe à bras flexible. Pas vraiment un bureau, mais plutôt un établi. La lumière projetait sur le mur de droite la fine silhouette de Sam, courbé au-dessus d'un fatras de pièces électroniques et mécaniques.

Il attrapa une puce informatique, la passa sous sa loupe, elle aussi à bras articulé, bougonna et la balança au bout de la table. Sur l'écran de son ordinateur, il vérifia à nouveau le mode d'emploi qu'il avait trouvé sur Internet et qui lui permettrait, s'il mettait enfin la main sur les éléments nécessaires cachés dans ce foutoir, de construire un traceur GPS.

Depuis qu'il avait accepté ce rôle de parrain, il se sentait un peu plus responsable. Enfin, responsable de quelqu'un d'autre. S'ajoutait la conclusion dramatique de leur affaire d'enlèvement et, même si son idée frôlait les préceptes d'un « big brother », il tenait à offrir à Malo un petit appareil qui permettrait de savoir constamment où il se trouvait. Il aurait aussi pu l'acheter quatre-vingts euros chez les Chinois de Montgallet, Paris XIIe, mais le fait qu'il puisse le construire de ses propres mains l'intéressait beaucoup plus.

Jusqu'à une heure avancée de la nuit, il assembla sur un mini-contrôleur de la taille d'un carré de sucre un module GPS, couplé à un module 3G équipé d'une carte SIM et alimenté par une petite pile lithium-ion. Une fois la carte SIM activée, il suffirait d'envoyer un SMS pour connaître la localisation de son filleul.

Les dernières soudures effectuées, il rangea le tout dans un étui de la taille d'une boîte d'allumettes. Malo pourrait le mettre aisément dans la poche de son manteau ou dans son cartable. Ne manquait plus qu'à faire accepter à Johanna que son fils puisse être traqué comme une bagnole volée.

Il récupéra dans le cendrier la fin d'un joint, tira trois bouffées avant de se brûler le bout des doigts et l'écrasa. Il avait pourtant promis d'arrêter. Mais il avait aussi promis d'arrêter les jeux vidéo. Et puis promis à qui d'abord ? Sam vivait seul et ne considérait pas cet état comme une punition. Il aimait sa solitude. Ou il avait fini par s'y habituer.

Les neurones un peu enfumés, il s'allongea dans le canapé, télé allumée sans le son. À l'image, une série sur des flics qui venaient encore d'arrêter la course macabre d'un serial killer à travers les États-Unis en moins de quarante-cinq minutes. Il éteignit le poste et laissa le bruit de la ville en fond sonore. Un cri au loin. Un moteur rugissant. Un crissement de pneus. Une alarme de magasin. D'autres problèmes, pour d'autres flics.

26

Institut médico-légal (IML) de Paris.
8 heures du matin.

À la morgue, le corps fut extrait de son casier réfrigéré, installé sur un brancard et monté par ascenseur à l'étage. Sur roulettes grinçantes, il traversa le couloir de l'IML, bifurqua vers la salle radio et opéra un créneau pour être installé sous un tube à rayons X. Une fois la plaque photosensible correctement inclinée, le manipulateur procéda à un double cliché face/profil du crâne. Comme pour toute plaie par balle, la recherche de projectile ou d'éclats métalliques encore présents dans le corps était nécessaire. Les radiographies furent ensuite glissées dans le dossier et le corps fut emmené pour une nouvelle balade, vers la salle d'autopsie où Léa Marquant l'attendait déjà depuis quelques minutes.

Quand le brancardier fut parti, elle laissa le drap blanc qui recouvrait le corps et en fit le tour. Pour l'instant, la table en aluminium, les lunettes antiprojections, le tablier de protection et les divers outils qui tranchent, broient ou scient étaient immaculés. Dans moins d'une heure ils seraient recouverts de sang, comme si une grenade d'hémoglobine avait sauté dans une boîte fermée.

Léa consulta le dossier qui allait avec le défunt. David Sebag. Homicide volontaire par arme à feu. Service saisi : SDPJ 93. Les radiographies ne montraient aucun corps étranger. Une balle dans la tête, tout simplement. Efficace.

L'Interphone de la salle résonna et l'informa qu'un flic de la Police judiciaire était arrivé. Elle emprunta le couloir et lorsqu'elle arriva à l'accueil de l'IML, elle le reconnut, même de dos. Tout en marchant, elle arrangea ses cheveux auburn en une queue-de-cheval serrée, regarda son reflet dans une des fenêtres, puis s'en voulut immédiatement d'avoir eu ces réflexes. Une fois à son niveau, elle opta pour un ton volontairement distant.

— Tu as retrouvé le chemin de mon service ? Je m'étais habituée à travailler avec Ronan.

— Bonjour Léa, répondit-il en se retournant.

— Salut Victor. Tu me suis ? J'ai pas mal de boulot aujourd'hui et peu de temps à t'accorder.

Vu son attitude des derniers mois, il ne méritait pas d'autre accueil. Le geste accompagnant la parole, elle prit deux enjambées d'avance sur Coste, qui la suivit sans pouvoir remarquer le petit sourire de satisfaction sur le visage de la légiste.

Comme deux danseurs se retrouvent et enchaînent instinctivement les pas sur lesquels ils se sont rencontrés, Coste et Léa reprirent immédiatement leurs marques dans cette salle d'un blanc clinique où ils s'étaient professionnellement séduits avant de se rapprocher de façon plus intime.

Elle échangea ses fines lunettes rectangulaires contre une paire de lunettes en plastique antiprojections, enfila une paire de gants en latex renforcé puis, délicatement, souleva le drap, révélant le corps nu, la peau grise, les bras et jambes rigides. Une partie de la pommette et de la joue gauches manquaient, comme les pièces ôtées d'un puzzle. Coste connaissait le rituel et ils restèrent quelques secondes, tous deux, silencieux au-dessus du jeune homme. Une dernière marque de respect avant de l'ouvrir de la gorge au bas-ventre.

— Les parents sont passés ? s'enquit Coste.

— Oui, ils sont restés toute la journée d'hier à errer dans les couloirs.

— Ils ont vu le corps ?

— Non, j'ai refusé. D'abord je l'autopsie, je le recouds et il faut aussi que je trouve un pansement assez grand pour recouvrir ce qui manque du visage. C'est une image qu'ils garderont imprimée toute leur vie, je préfère qu'elle soit le moins choquante possible.

Sur la table roulante voisine, Léa se saisit d'un scalpel dont la lame leur fit un clin d'œil en reflétant la lumière du néon blanc.

— Pour celui-ci, je peux te donner mes conclusions à l'avance. Point d'entrée par la nuque à bout touchant, l'ogive traverse le crâne et ressort en emportant tout sur son passage. Entre le choc de la détonation et la trajectoire de la balle, le cerveau doit être en bouillie. Cause de la mort, une balle dans la gueule. Ton gars n'a même pas dû réaliser, on lui a juste débranché la prise.

Léa était légiste et les corps étaient sa matière première. Son apparente insensibilité et son vocabulaire cru n'étaient que des protections qui lui permettaient d'oublier leur humanité. Coste le savait et ne s'en était jamais offusqué. Mais aujourd'hui, sur David Sebag, ça ne passait pas.

Son trouble n'échappa pas à Léa et elle l'observa vraiment pour la première fois. Il avait l'air d'avoir passé la nuit sur le banc d'un parc public, son visage était aussi fripé que son costume, sa barbe de trois jours en accusait trois autres de retard et il sentait légèrement l'alcool. Ses yeux bleus et son regard, plus tristes que jamais.

— T'as pas l'air plus en forme que mes clients, Victor. Quelque chose que je devrais savoir ? J'ai juste « homicide volontaire » sur ma fiche.

Coste leva les yeux du corps et consulta sa montre.

— Il y a exactement vingt-six heures, son père est venu nous voir pour déclarer son enlèvement. Je lui ai dit de me faire confiance, on s'est plantés et tu as le résultat devant toi. Un gamin qu'il faut recouvrir de bandages pour le présenter à ses parents. Tout ça pour quatre-vingt mille euros.

Étonnée, Léa reposa le scalpel et remonta ses lunettes plastiques sur ses cheveux.

— Je ne te comprends pas. Lara Jevric, ta collègue du Groupe crime 2, nous apporte un nouveau cas dans moins d'une heure. Le type a buté son voisin d'un coup de fusil de chasse pour une histoire de vol de courrier. On est loin de tes quatre-vingt mille euros. Tu sais bien que dans le 93 la mort n'a rien de raisonnable. Depuis quand es-tu responsable de tout ça ? Ils sont où tous tes bons conseils ? Faire trois pas en arrière ? Ne pas parasiter une enquête avec ses propres sentiments ? T'agis comme si t'avais un an de boîte.

— Malheureusement, j'en ai presque quinze et je commence à fatiguer. J'imagine qu'à force de ramasser une cinquantaine de cadavres par année, on arrive un jour à saturation. D'accord, leurs visages changent, les fringues qu'ils portent aussi et les mobiles qui ont mis fin à leur vie, mais au bout du compte, c'est chaque fois la même danse.

— Tu t'es toujours trop attaché aux victimes, mais jusqu'ici tu savais laisser tout ça au bureau.

— Y a plus de place. Ça déborde. J'ai des images résiduelles, comme quand on conduit toute une nuit sur l'autoroute et que la ligne blanche défile encore alors qu'on est arrivé depuis des heures. J'ai le même effet d'habitude. Quand je parle à quelqu'un, que ce soit un inconnu ou un proche, mon esprit se barre en parallèle et j'arrive à les imaginer comme ils seront, après. Leur peau fanée, leur teint cireux, presque huileux, leurs traits crispés et le voile que la mort posera sur leur regard. Ce n'est pas volontaire, ça s'impose, comme ça.

— Ah ouais, quand même. C'est un gros coup de moins, là. Tu veux qu'on se prenne cinq minutes pour un café ?

— Non, merci. Je voudrais en finir avec ça.

Léa avait prévu de lui faire payer un peu plus cher la fin de leur relation, mais elle ne s'en sentit plus l'envie. Elle posa la pointe de son scalpel sur la peau, qu'elle perça sans résistance avant de trancher plus profondément dans les muscles.

Une heure plus tard, ils se retrouvèrent dehors, à l'air frais, assis sur les cinq marches de l'entrée de L'IML, un café dans une main, une cigarette dans l'autre. Cela aussi faisait partie du rituel qu'ils partageaient.

— Je t'enverrai en off mes conclusions par e-mail dans l'après-midi.

Coste jeta la fin de sa clope dans sa fin de café.

— Adresse-les plutôt à Ronan. Je vais partir quelques jours à la campagne.

— Quelques jours sans télé, ni radio, loin de l'orage. Je ne t'ai jamais rien demandé de plus à l'époque.

Coste n'avait rien à répondre, ni aucune circonstance atténuante. Vivre à deux, il ne savait pas faire.

— Tu pars de quelle gare ?

— J'y vais avec ça, répondit-il en pointant du doigt une épave sur le parking privé, une vieille Ford Taurus noire assez inélégante, garée de travers.

— Dieu qu'elle est laide. Une voiture à Paris ? Je croyais que c'était inutile.

— Elle est à mon père. Il voulait s'en débarrasser. J'ai pas eu le courage. C'est avec elle qu'on partait en vacances quand j'avais dix piges. Je suis sûr qu'on peut encore retrouver des grains de sable de Vieux-Boucau entre les fauteuils.

Léa allait rajouter une couche de moquerie quand ses yeux se portèrent derrière Coste. Aussitôt, son regard s'assombrit.

— Victor… les parents.

Il se retourna, posa son café sur une marche, se leva et lissa son pantalon de la paume de la main comme s'il allait être passé en revue. Le couple Sebag arriva à son niveau, Coste fit un pas en avant, prêt à les saluer et à assumer tout ce qui s'ensuivrait. Marc et Sandra Sebag le croisèrent, puis le dépassèrent sans un geste, sans un regard. Ils poussèrent la double porte en bois de l'IML et disparurent. Le flic resta sur place, en suspens. Léa pesta :

— Putain, c'est trop facile de te jeter leur peine à la gueule. Je les comprends, je compatis et tout ça, mais c'est trop facile.

— Tu veux qu'ils s'en prennent à qui ?

— Je sais pas. Au type qui a appuyé sur la détente par exemple ?

— Il n'a pas encore de visage. Pour l'instant le mien leur convient très bien.

Léa l'accompagna jusqu'à la Ford dans laquelle Coste jeta sa veste en boule. Avec une fausse innocence, elle lança un hameçon :

— Tu pars tout de suite ou tu dois aller récupérer… un passager ?

— Je pars maintenant. Seul. Et toi ? Tu vois quelqu'un ?

— C'est pas tes affaires, répondit-elle, satisfaite de son intérêt.

27

Ronan balança son casque et son cuir de motard sur le canapé du Groupe crime 1. Arrivé en avance à 8 heures précises, il était pourtant le dernier et le café l'attendait déjà. Johanna et Sam, concentrés, tapaient leurs procès-verbaux des opérations de la veille et à les voir faire, il réalisa que se mettre au boulot était la dernière chose dont il avait envie. Il s'approcha des deux ordinateurs de Sam, celui prévu pour les écoutes et l'autre pour la géolocalisation.

— Les lignes se sont activées cette nuit ? demanda-t-il, à personne en particulier.

— Non, rien. J'ai comme l'impression qu'on ne les reverra jamais. Faudrait voir avec Coste s'il ne veut pas qu'on coupe les surveillances.

— D'ailleurs, il est où, Coste ? poursuivit Ronan.

— Pas revenu de l'autopsie.

— C'est lui qui s'y colle ?

— Faut croire. Ç'a été vu avec Damiani.

— J'ai envie de rien foutre ce matin, c'est indécent, conclut Ronan avant de s'affaler sur le canapé.

— Vous avez réussi à dormir, cette nuit ? s'enquit Johanna.

Les deux garçons se dévisagèrent et, un peu gênés, secouèrent la tête négativement.

— Faut juste espérer que le chef ait assez de batterie pour nous faire redémarrer, tenta de se rassurer Ronan.

Au même moment, Marie-Charlotte Damiani ouvrit la porte à la volée, un dossier sous le bras.

— Ronan, Victor se prend quelques jours au vert. Vous êtes à la tête du groupe. Déconnez pas, je vous surveille. Action.

L'ordre avait claqué comme la porte qu'elle referma sans délicatesse, laissant un moment de flottement silencieux dans la pièce. Sam et Johanna regardèrent Ronan avec un large sourire. Ce dernier perdit de son assurance et se mit légèrement à flipper.

— Merde, j'aime pas quand il fait ça.

— Si tu crois une seconde que je vais t'appeler chef, c'est que t'es encore en train de dormir, commença Sam.

— Il y a un nouveau shérif dans la ville, l'acheva Johanna.

— C'est bien. J'ai votre confiance. Ça m'aide. Vous êtes des amis en plastique et des collègues en carton, je saurais même pas dans quelle poubelle vous recycler.

Sam enterra la hache de guerre et se remit sur les rails de l'enquête.

— Bon, alors, les surveillances, on les suspend ou quoi ?

— Trente secondes, t'es gentil. Je vais faire un tour au secrétariat pour voir l'actu du service, je reviens.

Ronan se leva et les abandonna à leurs procès-verbaux. Il se dirigea vers le secrétariat qu'il dépassa pour bifurquer vers les toilettes. Il ouvrit les portes pour s'assurer qu'il était seul, puis se plaça devant le grand miroir avant de se passer un peu d'eau sur le visage et de se recentrer. Coste lui avait laissé les commandes pour les jours à venir et les responsabilités que cela impliquait intimidaient même un grand garçon de trente-cinq ans comme le lieutenant Ronan Scaglia.

Quand il rouvrit la porte du bureau, son attitude était sans équivoque. Plus de fatigue et encore moins d'idée de sieste sur le canapé.

— Alors ? Pour les surveillances ? demanda Sam.

— On les garde une journée de plus.

— Je vois pas vraiment l'intérêt.

— C'est la boîte de ton père ? C'est toi qui paies ? Non. Alors me fais pas chier.

Sam et Johanna se regardèrent, complices et amusés, appréciant que Ronan prenne son rôle au sérieux. La suite allait confirmer leur opinion.

— Bien, si on a rien de nouveau, on recommence avec l'ancien. On entend encore les amis de David Sebag, on se repasse les vidéos de la boîte de nuit et du centre commercial Le Millénaire. On booste l'Identité judiciaire sur le résultat de leurs prélèvements. Je veux la liste de tous les employés des sociétés du père Sebag, actuels et anciens. On convoque Kumar, le proprio du magasin de téléphones, et on lui passe le fichier photo jusqu'à ce qu'il perde la vue ou qu'il chiale du sang. Je veux qu'on ait une piste avant que papa rentre à la maison, c'est clair ?

— Ben tu vois, elles étaient pas loin tes couilles, le taquina Johanna.

28

Les promesses sans lendemain, Saïd en avait l'habitude. « Je t'emmènerai là », « On fera ça », « Je t'apprendrai ça »... Tout autant de souvenirs en moins. Un grand frère inutile dont l'absence n'aurait rien changé au cours de sa vie. À 8 heures, il tenta malgré tout de réveiller Yassine plusieurs fois mais ne reçut qu'un bougonnement et quelques insultes. Autant pour le trajet jusqu'à l'école en voiture promis la veille.

S'apprêtant à quitter la chambre de son frère après un dernier refus, Saïd passa devant son bureau, un meuble presque incongru sur lequel Yassine n'avait jamais étudié le moindre cours. Parmi un fatras de cendriers pleins, de manettes de console de jeu, de lunettes et de montres de marque contrefaites, se trouvaient quatre portables. Dans la pénombre de la chambre, les stores aux trois quarts baissés, il les vérifia l'un après l'autre mais n'y trouva pas le sien. Il en serait pour une journée sans téléphone, sans possibilité d'appeler, ni d'être joint. Paraît que c'était comme ça avant, du temps de ses parents. À moins qu'il ne se serve...

*
* *

Au SDPJ 93, la matinée avait filé et laissé place à un après-midi ensoleillé. « Rien de plus inutile qu'une journée ensoleillée en banlieue, se dit Johanna. Ça te rappelle simplement que t'as ni la plage ni la montagne pour en profiter, juste des immeubles en béton qui chauffent pour rien. »

Les images de vidéosurveillance avaient été analysées, boîte de nuit comme centre commercial, seconde après seconde, sans qu'aucun suspect n'ait pu être identifié. Restaient quelques pistes à fermer et quelques heures avant la fin de journée. Sam se leva pour s'étirer bras et jambes et, inclinant la tête de gauche et de droite, faire craquer les vertèbres de son cou. Johanna reconnut ce tic.

— D'accord. C'est donc de toi que vient cette sale manie ? Malo le fait tout le temps. Marrant comme il t'imite.

Malo… Sam se souvint tout à coup du cadeau qu'il avait passé la nuit à confectionner et fouilla dans la poche avant de son sac à dos, posé à ses pieds. Il en retira le traceur GPS protégé par un étui et le déposa sur le bureau d'en face où travaillait Johanna.

— Une boîte en plastique, constata-t-elle. Fallait pas, Sam, je suis touchée.

— C'est un traqueur. Pour Malo. Si tu le glisses dans son manteau, je peux savoir où il est à n'importe quel moment.

— Euh, merci…

Ronan entra dans la conversation.

— J'arrive pas à définir. C'est normal ou inquiétant comme idée ?

— Ouais, je sais. Même moi je me suis posé la question en le fabriquant. Mais tu comprends, Johanna, c'est juste cette histoire de David Sebag qu'on n'arrivait pas à localiser, ça m'a collé des idées bizarres de surveillance et de contrôle. Écoute, fais-en ce que tu veux.

Johanna attrapa le boîtier et le glissa dans une des poches de son treillis.

— T'es un cœur mon petit poulet. J'en parlerai à Karl. Tu me dis comment ça marche ? demanda-t-elle pour le rassurer.

Sam se leva pour lui montrer comment lancer une localisation et, alors qu'il passait devant les ordinateurs, son attention fut attirée par un clignotement. Il monta le volume, baissé la veille par résignation.

— C'est une blague ?

— Quoi ? s'enquit Ronan.

— La ligne de Brando. Elle s'active. Il réutilise le portable.

Les trois se collèrent littéralement aux écrans. Cliquetis de connexion. Nouvelles voix. Attention maximale.

— Ouais c'est qui ?

— C'est Saïd.

— C'est pas ton numéro.

— Ouais, je sais. Mon grand frère m'a pris mon portable mais j'avais enlevé ma puce. Je lui ai chouré un des siens. T'étais pas en cours ?

— Nan, je suis malade.

— Genre, contagieux ?

— Nan, malade tranquille, c'est bon, tu peux venir si tu veux, je suis tout seul, j'ai la console pour moi.

— OK, j'arrive.

Cliquetis de déconnexion. L'appel était une mine d'informations inespérée. Ronan resta pourtant en pause malgré le coup de chance qui venait de leur être offert.

— C'est beau la famille, merci au petit frère, lança Johanna.

— Tu veux qu'on appelle Coste ? demanda Sam.

— Je t'emmerde.

— Et ensuite ?

Ronan démarra au quart de tour.

— L'appel a activé quel relais ?

Sam pointa du doigt sur l'écran la borne 2231 et les trois rues qu'elle couvrait. Ronan, dorénavant bien campé dans ses nouvelles fonctions, attribua les missions sur un ton autoritaire.

— Tu me trouves ce qu'on a comme établissement scolaire dans le coin. Quand tu as le nom, vous débarquez là-bas avec Johanna et vous me sortez tous les « Saïd ». Vous me passez les identités complètes au téléphone et on cible ceux qui ont un grand frère. À partir de là, on tirera sur le fil et on verra qui est au bout.

— Si on identifie, tu veux planifier l'interpellation pour demain matin ? s'enquit Johanna.

— Non. Pour l'instant on n'en a qu'un. Si on le serre, les deux autres passeront en sous-marin et on risque de les perdre. C'est bon pour vous ?

— C'est parti, chef, répondirent-ils d'une seule voix.

Chef. L'effet n'était pas désagréable. Ronan décida de ne pas appeler Coste et de le laisser au moins vingt-quatre heures tranquille, histoire de lui prouver qu'il n'avait pas besoin de chaperon.

29

À la nuit tombante, la vieille Ford quitta la route principale, puis longea un village à la sortie duquel elle emprunta un long chemin de terre qui sinuait jusqu'en haut d'une colline. Juchée sur son flanc, à quelques kilomètres de tout voisinage, se trouvait une ancienne grange aménagée, bordée d'arbres massifs.

La voiture fit crisser les graviers et détaler une biche que Coste n'aperçut qu'un bref instant avant qu'elle disparaisse dans le bois. Il se gara devant les fenêtres de la cuisine, seule pièce allumée de toute la bâtisse. Il éteignit les phares et au même moment, le perron s'éclaira. Un homme âgé apparut, pull, pantalon de velours côtelé et tignasse de cheveux blancs.

— Tu aurais pu prévenir.

— J'ai changé d'avis en cours de chemin. Je ne savais pas vraiment que j'allais atterrir ici.

Le vieil homme regarda la voiture avec étonnement.

— Tu ne t'en es pas débarrassé ?

— Va comprendre.

Il claqua la portière et les deux hommes s'embrassèrent rapidement sur les deux joues.

— Bonsoir papa.
— Bonsoir Victor.

*
* *

Monsieur Coste déroula un torchon à carreaux qui protégeait un pain de campagne à peine entamé. Il déposa devant son fils une assiette de fromage et de charcuterie et servit du vin dans deux verres dépareillés.

— Les biches sont de retour ? demanda Victor.

— Oui. Elles sont jolies mais elles bouffent tous mes boutons de fleur. Je vais quand même pas leur tirer dessus.

— Non, quand même pas.

Puis Victor détailla la pièce, à la recherche d'un objet absent.

— Y avait pas une photo de maman à côté de la fenêtre ?

— Si. Elle est dans ma chambre maintenant.

— C'est bien le moment de vous rapprocher.

— Ne commence pas, s'il te plaît.

En deux piques ou une réflexion mal placée, Victor et son père étaient capables de renverser la maison et d'y foutre le feu. Monsieur Coste décida que les meubles resteraient à leur place et n'alimenta pas les flammes.

— Comment tu vas ?

— Super, éluda son fils.

— Évidemment. C'est pour ça que tu fais cinq cents bornes pour débarquer sans prévenir. Et Léa ?

— Je ne t'en ai parlé qu'une seule fois. Je me demande même comment tu te souviens de son prénom.

Monsieur Coste coupa une nouvelle tranche d'un coup de couteau horizontal, le pain serré contre le torse.

— Parce que c'est la seule dont tu m'aies jamais parlé.

— Ça a duré cinq mois. On n'est plus ensemble.

— Crétin, souffla le père.

— Ah ouais, carrément ? s'amusa Victor.

— On ne défie pas la solitude avec autant d'aplomb quand on a mon âge. Et mon âge tu l'auras bientôt.

— Écoute, pour l'instant ça me convient très bien.

— Bien sûr. Quand on est seul, on n'est responsable de rien. Ni du malheur, ni du bonheur.

— Pourquoi ? T'en connais beaucoup, des relations heureuses ?

— Il n'y a que vous, les flics, pour savoir combien ce monde est pourri, laisse un peu d'espoir aux autres, ils en auront peut-être pour toi, qui sait.

Monsieur Coste attrapa la bouteille de vin et Victor posa la main sur son verre, en signe de refus.

— Je peux prendre ma chambre ?

— Elle est toujours prête.

— Je te vois demain ?

Le vieil homme acquiesça et Victor se leva en récupérant sa veste. Passant derrière lui, il enlaça son père et ses mains touchèrent la peau ridée des siennes.

30

À 8 heures du matin, l'habitude réveilla monsieur Coste. Dans la maison silencieuse, il remplit une vieille cafetière italienne, snobant la machine perfectionnée à capsules que son fils lui avait offerte l'année passée. Sur la table derrière lui, le portable de Victor vibra en avançant à chaque sonnerie de quelques centimètres entre les miettes de pain. Curieux, il vérifia l'appelant : « SDPJ 93 – Ronan ».

L'appareil s'offrit une nouvelle danse une heure plus tard et une autre, une heure après, persévérant. À la quatrième, monsieur Coste toqua doucement à la chambre de son fils et entra.

— Les flics t'ont retrouvé, mon pauvre.

— Combien d'appels ? marmonna Victor en se redressant dans son lit.

— Quatre.

— Je prends une douche et j'arrive.

Après vingt minutes sous une eau brûlante, il siffla un café bien serré qui termina de lui ouvrir les yeux.

— Tu vois qu'elle fait du bon jus, la machine que je t'ai offerte, pérora-t-il.

— Oui. J'aurais du mal à m'en passer maintenant. Je descends au village, tu veux manger quelque chose de particulier ?

Sur la table, le portable s'activa une nouvelle fois et Victor l'attrapa, laissant la question de son père en suspens. Monsieur Coste abandonna son fils à ses affaires dont il n'avait, de toute façon, jamais été très friand. Un flot de paroles sur un ton surexcité résonna dans le combiné.

— Calme-toi, Ronan, je suis à peine levé.

— Pardon. Je te disais qu'on avait remonté un des gars de l'équipe.

— Ç'a été rapide. De quelle manière ?

— La ligne de Brando a été réactivée hier dans l'après-midi. Elle a borné au collège Pablo-Neruda à Stains. Et le gamin a même donné son prénom. Saïd.

— Un collégien ? Ça fait jeune pour organiser un enlèvement, même sur le 93. Vous avez tiré sur le fil ?

— Oui. Il y a trois Saïd dans cet établissement. Le premier a un petit frère, le deuxième n'a que des sœurs et le dernier à un grand frère qui nous semble être un bon candidat.

— Je t'écoute.

— Yassine Chelli. Vingt-deux ans et vingt-six infractions à son palmarès. Un mois de prison à Marveil pour extorsion avec violences. Trois mois à Fleury-Mérogis pour home-jacking. Vols et violences, c'est exactement le profil, y a aucun doute.

— Un sur trois. Il faut identifier les autres avant de se lancer sur une interpellation, ce serait la meilleure manière de les effrayer.

— C'est ce qu'on s'est dit. Écoute, je ne sais pas où tu t'es planqué mais si tu veux revenir, moi je suis plutôt d'accord.

— C'est vrai que vingt-quatre heures de pause, je commençais à abuser.

— C'est pas ce que j'ai voulu dire. C'est juste que...

Coste le coupa dans son élan.

— Je te taquine, biquet. T'as fait un excellent travail. Je suis là dans quatre heures.

— Tu sais comment remonter jusqu'aux autres ?

— J'ai une petite idée, mais va falloir que tu me prépares deux trois choses.

*
* *

Monsieur Coste déposa deux sacs en papier kraft sur la table de la cuisine. Ses pommes de terre farcies avaient consolé quelques malheurs de Victor quand il était enfant et il s'était dit que, même s'il en avait un peu oublié la recette, l'occasion était jolie. Monsieur Coste avait consacré toute sa vie à son métier, manquant de temps pour tout, à toutes les occasions, répondant « demain » chaque fois qu'on lui parlait d'aujourd'hui.

Du temps, il en avait maintenant, assez pour s'ennuyer, mais c'était au tour de Victor d'en manquer. Les années passant, le fils était devenu exactement comme le père.

Il vida le contenu des deux sacs et appela à travers la maison.

— Victor ?

Chambre vide et vieille Ford disparue. Sur le rebord de la fenêtre, à la place de la photo maintenant déplacée se trouvait un petit mot. Monsieur Coste le déplia, le lut et sourit tristement.

Décidément oui, son fils était devenu exactement comme lui.

31

Après trois semaines de planques et de filatures, le groupe « Cités » des Stups avait procédé le matin même à deux interpellations et à la saisie intéressante de deux cents kilos d'une nouvelle herbe génétiquement modifiée et vendue à prix d'or. Les coffres du service n'avaient pas réussi à les contenir entièrement et un bureau avait été réquisitionné pour y entreposer le reste. Depuis, une odeur entêtante de chlorophylle poivrée flottait dans tout le service. Problème supplémentaire, sur les diverses écoutes téléphoniques des Stups, quelques voyous surveillés commençaient déjà à parler de la manière de récupérer le butin pendant le transport vers la déchetterie où il serait incinéré. Résultat, le SDPJ 93 était devenu un bunker, gardé par quatre effectifs à chacune des trois entrées du bâtiment, mitraillette ou fusil à pompe en bandoulière.

Coste arriva par l'entrée garage et fut immédiatement stoppé par un policier en faction. Il baissa la vitre de sa portière et salua.

— Oh merde… C'est à vous cette voiture, capitaine ? s'excusa le planton. J'ai failli vous tirer dessus tellement elle est moche.

— C'est sentimental. Ça excuse toutes les fautes de goût. Qu'est-ce qui se passe ?

— Une saisie des Stups. Une nouvelle drogue. J'en sais pas plus.

— OK. Bon, vous me laissez passer ou je vous roule dessus ?

Coste gara sa voiture au parking souterrain, éclairé d'un mauvais goût patriotique par des néons bleus, blancs et rouges, puis s'engouffra dans l'ascenseur.

Il poussa la porte du Groupe crime 1 où il trouva son équipe au complet. Une grande pièce, quelques affiches de cinéma, des avis de recherche de criminels encore confiants dans leur cavale et quatre bureaux. Sam face à Ronan. Johanna face à Coste. Les chefs de groupe ont normalement leur propre bureau, mais il ne supportait pas de travailler seul. L'impression d'être puni ou mis sur la touche. Sur le tableau blanc, personne n'avait eu le courage d'enlever les photos de David Sebag et le jeune homme semblait les observer, leur rappelant qu'il y avait un boulot à finir et des ordures à neutraliser. À côté de celles de la victime, la photo en noir et blanc de la prochaine cible de l'équipe, Yassine Chelli.

— Salut Victor. T'as l'air reposé. Elles t'ont fait du bien ces petites vacances dis-moi, s'amusa Sam. T'es parti où ?

— Je suis allé dire bonjour à quelqu'un que je n'avais pas vu depuis longtemps.

— Tu vas nous en dire plus ?

Coste déposa sa veste sur l'accoudoir du large canapé rouge.

— Pas spécialement. Vous avez fait les recherches que je vous ai demandées ?

— Oui, on vient de terminer, l'album photos est sur ton bureau. On a dix-sept candidats et les CD de leurs auditions filmées. Par contre, à part les choisir au pif, je ne vois pas très bien comment tu comptes faire.

— Je vais les faire parler.

— Les dix-sept ? On n'a pas fini.

— Rassure-toi, ce sera plus rapide que tu ne le penses. Quelle heure est-il ?

— Seize heures vingt-cinq.

— Ça ne devrait plus trop tarder.

*
* *

Le jeune homme qui se présenta à l'hôtel de police dépassa la file d'attente sous les bougonnements de ceux qui patientaient, depuis trop longtemps à leur goût. Il posa sa mallette noire au sol, fouilla la poche intérieure de son sweat à capuche et en sortit une carte tricolore.

— Bonjour. Julien Degrève. SCITT. Je suis attendu par la Crime.

Le flic de l'accueil le reprit, un peu embarrassé.

— SCI… quoi ?

— Rien, oubliez, personne connaît. Je suis attendu par le capitaine Coste.

Il fut escorté à travers les étages et couloirs jusque devant la porte ouverte du bureau. À sa vue, Coste se leva du canapé.

— Bonjour Julien.

— Salut capitaine. Ça sent bon chez vous. Vous faites pousser vous-mêmes votre herbe ?

Se tournant vers son équipe, Coste fit les présentations.

— Je vous présente Julien Degrève, du Service central informatique et des traces technologiques.

Sam se leva d'un bond, la main tendue et le visage rayonnant. Il trouvait un collègue à sa mesure, avec les mêmes intérêts, dans un service de pointe qui longtemps lui avait fait envie.

— SCITT ? La classe ! Tu viens exprès de Lyon ?

— Oui. Normalement c'est plutôt à vous de vous déplacer ou de nous envoyer vos recherches, mais ça avait l'air urgent et puis c'est Coste… Compliqué de lui dire non.

Degrève finit sa tournée de poignées de main et Coste le dirigea vers la cafetière, un bras sur son épaule. Deux bons potes. Ronan chuchota à l'attention de Johanna :

— J'ai l'impression de voir double. Sam et Degrève, ils sont pareils. On dirait deux étudiants épais comme des cintres.

Puis il se tourna vers Coste et le nouveau venu :

— Bon, les amoureuses, vous nous dites comment vous vous êtes rencontrés ? Le chef ne nous a jamais parlé de toi.

Degrève siffla son café et céda à leur curiosité.

— Si je me souviens bien, Victor cherchait un nouvel effectif pour son équipe, il y a environ huit ans maintenant. Il avait déjà les muscles et il lui manquait un technicien. J'ai fait partie de sa liste puis j'ai eu une opportunité au SCITT. Ce genre de chance ne se rate pas, alors j'ai fait mon choix.

Environ huit ans. Sam n'eut pas besoin de calculer pour réaliser qu'il faisait partie du groupe depuis

169

exactement huit ans et que, s'il avait bien compris, Coste avait dû choisir entre lui et ce Julien Degrève. L'idée qu'il puisse être un second choix lui colla un petit bourdonnement de jalousie au creux du ventre. D'un coup, ce petit con du SCITT ne lui était plus du tout sympathique, tout maigrelet qu'il était avec son sweat à capuche de délinquant.

— Tu me racontes ton affaire un peu plus en détail ? demanda Degrève.

Victor récupéra l'album photos, les CD sur son bureau et les lui tendit.

— On est sur un enlèvement qui a mal tourné.

— Le gamin dans la piscine ? C'était sur BFM ce matin.

— On a identifié un des hommes. Yassine Chelli. Mais on sait qu'ils étaient trois en tout. On sait aussi qu'un enlèvement avec demande de rançon est une infraction compliquée à mettre en place et qui nécessite un minimum de confiance. Donc le coup a été monté entre personnes qui se connaissaient. J'ai demandé à Sam de constituer un album photos de tous les complices connus de Yassine Chelli. C'est l'album que tu as entre les mains.

Degrève ouvrit le document et découvrit, sur cinq planches photos, dix-sept clichés peu avenants de visages mécontents, plus patibulaires les uns que les autres. Les photos qui alimentent le fichier du TAJ[1] sont prises juste après l'interpellation des délinquants ou des criminels, d'où la rareté d'un sourire

---

1. TAJ : Traitement des antécédents judiciaires. Fichier regroupant les auteurs d'infractions, les infractions reprochées et les éventuels complices des faits.

au moment du déclic. Degrève poursuivit comme s'il avait suivi l'enquête depuis le début :

— Et tu penses que les deux autres membres de l'équipe sont parmi les anciens complices de ton Yassine. Parmi ces dix-sept photos, donc.

— J'espère, parce que pour l'instant, on avance plutôt au flair. Les dix-sept ont tous été entendus dans différentes procédures au cours des dernières années, soit par notre service soit dans divers commissariats du 93, et leurs auditions ont été filmées. Ce sont les dix-sept CD qui sont là. Et parallèlement on a un enregistrement des voix des trois membres de l'équipe pendant qu'ils montaient leur opération.

— Vous les aviez sur écoute à l'avance ? Comment vous avez fait ?

— Un coup de flair encore, mais ce serait un peu long à te raconter. En tout cas, c'est là qu'on aurait besoin de toi.

Degrève sortit un ordinateur portable de sa mallette, appuya sur un bouton et la machine se mit à ronronner.

— Moi, je ne vais pas faire grand-chose, mais Batvox peut vous être utile. C'est notre logiciel de reconnaissance vocale. Je peux comparer les voix des dix-sept auditions des complices de Yassine avec les voix enregistrées par vos écoutes. Si ça matche, vous aurez identifié votre équipe.

Sam leva un sourcil méfiant.

— Et c'est efficace comme logiciel ?

— Batvox ? C'est celui qui a été utilisé dans l'affaire Cahuzac. On a comparé sa voix lors d'un discours avec celle que l'on avait sur un enregistrement de transactions où il parlait de son compte en Suisse et de son évasion fiscale. C'est de cette manière qu'il est tombé.

— Ah parce qu'il est tombé, Cahuzac ? s'étonna Ronan.

— Évidemment non, concéda Degrève. C'est un homme politique. Les politiques ça titube, ça tangue, mais ça ne tombe jamais réellement.

Il lança le logiciel et s'adressa au groupe, impatient.

— On commence ?

Degrève n'avait besoin que de sept secondes d'un enregistrement clair des voix pour en retirer les particularités probantes. Il commença par la conversation avec Pacino, qu'il fit tourner en boucle et qu'il compara avec un extrait de chacune des dix-sept auditions des complices connus de Yassine.

La première audition ne trouva aucune similitude et sur l'écran, les courbes vocales se chevauchaient sans jamais se retrouver. La deuxième n'eut pas de meilleur résultat, et il fallut attendre la onzième audition pour que la courbe se superpose parfaitement à la voix enregistrée sur les écoutes. Pacino cessa ses activités cinématographiques et retrouva sa vraie identité : Sofiane Badaoui, connu pour vols avec violences, cambriolages et escroqueries. Entre autres. Sofiane Badaoui, celui qui, au centre commercial, avait attendu la remise de la rançon.

Degrève recommença du début et reprit les dix-sept auditions, qu'il compara cette fois avec la voix de Delon. Celle-ci se superposa parfaitement à l'audition du numéro 9 et ce dernier aussi fut démasqué : Lorenzo Weinstein, agressions sexuelles, violences sur ascendant sur la personne de son père – qu'il

172

avait envoyé de nombreuses fois à l'hôpital –, et quelques vols à l'arrache au cours de sa jeunesse. Lorenzo Weinstein, celui qui avait gardé David Sebag et qui, sur ordre, l'avait abattu.

Degrève était arrivé à 16 h 30 et à 17 heures exactement, lui et Batvox avaient identifié les complices de Yassine Chelli, qui, par élimination, devenait le commanditaire et le cerveau du groupe. Fier du devoir accompli, il finissait d'établir son rapport de comparaison sous le regard impressionné de Johanna et de Ronan. Seul Sam se retenait de ne pas le féliciter. Il aurait pu faire de l'or avec son cul que Sam ne lui aurait pas dit bravo.

— Un bon point pour ton flair, concéda Degrève en s'adressant à Coste. Mais profites-en, parce qu'avec l'ADN, les empreintes digitales et les ondes vocales, si tu ajoutes les réseaux sociaux et bientôt les analyses de l'odeur corporelle, ton flair sera comme un vieil outil dépassé. Une sorte de Minitel. Pour être flic, d'ici dix ans, il faudra juste un bon ordinateur, un technicien de qualité et quelques laborantins et on pourra dire adieu aux enquêteurs à l'ancienne.

— J'espère que tu mettras quand même des fleurs sur ma tombe, répondit froidement le capitaine.

Ronan se baissa vers Sam et chuchota :

— Je sais pas pour toi, mais il me manquera pas, lui, quand il sera parti.

Sûr d'un auditoire passionné, Degrève poursuivit :

— Mais tu sais que ton enquête me donne une idée, il faudrait que j'en parle au SCITT. Si on garde sept secondes des auditions filmées faites dans tous les services de police de France et qu'on les compare avec toutes les écoutes sur lesquelles on n'a pas encore identifié les correspondants, c'est un coup à résoudre un bon millier d'affaires en une seule fois.

— Un millier en une seule fois ? Tu seras gentil d'attendre que je sois à la retraite avant de proposer le projet. Tu restes sur Paris ce soir ? demanda Coste.

— Non, j'ai un train à 18 heures. Par contre si tu passes par Lyon, viens nous faire une visite, Maud sera ravie de te revoir.

Les deux hommes quittèrent le bureau, laissant l'équipe un peu perplexe sur le personnage qui venait de leur être présenté. Lorsque Coste fut de retour parmi eux, Sam, sur un ton qui se voulait indifférent, l'interrogea.

— Il y avait combien de candidats sur ta liste, quand tu m'as sélectionné ?

— Deux. Toi et lui.

— Et c'est parce qu'il est parti au SCITT que tu m'as choisi ?

Coste fit mine de ne pas entendre et commença à imprimer les photos de leurs deux gagnants du jour, Lorenzo Weinstein et Sofiane Badaoui, qu'il aimanta sur le tableau blanc. Sam s'emporta, oubliant toute notion de hiérarchie.

— Tu fais chier Victor ! Je suis un second choix ou pas ?

Coste se serait bien amusé un peu plus à le taquiner, mais il se souvint que Sam était orphelin et que leur groupe était pour lui ce qui s'approchait le plus d'une famille. Ça le freina. Ça, et le fait que Johanna l'avait tout simplement assassiné d'un regard noir.

— Je t'ai choisi toi et quand Degrève a appris qu'il n'était pas retenu, il est allé au SCITT. Il aime juste raconter l'inverse et depuis le temps, je crois même qu'il en est persuadé.

— Et pourquoi moi ? Il est visiblement meilleur, non ?

— Meilleur technicien, peut-être. Ça n'en fait pas un bon flic. Et c'est un petit con prétentieux, je crois que ça saute aux yeux.

— En attendant tu lui as demandé s'il restait sur Paris ce soir. Genre, vous alliez sortir de votre côté.

— Aucun risque. J'ai vu son billet retour dans sa mallette.

Sam eut du mal à masquer son contentement et Ronan fit autobarrage à la dizaine de blagues qui montaient à ses lèvres. Il aimait bien voir son pote heureux et il n'aimait surtout pas qu'un autre que lui lui tape sur les nerfs. Coste enchaîna :

— Bien, il est 17 heures. Ronan, tu restes avec moi pour mettre en place l'interpellation. Sam et Johanna, vous pouvez rentrer chez vous. On se voit ici, demain, à 5 heures du matin précises.

Puis il pointa leurs futures cibles sur le tableau blanc.

— Yassine, Sofiane et Lorenzo. Demain on les termine. Demain, c'est leur dernier jour de liberté.

Johanna et Sam refermèrent la porte du bureau et empruntèrent le couloir du SDPJ 93 vers les ascenseurs. Sam hasarda :

— Je suis passé pour un gamin, non ?

— Non. Avec un seul petit caprice, tu nous as tous rappelé l'importance du groupe. C'est bien.

— Et tu vas où, là ?

— Chercher Malo à l'école.

Sam sembla hésiter, craignant de s'imposer ou d'abuser, puis se lança.

— Je peux venir ?

— Ça m'ennuie, en fait, j'ai déjà demandé à Degrève, mais une prochaine fois si tu veux ?

Puis, avant qu'il ne s'enflamme, elle jeta ses clefs en l'air.

— Tu conduis, je suis fatiguée.

32

Cité du Clos-Saint-Lazare – Stains (93).
6 heures.

Une chambre bien rangée malgré quelques bouquins de classe en désordre sur un bureau et un tas de vêtements en dessous. Au mur, l'écharpe d'un club de foot et une série de photos d'un voyage scolaire organisé par l'école l'an passé. Une chambre normale de petit garçon sans histoires. En silence, Sam s'approcha du lit de Saïd et mit un genou à terre. Il secoua doucement son épaule et l'enfant ouvrit les yeux. Sam lui posa la main sur la bouche, chuchota qu'il était de la police tout en lui montrant sa carte et lui demanda de se tenir calme pendant les prochaines minutes.

Puis il ôta sa main, pensant avoir la confiance de l'enfant. Mais contre toute attente, ce dernier se redressa d'un bond et cria le prénom de son frère pour l'avertir.

— Yass…

Comme saisi par un coup d'électricité, Sam attrapa le gosse par le bras pour le coller contre lui et lui appliqua de nouveau la main sur la bouche, cette fois-ci presque hermétiquement, ne le laissant respirer que par le nez. Dans l'altercation, ils tombèrent tous les deux sur le lit.

— Arrête, merde ! Ça sert à rien. Calme-toi.

Le flic ne relâcha pas pour autant la pression de sa main. Il sentit sur ses doigts la respiration de Saïd ralentir, et contre son bras enserrant le corps fermement, les battements toujours affolés du cœur de l'enfant.

— Calme-toi, s'il te plaît.

Dans l'appartement, aucune lumière n'avait été allumée et l'intérieur se devinait plus qu'il ne se voyait. Seuls les faisceaux des lampes torches se croisaient et révélaient au fur et à mesure le contenu des pièces. De l'entrée partait un couloir qui desservait les chambres. Dans la première, Sam avait eu pour mission de s'occuper de Saïd. La deuxième chambre était vide, lit défait, Souila étant déjà dans le RER qui l'emmenait tous les matins nettoyer les bureaux des tours jumelles d'une grande société bancaire avec les autres mères blacks et rebeus de la France qui se lève tôt.

Dans la dernière chambre, Yassine dormait à poings fermés. Le cri avorté de Saïd était parvenu jusque-là et le grand frère avait grogné avant de se retourner dans son lit.

Au-dessus de lui, dans la pénombre, les trois silhouettes menaçantes qui l'entouraient avaient eu elles aussi un moment de tension. Mais Sam avait été rapide et le sommeil de Yassine était profond. Après cette alerte, le silence avait repris sa place. Coste et Johanna braquèrent leurs armes devant eux.

À l'intersection de leurs lignes de visée se trouvait la tête de leur objectif. Ronan, une paire de menottes à la main, n'attendait qu'un signe pour lui sauter dessus.

D'un hochement de tête, Coste lança l'assaut.

Johanna tira d'un coup sec sur le drap, révélant le corps endormi sur le ventre et permettant ainsi de voir si rien n'était caché à portée de sa main. Yassine se réveilla en sursaut et lança un « Putain ! » comme premier mot de sa journée.

Ronan fondit sur lui et lui colla immédiatement son genou entre les omoplates en même temps qu'il tirait sur son bras gauche, dans le sens opposé de l'articulation jusqu'à son point de rupture, effectuant un blocage imparable. Le cri de douleur de Yassine s'étouffa dans le matelas contre lequel son visage s'écrasait.

Coste glissa rapidement une main sous les oreillers, à la recherche d'une éventuelle arme. Ronan passa les menottes, un poignet après l'autre, et redressa Yassine en position assise. Les pistolets réintégrèrent leurs étuis et la situation redevint calme.

— Il est 6 heures et deux minutes, l'informa Ronan. T'es placé en garde à vue pour enlèvement, séquestration et complicité d'homicide. T'as le droit de fermer ta gueule.

Yassine les regarda les uns après les autres, sourcils froncés, mâchoires serrées et cerveau en ébullition. Des images de son avenir proche se bousculaient comme un mauvais film, trop souvent vu. La garde à vue, les auditions, le défèrement devant le tribunal et s'il se débrouillait mal, la prison. Il se demanda surtout comment ces flics avaient pu retrouver sa trace et compris son implication. Avait-il été balancé ?

Avait-il commis une erreur ? Dans l'attente des réponses, il opta pour l'attitude conseillée par tous les avocats pénalistes qu'il avait rencontrés.

— J'sais pas de quoi vous parlez. J'ai rien fait. C'est pas moi.

Dans la chambre de Saïd, Sam avait entendu les bruits secs et violents de l'interpellation. L'orage était passé.

— Je vais enlever ma main, d'accord ?

L'enfant acquiesça de la tête.

— Je suis désolé pour tout ça, garçon. On va pas rester longtemps. Tu me dis où est le portable que tu as utilisé hier ?

Saïd le toisa avec défiance et ne bougea pas. Sam ne s'en offusqua pas, comprenant que le gamin protégeait son grand frère. Chacun son rôle et il ne quitta pas le sien, pourtant si loin de son tempérament.

— Tu me le dis, ou on renverse tout l'appartement. À toi de voir.

Pendant que, sous l'attention inquiète de Yassine, Johanna et Ronan procédaient à une perquisition minutieuse de la chambre, Coste contacta par radio les deux groupes en soutien de leur opération et se fit confirmer le bon déroulement des autres interpellations. Quelque part à Stains, dans deux appartements différents, Sofiane Badaoui était neutralisé et Lorenzo Weinstein aussi, malgré une brève rébellion qui lui avait coûté un doigt cassé. Coste se dit qu'il le plaindrait plus tard et donna rendez-vous au service à tous les effectifs engagés.

Les trois flics sortirent avec Yassine, mains menottées dans le dos, laissant derrière eux une chambre entièrement retournée et, si cela était possible, dans un foutoir encore plus impressionnant qu'ils ne l'avaient trouvée. Dans les mains de Johanna, un sac à scellés contenant tous les portables qu'ils avaient découverts. Ils empruntèrent le couloir qui menait à l'entrée où se trouvait Sam, une main posée sur l'épaule de Saïd, encore en pyjama. Les deux frangins se regardèrent, Yassine, misérable et humilié, son petit frère, perdu et apeuré.

— Tu as trouvé le portable ? demanda Coste à Sam.

— Oui. Dans le sac à dos du petit, répondit-il en le présentant à tous.

Et Yassine Chelli comprit comment, et surtout pourquoi, les flics lui étaient tombés dessus aussi vite. Il aurait dû se séparer des téléphones dès le fiasco de leur opération et pourtant, la fainéantise ou, plus probablement, l'idée de se faire quelques billets en les revendant avait retardé sa décision. Quelques billets pour quelques années de prison. Addition salée.

Au même moment, Saïd réalisa aussi les conséquences de ses actes. Il n'analysait pas complètement ce coup d'effet papillon, mais cela semblait évident. Emprunter le téléphone de son grand frère lui avait collé les flics sur le dos. Et c'était entièrement sa faute.

— Je suis désolé, souffla-t-il, les yeux baissés.

D'un geste d'épaule sans violence, Yassine se libéra de l'emprise de Ronan qui le laissa faire, s'agenouilla et de cette manière se retrouva à la hauteur de son petit frère, qui le prit dans ses bras et se cacha le visage dans son cou.

— Je suis désolé.

Yassine serra les dents.

— T'y es pour rien bonhomme. Je fais que des conneries. C'est toi qui t'occupes de la maison maintenant.

Ronan le releva doucement et se dirigea vers la sortie, suivi de Coste et de Johanna. Sam se tourna vers Saïd.

— On a juste forcé la porte avec un serrurier, mais elle n'est pas cassée. Tu oublies pas de refermer à clef derrière nous, OK ?

La phrase ne sembla même pas atteindre l'enfant, déboussolé. Sam prit un peu plus de temps avec lui.

— Tu commences à quelle heure aujourd'hui ?

— Huit heures et demie.

— Tu devrais te recoucher. On va prévenir ta mère dans les minutes qui viennent.

À son tour, Sam quitta l'appartement. Après la tornade Police, Saïd se retrouva immobile au milieu du couloir plongé dans le noir. Abandonné, comme seul sur la planète, étranglé par la culpabilité, il s'assit par terre et pleura doucement.

33

D'abord quelques auditions rapides, au cours desquelles tout le monde nia les faits en récitant la leçon bien apprise, celle de l'innocent. Puis vinrent les preuves, déstabilisantes, présentées à chacun comme autant de coups de ciseaux dans la toile de leurs alibis. Alors comme d'habitude, ils passèrent à la seconde attitude et commencèrent à s'accuser les uns les autres. Pas vraiment pour se disculper, mais plutôt pour viser l'implication la plus minimale possible, et leur château de cartes, déjà fragile, s'effondra.

Il n'est de complice que lors du crime. Face aux policiers, c'est chacun pour sa liberté.

À 14 heures, la procédure était déjà bien ficelée et Yassine, Sofiane et Lorenzo se retrouvaient dans de très sales draps. Ronan sortit du bureau après une dernière audition et croisa Coste en pleine discussion avec Damiani.

— Yassine dit que c'est pas sa voix sur les écoutes et qu'il a trouvé les portables en bas de chez lui.

— Normal, il niera jusqu'au bout, quelles que soient les preuves, ne s'étonna pas Coste.

183

— Je ramène son avocat à l'accueil, je descends Yassine en cellule et j'appelle Saint-Croix pour lui faire un état de la procédure.

— Tu fais ce que tu veux avec l'avocat mais laisse-moi son client. Je voudrais une minute avec lui.

Coste entra dans le bureau et demanda à Sam de le quitter. Il s'assit devant Yassine et pour la première fois s'accorda un peu de temps pour le détailler. Vingt-deux ans, disait sa fiche d'identification, des yeux marron clair et un visage assez séduisant, presque doux.

— T'as une bonne tête, commença Coste. Je te voyais pas comme ça.

— T'as l'air moins con que ton collègue, toi. Tu peux lui dire que j'ai rien fait et que vous me foutiez la paix ?

Coste s'alluma une cigarette et rangea son paquet dans sa veste.

— Ne te fatigue pas, on n'enregistre plus. Tu peux me dire ce que tu veux, ça restera là.

Yassine à son tour dévisagea son interlocuteur et reconnut en lui l'un des flics qui l'avaient réveillé en mode hardcore.

— Bien joué pour les portables à l'avance. On n'aurait jamais dû tous les acheter au même endroit.

— Merci, répondit Coste sans joie.

— Franchement, je pensais que t'allais être plus heureux que ça. Vous nous avez serrés, t'as réussi ton affaire, tu dois bien kiffer, non ? le nargua Yassine.

Coste en perdit presque son assurance et lui répondit, sur le ton de la confidence, entre la psychanalyse et l'aveu.

— Heureux ? Merde… T'es pas sérieux ? souffla le flic. Je sais même pas par où commencer pour t'expliquer à combien d'années-lumière tu te trouves. Cette affaire, on l'a ratée dès le moment où on a retrouvé David Sebag dans la piscine. Après on a juste essayé de rétablir la balance, mais quoi qu'il arrive, ça pèsera toujours de ton côté. Normalement, je devrais même pas faire attention à toi. T'es juste un assassin, t'es pas une vraie personne, et si tu crevais, là, ça me ferait même pas éteindre ma clope.

— Vas-y, je préfère que tu m'insultes, comme ton pote, mais me parle pas comme ça. Elle est personnelle cette affaire ? Je t'ai fait quoi ? commença à s'inquiéter Yassine.

— Tu m'as fait baisser les bras. Tu m'as presque fait abandonner. T'es ma goutte d'eau qui fait déborder le vase. C'est juste une question de timing. Ç'aurait pu être n'importe quel connard, c'est tombé sur toi.

Coste lâcha la fin de sa cigarette dans une canette de soda vide.

— Ouais... T'es ma goutte d'eau.

— Je comprends rien à ce que tu dis, se rembrunit Yassine.

Le flic se leva et s'apprêta à quitter la pièce.

— C'est pas grave. Je te parlais pas vraiment.

*
* *

Yassine Chelli et ses deux comparses passèrent la nuit en garde à vue, dans des cellules séparées. Une fois la procédure bouclée, la magistrate Fleur Saint-Croix les déféra et les fit escorter dans les cellules du tribunal.

Deux heures plus tard, leurs avocats respectifs les assistèrent devant le juge des libertés qui décida d'une détention provisoire et, avec bon sens, les envoya dans trois prisons différentes. Lorenzo Weinstein à Fresnes et Sofiane Badaoui à Fleury-Mérogis. Quand, accompagné de son avocat, Yassine Chelli entra dans le bureau du juge, celui-ci lui annonça la nouvelle.

— Je vois que vous êtes déjà allé à Marveil. Vous connaissez l'endroit. Eh bien vous y retournez.

Yassine se décomposa et redevint, l'espace d'un instant, presque un enfant. Marveil avait cet effet-là, même sur les plus coriaces.

— Non, sérieux, pas là-bas, m'sieur le juge.

Le magistrat leva les yeux de la procédure, étonné.

— C'est pas une agence de voyages, ici. Je ne vous demande pas de choisir entre les Maldives et le Maroc. Je vous envoie en prison, point barre. Et vous, c'est Marveil.

Yassine tenta de le convaincre encore, puis avec la peur, devint agressif et injurieux. Alors qu'il vociférait debout face à lui, à distance de coup de tête, les deux flics qui l'avaient escorté durent intervenir. Ils le ceinturèrent et, les bras bloqués, Yassine envoya un coup de pied en l'air, shoota dans l'écran de l'ordinateur qui valdingua dans un coin de la pièce avec un bruit de plastique cassé. Quand il le vit neutralisé au sol, le juge retrouva toute son assurance derrière les deux effectifs de police.

— Virez-moi cette merde de mon bureau.

Le greffier ne nota pas cette dernière phrase et, vu l'attitude de son client, l'avocat n'osa pas relever l'insulte.

34

À 19 heures précises, le traiteur engagé par Damiani pour son pot de départ organisait les tables et disposait les petits-fours dans la salle de réunion prêtée pour l'occasion. Le service une fois rassemblé, le commissaire divisionnaire se fendit d'un discours qui reprenait la chronologie de toute une carrière. Discours que subit Damiani, voyant sa vie défiler en accéléré, de son premier poste à vingt et un ans jusqu'au dernier, aux portes de la soixantaine. Un instant, elle avait même craint que le bouton avance rapide soit bloqué et que le commissaire dépasse le présent pour arriver au jour de sa mort. Il y avait dans ces rétrospectives un air d'oraison funèbre que le champagne tenta d'atténuer, coupe après coupe.

Ceux qui étaient venus par politesse ou par obligation quittèrent la fête vers 22 heures, laissant Marie-Charlotte Damiani avec ses flics à elle. Plaisante et affable, elle passait des uns aux autres, prenant sur elle pour masquer sa peine, mais Coste la connaissait trop pour se laisser berner.

— Et demain, ça ressemble à quoi pour toi ? lui demanda-t-il en lui tendant un whisky-Coca dosé lourdement par Ronan.

— Tu sais. Tous les trucs qu'on n'a pas eu le temps de faire. Et d'autres.

— Je vois que tu y as bien pensé.

— Fais le malin. Il ne t'arrivera pas mieux. Tu donnes tout à ce boulot et puis un jour, t'es trop vieux pour le faire et comme tu n'as eu de temps pour personne, après, autour de toi, y a personne.

— Faudrait que je te présente mon père, vous avez des points communs. Tu pars à Cahors, dans ta maison ?

— Ma maison… répéta-t-elle, pensive. On l'a aménagée pendant vingt ans. Et puis j'ai trompé mon mari. Je me suis fait plaquer, normal, j'ai mangé un divorce ultraviolent et depuis, mes filles ont pris le parti de leur père et me détestent cordialement. Par contre je garde la maison. Mais merde, elle est si grande et j'ai si peu de choses à y faire…

Coste s'approcha un peu plus d'elle. Damiani avait, toute sa carrière, gardé une distance de courtoisie professionnelle avec ses hommes. Seul le tutoiement était venu entre elle et son capitaine, au fil des années, de manière évidente mais toujours en privé. Pourtant, lorsque son flic la serra dans ses bras pour la toute première fois, elle n'eut aucun geste de recul et s'autorisa à s'y perdre quelques secondes, les yeux fermés.

— Ma chérie, souffla Coste. J'ai aucun mot pour te rassurer.

— Je sais, Victor. Il n'y en a pas.

Damiani resta jusqu'à 2 heures du matin, accompagnant les plus téméraires, puis, le calme revenu dans le service, elle traversa le couloir silencieux jusqu'à son bureau, où un dernier petit carton l'attendait.

Dans l'ascenseur qui l'emmenait au parking souterrain, elle croisa son reflet dans la glace et n'y vit qu'une femme fatiguée. Elle se tourna le dos, comme si elle voulait laisser cette image prisonnière du miroir.

Une fois dans sa voiture, elle jeta un regard dans le rétroviseur. Les sièges arrière encombrés de toutes ses affaires et, par-dessus, parée de quelques médailles, sa tenue d'honneur, d'un bleu nuit distingué. Celle que l'on met lorsqu'on est félicité par le préfet ou celle que l'on porte dans son cercueil si le métier a eu raison de vous.

Elle démarra, laissa tourner le moteur, puis le coupa. Elle posa sa tête sur ses deux mains entourant le volant. Respira un grand coup avant de se dire qu'elle n'avait plus personne devant qui faire semblant. Alors elle laissa couler ses larmes.

35

Tiretto avait craint de se faire dégrader son Audi TT dans ce XXᵉ arrondissement de Paris qu'il considérait déjà comme la banlieue. Le taxi le déposa au bas d'un immeuble de bureaux encore inoccupé et, arrivé devant un panneau d'Interphone vierge où aucun des quatre boutons n'avait de propriétaire, il sonna sur le premier, comme on lui avait dit de le faire, et s'annonça.

— Maître Tiretto.

— Dernier étage, cracha le haut-parleur intégré.

Alex Mosconi avait réuni toute son équipe pour l'occasion. Lorsque la porte sonna et que l'avocat pénétra dans l'unique et gigantesque pièce du loft, il se retrouva nez à nez avec Rhinocéros, ses petits yeux vicieux et sa balafre en travers de la gueule.

— Salut l'avocat. Passe-moi tes portables.

Tiretto s'exécuta, tendit ses deux mobiles que Rhinocéros glissa dans sa poche après les avoir éteints.

— Ouvre ta veste. Lève les bras.

Sans rechigner, l'avocat se laissa fouiller jusqu'à ce que le petit homme trapu ait fini de se rassurer en ne trouvant ni micro, ni arme.

— Il est clean.

— Évidemment que je suis clean, répéta Tiretto en reboutonnant sa veste et en se dirigeant plus avant dans la pièce.

Il déposa sa mallette sur la grande table centrale entre quelques téléphones mobiles et un ordinateur. Revoir cette équipe ne l'enchantait pas spécialement, mais il fallait en passer par là. Résigné, il les détailla calmement.

Dorian, l'ex-cambrioleur dans son costume noir et sa chemise blanche, toujours impeccable comme s'il se rendait à une inauguration, lui adressa un signe de tête équivalant à un bonjour sans se lever de son fauteuil.

Au fond de la pièce, hors de portée d'oreille, Alex et son cousin Franck discutaient devant la baie vitrée avec, en fond d'écran, Paris comme témoin. Ils partageaient un évident air de famille, bien que Franck ressemblât d'avantage à Nano, lunettes de vue en plus et moins élancé, comme une première ébauche. Franck semblait inquiet et Alex le raisonna en quelques mots.

— Te mets pas des abeilles dans la tête. Laisse parler le baveux, on avisera ensuite.

Elle passa un bras sur son épaule et l'accompagna au centre de la pièce où tout le monde les attendait déjà.

— Salut Tiretto.

— Mademoiselle Mosconi.

Dorian approcha son fauteuil du bureau et le laissa à Alex pendant que Rhinocéros attrapait quatre chaises pour que la réunion débute.

— Des nouvelles de votre frère ? demanda l'avocat.

— Oui. Je l'ai vu il y a quelques jours. Il est devenu pote avec le psy de Marveil qui le défonce aux cachets à longueur de journée. Il a perdu dix kilos, il refuse de retourner avec les détenus de droit commun et si on ne fait rien, il va complètement dérailler. Donc si vous voulez nous détailler votre plan, c'est maintenant.

Tiretto ouvrit sa mallette et avant qu'elle ne se déplie complètement, elle lui fut retirée par Rhinocéros qui la fouilla sans ménagement.

— Vous pouvez continuer de jouer avec, il me faut juste le gros dossier bleu à l'intérieur.

Amusé plus que vexé, le balafré sortit le dossier qu'il balança sur la table et qui glissa jusqu'à l'avocat, éparpillant un peu son contenu. Tiretto y remit rapidement de l'ordre et se tourna vers Alex, habitué à s'adresser aux commanditaires plutôt qu'aux exécutants.

— Il y a une faille dans la procédure de votre frère.

— C'est maintenant que tu la vois ? s'emporta Dorian.

— Parce que c'est maintenant que ça peut nous être utile. Je poursuis ?

Alex acquiesça et Dorian se cala contre le dossier de sa chaise.

— Il manque une expertise. Je ne vous refais pas l'histoire, votre frère s'est fait attraper lors d'un contrôle de police avec une montre de luxe à son poignet dont le numéro de série le relie au braquage de la bijouterie Van Cleef and Arpels. Votre braquage. La montre a été reconnue par le joaillier et bien que ce soit normalement du ressort de l'expert

192

officiel Van Cleef, cela a suffi à la police et à la justice pour coller Nunzio en détention provisoire.

— On s'en fout, redémarra Dorian. C'est bien cette putain de montre qu'il portait. Une expertise ne fera que le confirmer.

— Exact. Sauf si la montre disparaît. Je sais que la bijouterie en a demandé la restitution. C'est dans les tuyaux et en passe d'être accordé, mais pour l'instant, elle est toujours au tribunal de grande instance de Bobigny, dans le local des scellés. Vu qu'il n'y a eu qu'une pseudo-reconnaissance du joaillier dont tout le monde s'est contenté, je compte demander une vraie expertise. Mais si la montre n'est plus là, alors toute la procédure s'écroule. Personne ne pourra plus jurer que ce que votre frère portait au poignet était bien une montre issue du braquage. Et Nunzio ne pourra être que libéré.

Franck Mosconi poussa sa chaise en arrière, quitta le cercle de la réunion et s'approcha de l'oreille d'Alex, sans pourtant se soucier d'être entendu.

— Tu me demandes de pas m'inquiéter alors qu'on parle de cambrioler un tribunal ? Il doit y avoir des flics partout, des caméras dans tous les coins et un gardiennage de centrale nucléaire. Je maintiens, c'est absolument pas une bonne idée.

Tiretto referma son dossier.

— Vous avez raison, Franck. C'est bien pour cela que vous n'irez pas.

L'équipe se tourna vers l'avocat, intriguée. Jusqu'ici l'auditoire s'était montré difficile mais là, enfin, Tiretto avait capté son attention.

— Si je fais une demande d'expertise, le juge d'instruction se fera apporter le scellé la veille pour qu'il soit à disposition de l'expert. La montre devrait donc rester dans son bureau, fermé jusqu'au lendemain.

— OK, on sait où sera la montre. Ça ne règle toujours pas le problème de comment mettre la main dessus, objecta Dorian.

— J'y viens. Il y a un homme à l'intérieur du tribunal qui nous serait très utile. Tout simplement parce qu'il travaille là-bas depuis si longtemps qu'il est devenu invisible. C'est le responsable des scellés. C'est lui qui recevra la demande du juge. C'est lui qui ira contrôler la présence de la montre dans le local des scellés et qui l'apportera dans le bureau du magistrat. De cette manière nous pouvons être sûrs qu'elle s'y trouve. De par ses fonctions, il peut entrer et sortir du tribunal, même y rester tard sans éveiller le moindre soupçon. Il lui suffira d'attendre que les étages des magistrats se vident, de retourner dans le bureau du juge, de forcer la serrure, d'y dérober la montre et de nous la remettre.

— Combien ? le coupa Alex.

— Je ne vous suis pas.

— Ton type demande combien pour risquer autant ?

— Ah, ça, je n'en ai aucune idée. D'ailleurs, il ne sait même pas que l'on parle de lui en ce moment. Je fournis le plan, vous assurez la logistique.

— Il a un nom ton gars ? s'intéressa Franck.

— Je passe mes journées au tribunal, récupérer son identité n'a pas été compliqué, son adresse encore moins. Et il a une famille. Je dis ça…

L'avocat se tourna vers Dorian.

— Si j'en crois votre biographie criminelle, vous savez pénétrer dans n'importe quelle habitation ?

Dorian accepta le compliment avec un hochement de tête.

— Et vous, monsieur Rhinocéros, j'imagine qu'une fois à l'intérieur, vous saurez convaincre notre homme de nous aider ?

L'animal afficha un large sourire qui transforma sa balafre rectiligne en éclair.

— C'est dans mes cordes.

Tiretto sortit de sa mallette un papier plié en deux.

— Son adresse.

*
* *

Le costard, hors de prix, permettait de se faire une idée du type qui était à l'intérieur. Alors quand ce client lui avait demandé d'attendre le temps qu'il faudrait, le taxi avait accepté, et à le voir s'engouffrer dans la voiture trente minutes plus tard, compteur tournant affichant un prix indécent, il se félicita de cette course. Retour dans les beaux quartiers en fin d'après-midi, au moment des embouteillages, il roulerait à une moyenne de vingt kilomètres/heure et comptait sur une addition à trois chiffres.

À peine eut-il démarré que Tiretto était déjà pendu au téléphone, sur sa ligne sécurisée.

— Monsieur Darcy.

— Bonjour maître.

— L'avenir de Boyan Mladic s'éclaircit, si cela peut vous rassurer.

— C'est le cas. Les Corses semblent vous faire confiance.

— Ils n'ont pas vraiment le choix, plus les jours passent et plus la situation de leur protégé se dégrade. Une grande partie du plan est inexacte, mais ils ne connaissent rien au fonctionnement interne du tribunal. Ça aide.

— Encore faut-il qu'ils se plantent.

— Effectivement. Tout ne tient qu'à leur échec. Après, ils auront le doigt dans l'engrenage et pas d'autre option que de poursuivre.

36

Centre pénitentiaire de Marveil.

Juchés sur un tas d'immondices courant le long des fondations, rats, chats et pigeons se battaient sous les milliers de fenêtres des cellules de Marveil pour récupérer, à coups de griffes et de bec, les détritus jetés par les détenus. Parfois, lors d'une des rares fouilles surprises, quand l'administration de Marveil voulait asseoir son autorité, les prisonniers n'avaient pas d'autre choix que de jeter leur alcool ou leur shit par-dessus bord et les charognards en étaient pour un petit trip alcoolo-cannabique, à miauler des heures durant les pattes en croix, à voler en zigzag jusqu'à s'empêtrer dans les hauts barbelés et à s'accoupler interracialement, quand vraiment la came était de qualité. Pas surprenant que l'info soit passée d'égouts en décharges et que la bonne adresse soit victime de son succès.

Un pigeon plus chanceux que les autres se dégota un fond de conserve de crème dessert goût pistache et tenta de s'envoler maladroitement avec. Après quatre battements d'ailes, un autre fondit sur lui pour lui chiper son butin qui retomba bêtement au sol alors que les deux oiseaux engageaient une bataille aérienne qui se termina dans un grand fracas de plumes contre la vitre de Martineau, le chef de détention. Il sursauta, jura, et cette interruption dans son travail lui rappela une de ses obligations de la journée.

Lourdes clefs à la ceinture, il ouvrit la porte grillagée du couloir de l'isolement, qu'il referma immédiatement à sa suite. Il passa les premières cellules pour s'arrêter devant la numéro 20 à laquelle il toqua poliment avant de se permettre d'y entrer. Alerté par le bruit du premier verrou, Boyan Mladic se leva et le néon du plafond projeta son ombre dans laquelle Martineau disparut tout entier.

— Bonjour Boyan, j'ai du courrier pour toi.

L'enveloppe était encore fermée. Le chef de détention n'en connaissait ni le contenu, ni la langue, si bien qu'il ignorait toujours si Boyan parlait français ou pas. Il la tendit à travers la grille et, dans les mains du prisonnier, l'enveloppe prit l'air d'un Post-it. Boyan la décacheta, en sortit un quart de feuille qu'il lut avec attention. Puis il froissa la lettre, la mit dans sa bouche et la mâcha avec un calme bovin. En refermant la porte, Martineau se demanda quelle information pouvait justifier une telle précaution. Puis il choisit, pour la paix de son esprit, de ne plus y penser. Tour de clef dans la serrure et retour au QG. Dans le couloir, il croisa le nouveau surveillant.

— Qu'est-ce que tu fais ici, Demarco ?

— Je vais à la cellule 13. Antoine Doucey, pour son entretien psy de la semaine.

— Tu passeras me voir après. On a un nouveau. Yassine Chelli, il faut lui trouver une piaule.

Et, sans attendre de réponse à un ordre qui n'en justifiait pas, Martineau s'éloigna.

Demarco attendit qu'il disparaisse complètement pour faire d'abord un crochet en cellule 2 qu'il découvrit plongée dans le noir.

— Bonjour Nano. On voit rien du tout ici. T'as encore pété l'ampoule du plafond ?

— C'est votre faute. Votre putain de lumière, elle rend dingue. On se croirait dans un bloc opératoire.

Demarco fouilla dans la poche de son uniforme et en sortit un livre abîmé aux pages cornées.

— Viens me voir, Nano, lève-toi.

— Pour quoi faire ? Je suis bien, là.

— J'ai un nouveau bouquin, de la part de Scalpel.

— Qu'il aille se faire foutre. Il est avec eux. Ceux qui veulent me buter. T'as vérifié dedans au moins ? On sait jamais.

Navré, Demarco ferma les yeux un instant. Nunzio Mosconi commençait à perdre la raison de manière évidente et il n'y avait personne pour freiner sa chute. Il jeta le livre au milieu des quatre mètres carrés comme on jette leur bouffe aux animaux des zoos.

— Oui, j'ai contrôlé, le livre est sans danger. Et je vais demander à ce qu'on répare ta lumière.

Il referma la porte. Nano laissa au sol le cadeau de Scalpel. *Le Passe-Muraille*, de Marcel Aymé.

Le surveillant s'enfonça un peu plus dans le couloir des cellules d'isolement et s'arrêta face à la 13 qu'il déverrouilla.

— Doucey. Entretien psy.

199

Le prisonnier se leva, claudiqua jusqu'à la grille tout en se répétant mentalement quelques mots de soutien :

« Léo n'existe plus. Je ne pense plus à Léo. Léo ? Qui ? »

Le psy venait de remercier Demarco et d'inviter Doucey à s'asseoir face à lui.

— Comment allez-vous Antoine ?

— Plutôt bien ma foi, et vous ?

— Pas mal, merci. Comment vont vos dents ?

— J'ai vu le dentiste, il m'en a fait sauter trois. Mes nuits sont plus tranquilles.

— Et les rêves ?

— J'en fais de moins en moins.

Avec quinze minutes par patient, le psy n'avait pas le temps pour des conversations badines. Et pas l'envie.

— Léo ? lança-t-il de manière abrupte.

— J'ai bien compris que c'était mal. Je ne pense plus à lui.

— Probablement les médicaments.

— Ou moi qui me raisonne. J'espère faire autant partie de ma guérison que vos cachets.

— Bien sûr, le rassura le psy qui détestait avoir Doucey en face de lui. Il connaissait son parcours et ses déviances. Il savait surtout que ces petits rendez-vous étaient absolument inutiles et que ce monstre ressortirait aussi dangereux qu'il était entré.

Sur le trajet retour vers sa cellule, escorté par un nouveau surveillant, Doucey se demanda si le psy avait des enfants. Un petit garçon peut-être ? Il se demanda aussi s'il lui donnait des douches ou si ensemble, ils partageaient leur bain. Bien frotter partout. C'est important. Sous les bras. Les cuisses. Entre les jambes. Entre les fesses. Avec application et méthode. Pour être bien propre. Et Léo, qui n'avait jamais été bien loin, reprit tout l'espace de ses pensées.

Demarco ouvrait maintenant le chemin au nouveau détenu qui, les bras chargés d'une couverture puante et du nécessaire de toilette offert par l'administration, regardait de gauche à droite avec anxiété. Une fois sa cellule ouverte, Demarco lui montra sa couche, lui désigna son codétenu et disparut.

Yassine posa ses affaires sur le matelas recouvert d'une solide alèse bleue en plastique. Il embrassa la pièce et où que ses yeux portent, il y avait matière à être dégoûté. Son codétenu le laissa poliment s'installer avant d'entamer la conversation.

— Comment tu t'appelles ?

— Yassine. Et toi ?

— Moi ? C'est Machine. Mais toi, maintenant, c'est la Biche.

Yassine le regarda, un peu surpris. L'explication, sommaire, suivit.

— C'est parce que t'es pédé.

— Mais... Je suis pas du tout pédé...

Machine se leva et fit un pas dans sa direction, déjà amusé.

TROISIÈME PARTIE

Home invasion

*« On a terrorisé ce type. Si je lui demandais
de se bouffer un bras, il me demanderait lequel.
Il ferait tout pour sa famille,
on a au moins ça en commun. »*

Alexandra Mosconi

37

Planqué dans sa voiture, à quelques mètres du pavillon, Franck avait passé les quarante-huit dernières heures à noter les allées et venues du couple Alves et de leur fille de seize ans. L'adolescente quittait la maison à 8 heures précises, sac sur l'épaule, écouteurs vissés dans les oreilles, et s'allumait une cigarette au premier virage. À 8 h 30, le mari apparaissait sur le perron, échangeait un baiser avec sa femme qu'il laissait aux soins de la maison. Magnifique petit manège d'un couple parfait des années 1960. Pour elle, la journée se passait ensuite dans un ennui rassurant, entre ménage, cuisine et séries allemandes de l'après-midi. Vers 15 heures, une sortie pour quelques courses, parfois du simple lèche-vitrines, histoire de ne pas se sentir trop enfermée. À 19 heures, ils se retrouvaient de nouveau au complet pour une soirée où la télé, membre actif de la famille, les occuperait jusqu'au sommeil.

Afin de s'éviter toute mauvaise surprise, Franck avait attendu le second jour pour rendre une visite impromptue au milieu de l'après-midi. Quelques échantillons de parfum dans un colis pour faire croire à une opération publicitaire, il s'était présenté vêtu d'un uniforme de postier acheté sur eBay, avait constaté l'absence de judas à la porte et sonné. Isabel Alves avait ouvert et invité le facteur à entrer, le temps de chercher un stylo pour signer l'accusé de réception. Elle n'avait regardé que l'uniforme, sans prêter attention à celui qui le portait. Franck n'était resté que peu de temps, assez pour s'assurer de l'absence d'alarme, de chien ou d'un ami bodybuilder qui aurait échappé à sa surveillance. Rien de tout cela. Il s'était même dit que la famille Alves était si vulnérable qu'elle méritait presque ce qui allait lui arriver.

*
* *

Domicile de la famille Alves.
Lundi – 19 heures.
Home invasion – Jour 1.

— Même pas un judas ? répéta Dorian, déçu. Franchement, ils cherchent les ennuis. À croire qu'ils nous attendent.

— Donc on frappe à la porte et je nous présente, c'est ça ? conclut Rhinocéros. De toute façon, j'ai déjà trouvé ma phrase d'intro.

Dorian se renfrogna.

— Ça va manquer de classe, je le sens. Tu vas encore nous faire ça comme un bourrin.

— Je mettrai les formes si tu veux.

Personne ne fut dupe. Dans ces situations, ils savaient bien que l'essentiel se joue dans les premières secondes et elles devaient marquer les esprits pour prévenir toute révolte ou acte héroïque.

Alex contrôla une dernière fois les deux extrémités de la rue, peu fréquentée à cette heure-ci, puis donna le top départ. L'équipe sortit de la voiture, Dorian et Franck en firent le tour et récupérèrent deux sacs en toile noire dans le coffre. Ils se dirigèrent tous les quatre vers le pavillon d'un pas décidé, et, sur le chemin, Franck remonta la capuche de son sweat sur sa tête.

— Tu devrais pas mettre de capuche, tu vois pas ce qui arrive derrière, l'avertit Dorian.

Franck haussa les épaules comme un ado exaspéré par les conseils d'un grand-père et dépassa le groupe.

— Je vois très bien ce qui se passe derrière et de toute façon…

Rhino mit fin à sa phrase d'un taquet sur le haut du crâne. Franck se retourna, sur les nerfs, mais ne sachant à qui s'en prendre, ravala sa colère.

— OK. Je l'ai pas vu venir. C'est bon, je la vire.

Ils passèrent le portail en bois du pavillon, longèrent un parterre de fleurs, montèrent les quelques marches et déposèrent leurs sacs noirs sur le perron. Rhinocéros passa devant, se plaça face à la porte et fit craquer ses vertèbres en joignant ses omoplates derrière le dos. Les autres firent un pas de côté.

Isabel ouvrit son four et constata que le gratin n'avait pas encore la teinte dorée nécessaire. La sonnette de la porte d'entrée résonna et elle demanda à quelqu'un d'autre de s'en occuper. La requête tomba dans le vide, la sonnette joua la même mélodie et Isabel s'énerva sérieusement.

— Je suis à la cuisine, quelqu'un peut aller voir, oui ?

Du premier étage, une voix stridente répondit à l'agression.

— Je suis dans ma chambre ! Je suis au téléphone ! hurla-t-elle, comme si c'était l'activité la plus importante au monde.

Tomas Alves s'en amusa et se leva du canapé, déformé par le temps et l'usage. Derrière la porte vitrée opaque, une ombre imprécise. Il ouvrit sans méfiance.

— Bonsoir ? salua-t-il.

Rhinocéros le toisa deux secondes. Aucun danger ne viendrait de ce petit quadra joufflu rendu inoffensif par une vie d'habitudes.

— C'est pour quoi ? continua Tomas devant le silence du visiteur.

« Le coup de tête, c'est d'ici que ça doit partir », disait Depardieu en se tapant le torse dans *Les Compères*. Le nez de Tomas explosa dans un bruit sec. Sous le choc, il partit en arrière de trois pas déséquilibrés avant de tomber bêtement sur les fesses, les mains entourant son visage. Les quatre intrus entrèrent dans la maison et Alex referma la porte derrière elle. Rhinocéros attrapa le père de famille par les cheveux, le releva et le menaça, dents serrées, de sa fameuse phrase d'intro répétée comme un rôle.

— Écoute-moi papa. Tu vas faire exactement ce que je te dis, sinon je te force à baiser ta fille devant ta femme.

Les mots devinrent images et Tomas se vida de toute son énergie, pétrifié par la peur. Dorian leva les yeux au ciel, toujours surpris par l'imagination perverse de son complice, pendant que ce dernier traînait le père jusqu'à la cuisine.

— C'est qui ? demanda Isabel, encore de dos.

Puis elle se retourna, torchon sur l'épaule, cuillère en bois à la main, et constata que la soirée avait salement dérapé.

Musique à fond dans les écouteurs, survolant ses cours sans beaucoup d'intérêt, l'ado de la famille n'avait encore rien remarqué. Une silhouette passa devant le luminaire colonne de sa chambre et jeta son ombre sur les cahiers de classe.

— Quoi encore ? lança-t-elle de son ton perpétuellement agacé.

Elle eut à peine le temps de se retourner qu'elle reçut une gifle de cow-boy à en faire siffler les oreilles et rougir la joue.

— Toi, petite conne, tu vas apprendre à parler correctement aux adultes.

Rhinocéros descendit les escaliers du premier étage au salon, l'adolescente fermement contrôlée par une clef de bras douloureuse. Elle fut assise de force sur une chaise autour de la table où son père et sa mère se trouvaient déjà. Isabel en larmes et Tomas paralysé, incapable d'être plus fort que sa peur. Alexandra s'assit en face d'eux et, calmement, d'une voix neutre, leur expliqua la situation.

— J'espère que vous excuserez mon ami, je le trouve moi-même parfois trop violent, mais à partir de maintenant je vais prendre les choses en main. Si vous vous tenez correctement, il devrait rester tranquille.

Les parents et la petite, unis dans la trouille, se jetèrent des regards affolés, comme pour vérifier que tout cela était bien réel. Quatre intrus venaient de violer leur maison et ils étaient à leur merci.

— Je m'appelle Alexandra, et si nous ne cachons ni nos visages ni nos identités, c'est que je suis persuadée que je peux vous faire confiance. J'ai raison, Tomas ?

Le père leva les yeux vers elle, sa voix rendue chevrotante par un tremblement incontrôlable de la mâchoire, le nez toujours en vrac, du sang sur les lèvres et le menton.

— Nous ferons tout ce que vous voudrez. Vous pouvez tout prendre. J'ai un peu d'argent à l'étage si c'est ça que vous cherchez.

Alexandra joignit les deux mains sur la table avant de changer d'interlocuteur. Elle passa de la mère à la fille.

— Vous devez être Isabel… et vous Aurélie.

Elles se raidirent en entendant leurs prénoms prononcés par une inconnue.

— Si tout se passe bien, nous serons partis demain soir. Dans vingt-quatre heures exactement. Mais d'abord, donnez-nous vos portables.

Tomas déposa son mobile sur la table et Dorian escorta Isabel dans la cuisine afin qu'elle y récupère le sien. Une fumée épaisse commençait à sortir du four et il l'invita à sauver le gratin qui probablement les nourrirait eux aussi. Il observa Isabel, petite brune appétissante et généreuse comme une brioche qui, trop nerveuse, manqua de renverser le plat en le sortant. Dorian attrapa un chiffon.

— Laissez, je vais le faire.

Il déposa le plat sur la cuisinière pendant qu'Isabel se dirigeait vers son téléphone, posé sur le plan de travail, juste à côté du tiroir à couteaux, ouvert. Son geste ralentit à proximité d'une des longues lames.

Dorian s'approcha d'elle par derrière, se colla à son dos et se pencha à son oreille.

— Et après ? Tu ferais quoi ?

Isabel tressaillit, puis poursuivant son geste, ferma le tiroir, attrapa son portable et le lui tendit.

Rhinocéros accompagna Aurélie dans sa chambre pour y chercher son téléphone sous le regard affolé de Tomas. Une fois à l'étage, la jeune fille se rendit à son bureau et fouilla sous ses cahiers. Le corps d'Aurélie était aussi appétissant que celui de sa mère avec vingt-cinq années de moins. À la vue de son soutien-gorge qui, sous son tee-shirt, lui mordait les chairs, une pulsion envahit le balafré. Il lui saisit une fesse qu'il malaxa sans délicatesse.

— Attends, je vais t'aider. Il est peut-être là, dans la poche arrière de ton jean ?

La gamine, déséquilibrée par la rudesse du geste, colla les deux mains sur la table, serra les dents et ferma les yeux. Derrière eux, une voix se fit entendre.

— Tu fais quoi, là ?

Rhinocéros se retourna et se retrouva face à Franck.

— Tu veux goûter ? lui demanda-t-il.

— Et toi ? Tu veux que j'en parle à Alex ?

Rhino ôta sa main comme si elle était posée sur une plaque chauffante.

— Je te la laisse. Deux petits puceaux, vous allez vous entendre.

Une fois la menace sortie de la pièce, Aurélie osa se retourner, tendit son téléphone à Franck et par inadvertance, leurs mains se touchèrent. En une seconde étrange, elle remarqua pour la première fois le vert de ses yeux et il apprécia le noir profond des siens.

Elle faillit lui dire merci, puis, se souvenant de la situation, se ravisa. Elle se dirigea vers la porte et, passant devant Franck, tira le bas de son tee-shirt sur ses fesses dans un réflexe d'ado enrobée complexée.

Les téléphones étaient maintenant réunis sur la table et toute la famille se retourna vers Rhinocéros quand dans un grand geste il arracha les câbles Internet. Au cas où. Alex reprit la conversation là où elle l'avait laissée.

— Demain, Aurélie tombera malade. Isabel, vous appellerez son lycée et vous l'excuserez.

Alex s'interrompit, irritée par les reniflements incessants de la mère.

— Merde, respecte-toi, arrête de chialer ! Va falloir faire avec, chérie. On est chez toi et t'as pas le choix. Alors prends un mouchoir et écoute-moi.

Isabel essuya ses larmes du revers de sa manche et son mascara étalé lui dessina deux yeux au beurre noir.

— Bon, t'appelleras le lycée, vous passerez la journée avec nous et nous attendrons sagement le retour de Tomas. Vous concernant, c'est assez simple, il suffira de patienter.

Alex se tourna vers le père.

— Pour vous, Tomas, c'est évidemment plus compliqué. Mais je sais que vous aimez assez votre famille pour faire ce qu'on attend de vous. La nuit va être longue pour tout le monde, je vais avoir le temps de vous expliquer.

Elle posa une main sur son avant-bras.

— Vous êtes bien le responsable des scellés du tribunal ?

38

Mardi – 8 h 30.
Home invasion – Jour 2.

Dans l'entrée, Tomas décrocha son manteau et le passa, un bras après l'autre, doucement. Il regarda le salon, encombré des deux matelas sur lesquels ils avaient essayé de dormir, sous surveillance. Isabel et Aurélie avaient fermé les yeux quelques heures au milieu de la nuit. Il était resté en éveil à chaque seconde, un feu acide dans l'estomac.

À quelques pas de la porte, Alex terminait son café. Que ferait-elle à la place de Tomas, si quatre intrus menaçaient les siens ? Plutôt crever que de courber l'échine. Il y aurait du sang sur les murs. On ne touche pas aux Mosconi. Elle s'approcha de lui et ouvrit la porte, laissant entrer la fraîcheur du matin.

— Ton nez est encore enflé. On a de la chance qu'il ne l'ait pas cassé. Tu diras que t'es enrhumé, ça devrait passer.

— Personne ne le remarquera, répondit tout bas Tomas en attrapant sa mallette.

— J'ai l'impression que pas grand monde te remarque, toi.

— Si. Vous. Malheureusement.

— Fais ce que tu as à faire. Moi je garde un œil sur ta famille. Personne ne leur fera de mal. Sauf si tu nous y forces.

Elle lui rendit son portable.

— À partir de maintenant, c'est toi qui décides.

Une fois dehors, sa mallette à la main, Tomas pensa à tous les scénarios possibles. Une seule attitude semblait assurer la sécurité de sa femme et de sa fille. Collaborer. Une voiture de police passa au loin. Il l'ignora et monta dans la sienne.

Alex s'assit à la table où Isabel et Aurélie se trouvaient déjà, se tenant la main. La peur panique était passée. Otages dans leur propre maison depuis plus de douze heures, elles étaient maintenant dans un état de survie et de résignation. Soumises, prisonnières.

— Il va nous falloir plus de café, ordonna Alex.

Isabel se leva et disparut dans la cuisine. Franck fouilla sa poche de sweat, en sortit une cigarette et la proposa à Aurélie.

— C'est l'heure de ta clope, non ?

La jeune fille ne sut quoi répondre, surprise.

— Je t'ai observée pendant deux jours. Je sais que tu en as envie.

Aurélie pencha la tête dans la direction de la cuisine, hésita un instant avant d'accepter la cigarette et de l'allumer au briquet tendu. Quelques larges bouffées, comme de l'oxygène pur. Sa mère réapparut, une cafetière pleine à la main. Aurélie tenta vainement de cacher la cigarette sous la table alors qu'Isabel remplissait les tasses. Cela fait, elle se tourna vers sa fille.

— Fais-moi tirer.

— Je savais pas que tu fumais.

— Je me cache. Comme toi.

Cette complicité passagère les rapprocha un instant. Mais Rhinocéros, une fois sa douche prise, descendit de l'étage et les rejoignit. Son regard vicieux détailla leurs corps. Le stress et l'angoisse reprirent leur place. Un marcel blanc, les cheveux encore mouillés, il avait utilisé l'eau de toilette de Tomas et portait son odeur. L'association des deux mit le cœur d'Isabel au bord de ses lèvres.

*
* *

— Ça va Tomas ?

Il réalisa qu'il tenait à la main le document qu'il souhaitait photocopier en une vingtaine d'exemplaires, et que la machine ne crachait que du papier vierge. Sa collègue, un lourd dossier dans les bras, l'observait, amusée.

— Sale nuit ?

Plutôt, pensa-t-il. Des tarés retiennent ma famille et je dois cambrioler le bureau d'un juge d'instruction.

— Non, non, j'ai juste la tête ailleurs, se contenta-t-il de répondre.

Il n'avait toujours reçu aucune demande du troisième étage. À 10 heures, il s'était conseillé d'être patient. À 11 heures, il avait fait une crise d'angoisse, planqué aux toilettes. Mais il était maintenant 15 heures et son état de stress se reflétait nettement sur son visage, livide, maladif.

Pour se calmer, il se répéta les instructions reçues la veille.

« Tu prendras un de nos sacs en toile dans ta mallette. Un juge va t'appeler dans la matinée pour que tu lui apportes un scellé. Vérifie qu'il s'agit bien d'une montre et que le mis en cause est Nunzio Mosconi. Tu le lui apportes gentiment, puis tu attends la fin de journée que ton étage se vide. Prétexte que tu as du retard dans tes dossiers, dis ce que tu voudras, mais sois crédible. Tu trouveras dans notre sac une tige de fer. Une des extrémités est aplatie, tu t'en serviras comme pied-de-biche pour forcer le bureau de la juge. Idem pour ses tiroirs. Tu récupères le scellé mais pas seulement. Il faut brouiller les pistes. Tu voleras aussi une dizaine de dossiers au hasard et le disque dur. Il faut que les flics pensent que le vol de la montre est accessoire. Presque un hasard, une malchance. Joue dans notre équipe, c'est le seul moyen de sauver ta famille. »

« C'est le seul moyen de sauver ta famille. » Comme une mélodie vous parasite la tête, cette phrase tourna en boucle dans celle de Tomas jusqu'à 18 heures, moment où il se décida à téléphoner à Alex.

*
* *

Apparemment à moins de dix centimètres de son téléphone, l'avocat décrocha à la première sonnerie.

— Je viens d'avoir notre type à l'intérieur, attaqua Alex. Aucune nouvelle du juge d'instruction.

— De « la » juge d'instruction. Je sais, elle ne l'appellera pas, confirma Tiretto.

Alex souffla son mécontentement dans le combiné.

— Je croyais qu'elle se faisait monter les scellés la veille de ses entretiens. Vos infos étaient merdiques ou quoi ?

— Absolument pas. C'est l'expert bijoutier qui nous a mis dedans. Il devait passer prendre la montre au tribunal, mais il a changé d'avis et demande maintenant qu'elle lui soit déposée. L'expertise se fera donc à la maison mère Van Cleef and Arpels à Paris, et si elle est positive, la juge est prête à faire la restitution. Vu que le scellé sera porté directement du tribunal à l'expert, elle n'a aucune raison de le garder à son bureau.

— Tu veux dire que c'est fini ? On a raté notre fenêtre ?

— Quelque chose comme ça.

— Attends, on a terrorisé ce type. Si je lui demandais de se bouffer un bras, il me demanderait lequel. Il ferait tout pour sa famille, on a au moins ça en commun. Je n'ai qu'à lui dire de prendre le scellé lui-même et de nous le ramener. Il est bien responsable de ce putain de service, non ?

— Responsable ou pas, il y a des règles. Pour sortir un scellé il faut signer un registre détenu par une secrétaire, elle-même derrière une vitre pare-balles. Si la montre disparaît, il suffira de consulter le registre et la loupe se posera immédiatement sur monsieur Alves. Vous lui avez peut-être fait assez peur pour qu'il ait envie de vous oublier au plus vite, mais si les flics lui tombent dessus et lui mettent la pression, ou pire, le collent en prison, êtes-vous sûre qu'il résistera ? Vous seriez prête à risquer votre liberté sur ce coup ? Celle de Dorian ? Celle de votre frère ?

— Je te trouve trop tranquille pour ne pas avoir de plan B, Tiretto.

L'avocat laissa passer quelques secondes.

— Malheureusement, les plans B sont toujours plus risqués.

— Raconte, et en détail, parce que j'ai une équipe qui tient en otage toute une famille depuis hier soir et je vais devoir leur expliquer sans perdre la face.

Depuis le début, Tiretto avait espéré qu'ils en arriveraient là. Depuis le début, le plan A avait été pensé pour être voué à l'échec et mener au plan de secours, le seul qui intéressait réellement l'avocat. Que la juge d'instruction n'ait pas appelé Tomas Alves ne l'étonna pas, puisqu'il n'en avait jamais été question. Mais Alex Mosconi devait être prise à la gorge, en plein milieu de la home invasion, pour ne plus avoir d'autre choix que de poursuivre. La partition que l'avocat s'apprêtait à jouer maintenant était un solo qui ne supporterait aucune fausse note.

— Il va falloir récupérer la montre là où elle se trouve. C'est la seule solution avant qu'elle disparaisse.

C'était au tour d'Alex de prendre un peu de temps pour réaliser ce que l'avocat était en train d'avancer.

— Tu serais pas en train de nous proposer le braquage de la salle des scellés du tribunal de Bobigny, là ?

— Je sais. Ça a l'air impressionnant, mais je crois que vous risquez d'être surprise. Parlez-en à monsieur Alves. Vous avez le meilleur indic et la meilleure équipe pour réussir. Laissez-moi vous envoyer quelques informations sur votre portable.

Vu le fiasco de leur opération, Tomas avait été rappelé à domicile et sur le chemin du retour, il ne put empêcher son cerveau d'imaginer le pire. Ces ordures les avaient-ils touchées ? Frappées ? Le balafré était-il monté à l'étage avec Isabel ? Avait-il fermé la porte de leur chambre derrière eux pour plus d'intimité ? À moins qu'Aurélie n'ait été sa cible ? Il frappa le volant de sa voiture à cette idée et manqua de percuter une vieille dame en grillant un feu.

Lorsqu'il ouvrit la porte de son pavillon, sa femme et sa fille se jetèrent à son cou et, malgré l'immonde merdier dans lequel il se trouvait, il se demanda depuis combien de temps Aurélie n'avait pas eu pour lui un tel élan d'affection. Puis il croisa le regard d'Alex, et derrière elle, celui de Rhino. L'immonde merdier refit surface instantanément.

— Je vous promets que je n'ai reçu aucun appel. Je suis même monté à l'étage de l'Instruction. Leurs bureaux sont vitrés et je n'y ai vu aucun scellé en évidence.

— Je sais, le rassura Alex. Tout va bien.

Tomas passa un bras sur l'épaule de sa femme, l'autre sur celle de sa fille, et s'il n'y avait pas eu leurs mines fatiguées et leurs cernes bleus, la photo de famille aurait pu être encadrée.

— Vous savez qu'on ne dira rien, à personne, supplia Tomas.

— Je n'ai aucun doute là-dessus, assura Alex.

Elle ferma la porte d'entrée du bout du pied.

— Parce qu'on reste.

39

Mercredi – 6 heures.
Home Invasion – Jour 3.

Avant l'aurore, le portable d'Alex vibra sur le canapé où elle s'était endormie. À ses pieds, sur le matelas posé au sol, Tomas, épuisé, avait succombé au sommeil, sa fille et sa femme entre les bras. Elle se frotta le visage pour se réveiller et ouvrit le message qu'elle venait de recevoir : une série de noms, d'infractions criminelles et de numéros de procédures, envoyés par l'avocat. Première étape de l'opération, le plan B pouvait commencer.

Alex avait passé une bonne partie de la soirée à expliquer la proposition de Tiretto. Franck avait accepté parce que Nano était son cousin et que la famille passait avant tout. Dorian avait accepté par amour. « Jusqu'en enfer », avait-il ajouté. Et Rhinocéros avait accepté parce que le coup s'avérait aussi dangereux que légendaire. Ne manquait plus qu'à affranchir Tomas Alves.

Quinze minutes plus tard, l'équipe était autour de la table du salon, café dans les tasses. Tomas se retrouva au centre de cette réunion, sans sa femme et sa fille à qui l'on avait imposé de rester dans la cuisine.

— La salle des scellés, décris-la-moi, lui demanda Alex.

Surpris de la question, il chercha ses mots. Impatient, Rhinocéros attrapa la cafetière brûlante et la positionna au-dessus de son crâne, le bec légèrement penché.

— T'as besoin de caféine ou tu vas te réveiller tout seul ?

Tomas répondit d'une traite.

— C'est au rez-de-chaussée. Il y a un bureau avec une secrétaire qui reçoit et enregistre les scellés. Au fond de la pièce, il y a un escalier en colimaçon qui descend vers une salle de deux cents mètres carrés où ils sont entreposés.

— Et tu y as accès sans contrôle ?

— Tant que je n'apporte ni n'emporte rien, il n'y aucune raison pour que la secrétaire me demande quoi que ce soit.

Alex fit glisser son téléphone vers lui.

— Regarde et lis. C'est une liste de noms dans des procédures différentes et pour chacune d'elles, le scellé qui nous intéresse. Aujourd'hui tu auras deux choses à faire, deux choses simples. Chaque scellé porte un numéro d'enregistrement, c'est la seule donnée qu'on ignore. Tu vas aller dans la salle d'entreposage, localiser leur emplacement et noter leur numéro. Basta. Tu sauras faire ?

— Oui. J'effectue souvent des contrôles. Il n'y aura rien d'anormal.

— Ensuite, il nous faudra un plan du rez-de-chaussée, poursuivit à son tour Franck. Pièce par pièce. Avec tous les accès.

Tomas fronça les sourcils, mal à l'aise.

— Avec les accès ? Certains d'entre eux servent d'issue de secours si quelque chose se passe mal dans le tribunal ou si les policiers doivent procéder à l'extraction d'urgence d'un prisonnier, ce n'est pas le genre d'info qu'on peut trouver facilement. Même moi je ne les connais pas tous. Je peux à la limite vous faire un dessin de mémoire, mais je ne vous jure pas qu'il sera exact.

Dorian ajouta un second sucre à son café avant de prendre la parole, assez fier de pouvoir enfin utiliser son expérience.

— Te soucie de rien, les pompiers ont déjà fait le job pour toi. Il te suffit de récupérer les consignes d'évacuation en cas d'incendie. Elles sont obligatoirement encadrées à chaque étage des bâtiments administratifs avec le plan précis des lieux.

— Il y a combien d'entrées dans le tribunal ? questionna Alex.

— Une pour le public, cinq autres pour les employés.

— Laquelle est la plus proche de la salle des scellés ?

— Celle qui se trouve à l'arrière. On l'appelle l'entrée des artistes. C'est par là que les policiers et les gendarmes passent pour déposer leurs procédures et leurs scellés.

Alex se tourna vers Franck.

— Aujourd'hui tu vas prendre l'air, cousin. Tu passeras discrètement devant en voiture et tu nous fais un point de la sécurité extérieure. Pour l'intérieur, on verra plus tard.

Aurélie sortit de la cuisine et déposa sur la table ce que sa mère avait trouvé de convenable pour un petit déjeuner.

— Vous vous apprêtez à faire ce que je pense ? s'inquiéta Tomas.

— Penser, c'est exactement ce qu'on te demande de ne pas faire, le recadra Rhinocéros. Souviens-toi de ce qui est en jeu et de ce que tu pourrais perdre.

Et, sans quitter Tomas des yeux, il accompagna sa menace d'un geste, passant sa main sur les hanches d'Aurélie qui frissonna de dégoût. Puis, s'adressant à toute la famille :

— Maintenant barrez-vous de là. Collez-vous dans la cuisine, asseyez-vous par terre et fermez vos gueules.

Une fois qu'ils furent entre eux, Rhinocéros se pencha vers Alex et baissa la voix.

— Pourquoi s'emmerder à voler plusieurs scellés ? Ça va rallonger le timing du braquage.

— Si un seul disparaît, autant signer le vol avec nos noms. Si cinq scellés disparaissent, le brouillard s'installe.

— Et pourquoi ceux de ta liste, particulièrement ?

— Un scellé avec douze grammes de shit et un autre avec un pauvre opinel, personne n'en aura rien à foutre. D'après Tiretto, ceux qu'il a sélectionnés font partie de procédures majeures avec de beaux salopards sous les verrous. Le genre de vol qui va mettre les flics sur les dents et les envoyer dans toutes les directions.

— Une diversion, en somme, ponctua Dorian.

En fin d'après-midi, Franck arrêta sa voiture le long de la rue, à dix mètres de l'entrée arrière du tribunal. Face à celle-ci se trouvait un passage piéton qui lui donnerait exactement le temps dont il avait besoin. Il patienta quelques minutes avant que se présente un groupe de gamins, collégiens agités et bruyants, sac au dos. Alors qu'ils approchaient du passage piéton, Franck démarra, arriva au moment même où ils traversaient et s'arrêta pour les laisser passer. Il eut ainsi dix secondes pour scanner tranquillement les lieux en toute impunité. Puis il redémarra.

À moins de quinze mètres, dans le même bâtiment, Tomas avait emprunté l'escalier en colimaçon et se trouvait au sous-sol, à noter sur un bout de papier les numéros des scellés sélectionnés par Alex. Cela fait, il remonta dans son bureau au deuxième étage et attendit la fin de journée. Il passa son manteau à 17 h 59 et franchit le seuil de son service à 18 heures précises.

*
* *

Domicile de la famille Alves.
20 heures.

Le livreur de pizzas ne s'était pas douté un seul instant de ce qui se passait derrière la porte de cette maison. Dorian avait payé, ajouté un pourboire et le type était remonté sur son scooter rouge pour filer vers la prochaine adresse de sa tournée.

Il ne restait plus maintenant de leur repas que des cartons vides et graisseux qui furent débarrassés et remplacés par le plan d'évacuation incendie ainsi que la liste, écrite à la main, des numéros de scellés et leur emplacement approximatif. Rhino s'en saisit et bloqua sur un chiffre qu'il pointa du doigt.

— C'est un 8 ou un 3, là ?

Tomas se pencha et lut à son tour : 2015/58/1

— Année 2015, scellé numéro 1, procédure 58. C'est un 8.

— Je veux pas dire, mais t'écris comme un enfant de quatre ans.

— Je sais, désolé. J'étais pas mal stressé.

Isabel et Aurélie furent dégagées sur le canapé et la réunion préparatoire reprit là où elle avait été laissée la veille, Alex toujours aux manettes.

— On t'écoute Franck.

— J'ai bien observé et ça me semble bizarre. Il y a énormément de sécurité et probablement beaucoup de gardes, mais ils restent invisibles. Je ne sais pas trop où ils sont planqués et ça m'inquiète assez.

Il attrapa sur le bord de la table un bloc-notes sur lequel il avait croqué en quelques dessins maladroits l'extérieur du tribunal et ajouté diverses annotations. Il posa le tout devant lui, à la vue de l'équipe et de Tomas.

— OK. L'accès se fait par cette rue. D'abord, une grille renforcée avec un poste de contrôle. Derrière, une courette qui donne sur un sas à double porte, un second poste de contrôle, je suppose, car j'y ai aperçu trois gars en costume noir, certainement une société privée de gardiennage. Et d'après Tomas, après cette sécurité, tout de suite à droite, une porte avec Digicode donne sur le secrétariat des scellés, protégé par une vitre pare-balles. Il doit obligatoirement y avoir des caméras, mais je n'ai pas eu le temps de les repérer. C'est pas du tout ce que nous a vendu Tiretto.

— C'est trois fois mieux gardé qu'une bijouterie ! s'emporta Dorian.

— Putain d'avocat ! fulmina Alex. Ça devait être facile, selon lui…

— Il va nous falloir plus de monde. Des armes. Plusieurs voitures et probablement des uniformes de policiers. C'est une préparation qui demande au moins trois jours supplémentaires. Enfin, si on se décide à le faire vraiment, parce qu'entre nous, ça sent les menottes, conclut Franck.

Trois jours supplémentaires… Tomas les avait écoutés, puis il s'était tourné vers sa femme et sa fille. Il puisa dans leur peur et dans son amour. Dans toute la complexité de cette situation, son esprit s'était maintenant dégagé, comme face à une évidence. La meilleure manière d'aider les siens était de faire partie de cette équipe et de faire en sorte qu'ils réussissent. Il se décida à prendre les choses en main.

— Si vous me permettez… Votre avocat a raison et vous, vous créez des problèmes qui n'existent pas.

Les quatre intrus le dévisagèrent, interloqués. Alex poussa le bloc-notes vers lui.

— C'est l'attitude que j'attends de toi depuis le début. Tu me fais plaisir.

Tomas consulta rapidement les notes puis posa les deux coudes sur la table en se penchant vers eux, comme s'ils travaillaient ensemble depuis toujours.

— On refait le trajet obstacle après obstacle, d'accord ?

Isabel et Aurélie, stupéfaites, écoutèrent Tomas s'imposer.

— D'abord la première grille. Vous pouvez l'oublier. Elle est toujours ouverte et le premier poste de sécurité est vide.

— C'est un leurre ? s'étonna Dorian.

— Non. Le mécanisme de la grille est cassé et on n'a pas le budget pour mettre un type en surveillance dans le poste. Ensuite, le sas dont vous parlez, ce sont juste deux portes battantes en bois, elles aussi toujours ouvertes. Les gardes du second poste de sécurité font bien partie d'une société de gardiennage privée mais n'ont aucune arme, ni moyen de défense. Ils sont quatre, Africains du Sud généralement, certains sont même sans papiers. Ils changent toutes les deux ou trois semaines, si bien qu'aucun d'eux ne connaît réellement le job. On leur refile mille cinq cents euros par mois pour faire semblant. On les appelle des payés-debout. Ils sont juste là pour intimider.

— Mais il faut au moins être en uniforme de flic pour rentrer ?

— Pas plus. Les policiers de la PJ sont en civil, par exemple, et il y a aussi les employés du tribunal qui utilisent cet accès.

— Alors il faut montrer une carte de police ou une carte professionnelle ?

— Je vous dis qu'ils s'en moquent. Vu leur salaire, ils ne contrôlent même pas leurs postes de vidéosurveillance. C'est à peine s'ils lèvent les yeux quand quelqu'un se présente. Une fois passés, vous arrivez au secrétariat des scellés. La porte à Digicode n'est pas un souci, puisqu'elle n'est fermée qu'entre midi et 13 heures, à la pause déjeuner. Le reste du temps, l'accès est libre, donc il vous suffit de vous présenter à 11 h 58. Aucun flic n'aura l'idée d'aller déposer un scellé aux heures de fermeture, la porte sera ouverte et vous avez de grandes chances de ne pas être dérangés.

— Reste la vitre pare-balles entre la secrétaire et nous.

— Sauf qu'elle a une ouverture au bas pour passer les scellés. Il suffira de glisser le bras et de menacer la secrétaire avec une arme. Elle ne réfléchira pas longtemps avant d'appuyer sur le bouton qui ouvre la porte et vous serez à l'intérieur.

— Mais il y en a pas un autre, de bouton, pour activer une alarme ? Sous son bureau par exemple, en discret, comme dans les banques.

— Si, mais pas sous le bureau. Il est à deux mètres de sa chaise, vous ne risquez rien.

— OK, et une fois dedans ?

— Au fond de la pièce, il y a l'escalier en colimaçon, vous le descendez avec l'employée, vous l'attachez quelque part, vous faites ce que vous avez à faire et vous sortez.

Tomas referma le bloc-notes et le poussa au centre de la table avant de conclure :

— En gros, il vous faut un flingue, une voiture et du cran. Voilà, il est préparé, votre coup.

Un silence sidéré suivit la démonstration inattendue de Tomas et malgré le danger et la peur, Isabel découvrit une facette inconnue de son mari et réalisa ce qu'il était prêt à faire pour elles. De son côté, Rhinocéros refusait de croire à ce plan, si simple qu'il en devenait suspect.

— Impossible. C'est impossible. Soit tu te fous de notre gueule, soit tu veux qu'on se fasse prendre. Tes explications, c'est de la blague.

Tomas ne se laissa pas démonter.

— Et le vol de cocaïne au 36, quai des Orfèvres, la maison mère de l'élite de la police, c'est impossible ? Le type est arrivé avec deux sacs de sport, en pleine journée, il est entré dans la salle des scellés, il a volé cinquante-deux kilos de coke et il est sorti comme s'il venait de faire ses courses au supermarché. À force de ne jamais se faire braquer ou voler, les curseurs de vigilance s'abaissent jusqu'à ce que plus personne n'en ait rien à faire et à la fin on laisse tout ouvert. On appelle ça la force négative de l'habitude. En gros, c'est la sécurité des bâtiments administratifs français qui est une blague, pas mes explications.

Il venait de moucher Rhinocéros sans réellement s'en rendre compte. Ce dernier se leva, vexé, et partit fouiller le frigo. D'un geste d'apaisement, Alex conseilla à Tomas de ne pas trop pousser. Le balafré était un animal dangereux et Tomas, au début de sa chaîne alimentaire.

— Franck, tu retournes au loft et tu récupères de quoi intimider la secrétaire, lança Alex.

— J'ai le pistolet et le revolver qu'on a utilisés pour notre dernière bijouterie.

— Trouve mieux. Que ça ait de la gueule. Un braquage c'est comme de la pub, tout se joue sur le marketing et l'image.

Avant de sortir du pavillon, Franck, sweat sur le dos et clefs de voiture en main, s'approcha de la fenêtre de l'entrée et leva le coin du rideau afin de jeter un coup d'œil sur la rue.

— Tu reviens quand ?

Aurélie se tenait juste derrière lui, le visage déjà baissé d'avoir osé lui parler.

— Dans une heure. Deux, maximum.

Elle ouvrit légèrement la bouche, se ravisa et s'apprêta à faire demi-tour. Il l'attrapa par le bras.

— Ne t'éloigne pas d'Alex. Et ne reste jamais seule avec Rhinocéros. J'en ai pas pour longtemps.

Il ouvrit la porte et elle le regarda disparaître dans la nuit. Seize ans, rebelle, paumée, complexée, dans un orage d'hormones en plein syndrome de Stockholm. Elle le détestait pour ce qu'il faisait subir à sa famille. Elle le détestait tellement qu'elle l'aurait embrassé...

40

Jeudi – 11 heures.
Home invasion – Jour 4.

Dorian faisait les cent pas de la cuisine au salon. L'idée de partir au braquage avec Alexandra, quasiment les mains dans les poches, lui semblait maintenant suicidaire. Suicidaire, donc romantique. Tout reposait sur la confiance qu'elle portait à Tomas et sur la peur qu'il avait d'elle. Équilibre délicat.

Alex se répéta mentalement les rôles de chacun. Tomas Alves déjà à son bureau, pour n'éveiller aucun soupçon. Franck au volant de la voiture, à dix mètres du tribunal, pour quitter les lieux à une vitesse proportionnelle aux ennuis rencontrés. Dorian et elle en flics d'un jour, prêts à décrocher la palme d'or d'interprétation, pendant que Rhinocéros surveillerait la mère et la fille. Elle l'observa en train de faire des pompes, les pieds au sol, les mains sur la quatrième marche de l'escalier, et espéra juste qu'il ne jouerait pas les tyrans pervers pendant l'heure que durerait l'opération.

Aurélie sortit de la salle de bains, douchée et déjà habillée. Elle s'apprêta à descendre les escaliers et

constata que le chemin était bloqué. Rhinocéros l'aperçut, se leva et se colla au mur. Au-dessus de sa tête,
une photo de la famille Alves, les bottes dans la neige
aux sports d'hiver, quand leur fille n'avait que huit ans.

— Vas-y, passe. Je te toucherai pas, lui promit-il
avec un sourire carnassier qu'il devait sûrement croire
rassurant.

L'adolescente descendit timidement les premières
marches. Elle s'était séchée à la va-vite et le regret-
tait maintenant que son tee-shirt collait à sa peau
humide, révélant des rondeurs au goût de Rhinocéros.
Il la huma comme un chien quand elle passa à son
niveau et fit exprès de prendre plus de place dans
l'escalier pour que leurs deux corps se frôlent. Isabel
avait assisté à la scène et ses doigts s'enfoncèrent
dans le cuir du canapé. Le balafré s'amusa de la voir
enrager en toute impuissance. Il s'adressa à elle à
travers le salon.

— Je serais inquiet à ta place, maman. Elle sent
le cul ta fille, elle doit tenir de toi. Tu vas avoir du
mal à la tenir en laisse. Je suis sûr que s'il y avait
des chewing-gums goût bite, elle mâcherait toute la
journée.

Puis il partit dans un grand éclat de rire tant il
s'était trouvé amusant.

Franck non plus n'avait rien raté de cette humilia-
tion gratuite, et alors qu'il sortait d'un sac de sport des
vêtements propres et quelques déguisements récupérés
dans le loft, son regard croisa celui d'Aurélie, les
yeux embués de larmes. Il zippa le sac d'un geste
sec et se dirigea vers sa cousine.

— Je peux te parler, Alex ?

— Pas besoin. Je sais.

Puis elle s'adressa à tous.

— C'est parti. Dorian, prépare-toi. Rhino, approche la voiture. Franck, tu gères la famille.

Rhinocéros, à mi-étage, posa les mains sur la rambarde en bois de l'escalier et se pencha vers eux, passablement contrarié.

— Depuis quand on change les plans à dix minutes de partir ? C'est moi qui devais rester ici.

— Tu veux qu'on raconte quoi, sur l'île ? Qu'on a fait le coup et que toi t'étais en baby-sitting ? le castra Alex.

Rhino passa de Franck à Aurélie, l'air mauvais, et attrapa au vol les clefs que Dorian lui lançait par-dessus la table.

— Je connais l'adresse. Je pourrai toujours lui rendre une visite un de ces jours, ajouta-t-il pour ne pas perdre la face.

*
* *

Tribunal de grande instance de Bobigny.
11 h 54.

La voiture freina doucement jusqu'à s'arrêter à l'endroit prévu. Pour Alex, une perruque blonde en coupe au carré sur ses cheveux bruns et des lentilles bleues sur ses yeux verts.

— T'es belle en Suédoise, la complimenta Dorian.

Pour lui, une simple paire de lunettes et une fine moustache. Il n'en faudrait pas plus pour que les futures descriptions des braqueurs données à la police soient assez éloignées de leur apparence réelle. Le subterfuge, si léger soit-il, avait fonctionné pour cinq bijouteries, aucune raison d'en changer aujourd'hui.

— Si ça part en confettis, tu dégages et tu récupères Franck, compris ? Te soucies pas de nous, de toute façon tu ne pourrais rien faire.

Rhinocéros coupa le moteur et confirma qu'il avait compris. Dorian ajusta le col de sa chemise et les pans de sa veste qu'il avait choisie grise, exceptionnellement accordée avec un jean bleu nuit, pour ne pas faire trop classe. Un peu plus policier qu'homme d'affaires. Une inquiétude lui traversa alors l'esprit.

— Au fait, on fait comment pour avoir l'air de flics ?

— Fronce les sourcils et regarde les gens de haut, tu devrais être dans le rôle, lui conseilla Rhino.

— T'es prêt, bébé ? demanda Alex.

— Jusqu'en enfer.

L'adrénaline se déversa en torrent dans leurs veines alors qu'ils franchissaient, comme promis par Tomas, la première grille ouverte et le poste de contrôle désert.

« Jusqu'ici ça va. Jusqu'ici ça va. » disait Steeve McQueen dans *Les 7 Mercenaires.*

Petite courette. Cinq mètres avant le prochain obstacle. Sur le chemin, Alex, d'une main, mit de l'ordre dans ses nouveaux cheveux blonds et Dorian fit mine de consulter son portable. Des petits gestes naturels pour avoir l'air naturel. Au bout de la courette, ils poussèrent la première porte battante du sas et se retrouvèrent face à un bureau vitré dans lequel six téléviseurs balayaient aléatoirement ce que filmaient les caméras de surveillance à divers endroits du tribunal. Au centre de la pièce, quatre molosses africains dont le plus petit était déjà très grand. Alex et Dorian n'eurent droit qu'à un regard désintéressé avant de pousser la seconde porte battante et laisser les vigiles de la sécurité derrière eux.

Ils étaient maintenant au sein du tribunal avec au-dessus d'eux, sur quatre étages, des centaines de flics, d'avocats et de magistrats.

Encore quelques mètres pour arriver à la porte à Digicode sur laquelle Dorian posa sa main à plat comme pour en sentir le pouls. Il laissa passer une seconde, presque sûr qu'elle serait fermée, ou qu'une alarme allait résonner.

Derrière eux, trois uniformes bleus apparurent, accompagnés d'un avocat en robe noire, en pleine conversation. Dorian et Alexandra se sentaient tellement visibles et vulnérables qu'ils eurent l'impression de porter un costume de clown avec nez rouge et chaussures taille 64. Pourtant, les trois flics posèrent les yeux sur eux et saluèrent respectueusement ceux qu'ils pensaient être des collègues en civil. Ils poursuivirent leur débat avant de s'engouffrer dans un ascenseur au fond du couloir, et le cœur des deux braqueurs retrouva un rythme normal alors que les portes automatiques se refermaient.

— Aussi facile ? souffla Dorian.

— C'est pas terminé.

Dorian posa la main sur la poignée et tourna. Encore deux pas, et ils se trouvèrent face à une jeune femme dans la vingtaine, maigrelette, les lunettes cerclées retenues par une cordelette, penchée au-dessus d'une dizaine de procédures et de scellés à enregistrer, séparée du couloir par une vitre épaisse. La porte se referma toute seule derrière eux. La secrétaire leva les yeux dans leur direction, déjà fatiguée du travail à venir. Elle vérifia l'heure et un léger espoir éclaira son visage : 11 h 58.

— Désolée, c'est la pause déjeuner. Faut revenir à 13 heures, lâcha-t-elle en réajustant ses lunettes de grand-mère.

Dorian plongea la main dans la poche intérieure de sa veste et en sortit ce que Franck était allé récupérer au loft. Il dégoupilla la grenade, la garda, inoffensive, fermement serrée dans sa main pour que le levier de contact ne saute pas, passa son bras dans l'ouverture au bas de la vitre pare-balles et la colla sous le nez de la secrétaire qui bloqua sur l'objet métallique cannelé. Puis il adapta Audiard à la situation.

— Si tu fais le moindre geste déplacé, je te ventile en puzzle cinq mille pièces. Ouvre ou t'exploses.

Hypnotisée par la grenade, elle appuya sur le bouton d'ouverture et dans un déclic mécanique, la dernière porte s'ouvrit. Alex passa la première alors que Dorian réinsérait avec prudence la goupille.

— On descend au sous-sol et tu nous accompagnes. Lève-toi, ordonna-t-elle à la secrétaire.

La jeune fille ne bougea pas, ses yeux se mirent à papillonner derrière ses lunettes et son visage prit cette teinte blanchâtre que Dorian avait souvent vue chez les employés des bijouteries qu'ils visitaient.

— T'es en train de la perdre, là. Reconnecte-la, dit-il.

La claque d'Alex eut l'effet escompté et la secrétaire, la main posée sur sa joue, fut enfin attentive.

— J'ai dit on descend au sous-sol et tu nous accompagnes. Lève-toi.

Au bas de l'escalier en colimaçon, ils se figèrent sur place, médusés. Deux cents mètres carrés de rayonnages serrés sur plusieurs niveaux, l'équivalent d'un trésor de guerre de la taille de deux stades de foot. Près de cinq mille scellés, de toutes formes et de toutes tailles, racontant l'histoire des dernières années criminelles de la Seine-Saint-Denis. Dorian fut saisi d'un vertige boulimique.

— Regarde ça, Alex. Il y a de la drogue, de l'argent, des bijoux, des armes, des documents compromettants qu'on nous rachèterait à prix d'or. C'est le cambriolage ultime tout en un. Ce serait dingue d'en prendre que cinq.

Elle sortit de la poche de sa veste un sac en toile fine roulé en boule, pas plus grand qu'une clémentine qui, déplié, révéla une belle contenance. Elle en sortit un serflex[1] qu'elle lança à Dorian.

— On ne dévie pas du plan. On ne dévie jamais du plan, tu le sais. Attache-la.

Il se saisit des poignets de la secrétaire qu'il approcha d'une des structures métalliques rivées solidement au sol, et entoura le tout du collier plastique qu'il serra et referma sur lui-même. Poupée de chiffon sans réaction, la fille se laissa faire. Il l'avait attachée assez bas pour qu'elle puisse s'asseoir et il le lui proposa, même :

— Tu peux t'asseoir si tu…

Sans attendre l'autorisation, elle tomba mollement par terre, toujours absente, le cou incapable de retenir le poids de sa tête qui dodelinait, comme ivre.

---

1. Serflex : lien autobloquant en plastique renforcé utilisé comme menottes.

— Laisse-la, c'est plus une menace, constata Alex.
Puis elle déchira la liste en deux et en tendit une
moitié à son homme.

— Tu as trois scellés, j'en ai deux et on a cinq
minutes.

Ils enfilèrent une paire de gants latex et parcou-
rurent les étagères, rayon après rayon, colonne après
colonne, se guidant grâce aux indications de Tomas
dans ce dédale de merveilles interdites et tentatrices.
Sans difficulté, Dorian récupéra ses deux premiers
scellés et, presque par hasard, à moins que ce ne
fût l'effet de l'attraction, ses doigts frôlèrent un sac
transparent en plastique épais dans lequel on aper-
cevait une boîte à bijoux. Un écrin de velours sans
couvercle, rempli de bagues, de bracelets et de col-
liers entremêlés qui donnaient l'impression d'un nid
de serpents dorés. Au milieu, comme protégé par les
reptiles, une bague portant un diamant d'une taille
que même Dorian trouva exagérée. Il lut le titre de
la fiche descriptive :

« Cambriolage – 2015/21/9 – Affaire contre
M. Mayeras. »

En professionnel, il en estima la valeur et se saisit
du lourd sac qu'il montra à Alex à travers un rayon-
nage.

— L'équivalent d'un braquage de bijouterie ! Sans
rien faire de plus. Là, ce serait de l'impolitesse.

Alex, malgré ses préceptes, hésita un instant. Elle
rejoignit Dorian et, comme lui, fut sensible à la
tentation. Puis elle s'intéressa à la fiche descriptive
agrafée au scellé.

— C'est pas un braquage, c'est un cambriolage.
Tu sais que je suis superstitieuse. Des bijoux déjà

portés, y a trop d'amour là-dedans, ça va nous foutre la poisse. Repose ça.

Elle tourna les talons et disparut au détour d'une allée. Bougon, Dorian obtempéra, balança le sac sur une des étagères et poursuivit ses recherches, tout en essayant de ne pas penser à ce qu'ils allaient laisser derrière eux. Quand il repéra enfin le 2014/56/3, dernier scellé de sa liste, il le récupéra et le glissa avec les autres dans le sac de toile. Alex le retrouva au centre de la pièce, deux enveloppes kraft entre les mains.

— Cinq scellés dont la montre. On est bons.

Ils se regardèrent une dernière fois avant de refaire le trajet en sens inverse.

Escaliers en colimaçon, porte à Digicode, sas d'entrée, poste de contrôle, vigiles peu vigilants, courette, grille, dernier poste de contrôle. Oxygène.

Lorsque Rhinocéros les aperçut, sac de toile sur l'épaule de Dorian, marchant calmement dans sa direction, il serra les poings et tapa deux coups dans le plafonnier de la voiture.

— Impossible ! s'écria-t-il, littéralement exalté. J'y ai pas cru, jusqu'à la dernière seconde j'y ai pas cru !

— Calme-toi, démarre et s'il te plaît, mets-toi en mode code de la route, le pria Alex tout en s'asseyant à ses côtés. C'est pas le moment de se faire contrôler.

La voiture, clignotant de rigueur, quitta son emplacement. Avant que le tribunal disparaisse dans le rétroviseur, le stress était encore contenu, la peur encore présente. Arrivés sur la route nationale qui les menait au domicile de la famille Alves, la digue céda, le barrage explosa et des cris de joie fusèrent en feu d'artifice dans l'habitacle. Alex se retourna vers Dorian, l'attrapa par le col de sa veste, l'approcha de son visage et l'embrassa fougueusement, presque à le dévorer. Rhino, plutôt tolérant sur le sujet, commença même à être gêné.

— Oh, tout doux… Vous allez foutre le feu à la bagnole.

41

À 13 h 02, un équipage de police se présenta au secrétariat. Le chef de groupe ouvrit la porte à Digicode avec, entre ses bras, un carton de scellés à faire enregistrer. Il constata d'abord l'étrange absence de l'employée, puis l'inhabituelle porte ouverte et enfin, inquiétantes, des procédures éparpillées au sol. Il déposa doucement son carton, chaussa son arme, descendit l'escalier en colimaçon et disparut au sous-sol.

Trois secondes plus tard, il remontait les marches deux à deux et écrasait le bouton de l'alarme qui retentit dans tout le tribunal. Un tribunal qui venait de se faire braquer comme une vulgaire supérette de quartier. Tomas, en suspens depuis le matin, vit les autres employés se raidir et s'affoler. Les mots d'Alex revinrent à sa mémoire : « Joue dans notre équipe, c'est le seul moyen de sauver ta famille. »

Et il pria pour que le coup ait réussi.

En quelques minutes, le bâtiment devint une ruche de flics bourdonnant leurs ordres et leur colère de s'être fait avoir sur leur terrain, presque chez eux. Le tribunal fut barricadé, les fonctionnaires retenus chacun à son étage, même les magistrats n'eurent pas leur mot à dire, prisonniers de leurs propres bureaux. Les effectifs du commissariat de Bobigny agirent en premier, vite dessaisis au profit du GRB[1] de la PJ 93.

À 20 h 30, le constat édifiant tomba comme une sentence. Personne n'avait rien vu, rien entendu. Les braqueurs, quel que soit leur nombre, étaient entrés et sortis, sans violence, après un coup réussi entre midi et 13 heures. Impossible pour l'instant de connaître la nature des scellés dérobés et la secrétaire, pourtant témoin et présente tout le long de l'opération, n'avait pas encore réussi à formuler une phrase complète et sensée.

En l'état des choses, Alex et Dorian étaient aussi concrets que des fantômes.

*
* *

Tomas poussa la porte de son pavillon et en trois pas pressés se dirigea vers le salon. À peine eut-il apparu que l'équipe d'Alex se mit à applaudir, visages radieux et bouteilles de champagne sur la table. Si incongru que Tomas en laissa tomber sa mallette au sol. Dorian se porta à son niveau et passa un bras sur son épaule. Imitant les huissiers qui présentent les invités prestigieux, il annonça avec emphase :

— Mesdames, messieurs… Tomas Alves, notre agent double !

Et les applaudissements reprirent de plus belle, accompagnés cette fois-ci de sifflets. Le père, un

_____

1. GRB : Groupe de répression du banditisme, spécialisé dans les braquages.

peu surpris, se tourna vers sa femme et sa fille, une coupe de champagne devant elles. Elles le regardèrent, gênées par la situation improbable. Gênées, mais moins terrorisées. De victime, la famille était devenue complice.

Les matelas avaient retrouvé leurs chambres et le salon, son aspect chaleureux initial. Au pied de la table, les sacs de toile bien remplis, prêts à être chargés dans le coffre de la voiture. Rhinocéros servit un verre plein et le champagne s'égailla en débordant sur la nappe, puis il tira une chaise et invita Tomas à s'asseoir.

— Allez ! Bois ! Raconte ! Les flics ? Leurs gueules ? Les juges ? J'aurais trop voulu être là ! Mais bois !

Tomas, dépassé, trempa ses lèvres dans les bulles et comme toute l'attention se portait sur lui, s'éclaircit la voix avant de résumer.

— L'alarme a sonné à 13 h 02. Je le sais, l'horloge murale est en face de moi. Ensuite, le tribunal a été complètement gelé. Personne n'a été autorisé à entrer ni à sortir. Nous avons tous été entendus à nos bureaux, magistrats comme fonctionnaires. J'ai appris que la police s'était pas mal emportée sur les agents de sécurité du rez-de-chaussée en leur demandant à quoi ils servaient réellement. Ils ont voulu saisir les bandes de surveillance, mais la plupart des caméras ne font que filmer sans rien enregistrer, donc pas de vidéos. Du côté de la secrétaire, je crois que vous n'avez rien à craindre. Elle est trop choquée pour dire s'il y avait une ou quatre personnes, hommes ou femmes, blancs ou noirs.

— On ne l'a pas blessée, si ça peut te rassurer, précisa Dorian.

— Je sais. Je vous remercie, c'est une chic fille. Sinon, j'ai rendez-vous demain matin avec un commandant de la PJ. Attendez...

Tomas sortit une carte de visite de sa poche et lut à voix haute.

— Commandant Rivière, GRB.

— Le Groupe de répression du banditisme, nos meilleurs potes ! s'emballa Rhinocéros. Ils te veulent quoi ?

— Savoir quels sont les scellés volés et leur contenu. Mais pour l'instant, ils estiment qu'il reste une chance qu'ils soient encore dans le tribunal, cachés quelque part, alors ils vont passer la nuit à le perquisitionner, surveillés par le doyen des juges d'instruction et les chefs de juridiction. On nous a demandé de laisser tous les bureaux ouverts. C'est du jamais vu.

— Ils pensent à un coup en deux temps. D'abord on vole, puis on planque et on récupère. C'est pas con. C'est pas con, mais c'est pas ça. On est bien plus efficaces, se vanta Dorian en balançant le sac de toile contenant leur butin sur la table.

— Je vous ai demandé de tirer mon frère de taule, poursuivit Alex. Et vous avez tous accepté. Sans aucune contrepartie ni récompense. Alors je sais maintenant qui j'ai en face de moi. Nous ne sommes pas seulement une équipe. Nous sommes une famille.

À ce discours, les verres se levèrent mais trois restèrent sur table. Dorian poussa une coupe devant Tomas et Franck tendit celles d'Aurélie et d'Isabel, déjà à leur deuxième et un peu éméchées.

— Vous allez nous vexer.

À peine eurent-ils bu que Rhinocéros, insatiable, remplit à nouveau les verres. Tomas regarda sa femme et sa fille. La seule chose qu'il souhaitait à ce moment précis était de retrouver leur vie d'avant, normale, parfois ennuyeuse, pourtant inestimable. Sans nouveaux soucis.

Mais il ignorait encore quelle serait la conclusion de cette collaboration forcée et joua la complicité en leur répétant une bribe de conversation qui les flatterait.

— En partant, j'ai entendu le commandant avec un de ses hommes. Ils parlaient de vous. Il vous ont surnommés « les magiciens ».

Tonnerre d'applaudissements et éclats de rire. Alex leva son verre et tout le monde se tourna vers elle.

— Abracadabra, messieurs.

*
* *

Peu avant minuit, tout ce qui avait pu être apporté au domicile de la famille Alves au cours des quatre-vingt-seize dernières heures avait été regroupé dans l'entrée. Alex, par sécurité, envoya Franck faire un tour de chaque pièce pour un dernier contrôle. Celui-ci passa en revue salon et cuisine, monta à l'étage pour vérifier la salle de bains, laissa de côté la chambre des parents dans laquelle personne n'était entré et, retournant vers l'escalier, passa devant la chambre d'Aurélie, porte entrouverte qu'il poussa doucement. La jeune fille était postée devant sa fenêtre, prête à les regarder partir. Elle sursauta lorsqu'elle sentit sa présence.

— Pardon, je voulais pas te faire peur, s'excusa Franck.

Aurélie lui lança un sourire désabusé, complètement désarmant, qui le mit un peu mal à l'aise.

— Oui, OK, on aurait peut-être dû y penser il y a quatre jours, avant de vous séquestrer.

Il fit un pas dans la chambre et elle fit un pas vers lui.

— On va vous laisser. Et ne t'inquiète pas pour Rhinocéros, on le remet dans son zoo ce soir. Lui non plus, tu le reverras plus.

Un pas de plus. La poitrine qui tape et le ventre qui se serre un peu.

— Merci, souffla Aurélie. De m'avoir défendue. Tu n'étais pas obligé.

— J'en avais envie.

Du rez-de-chaussée, la voix autoritaire d'Alex le rappela à ses obligations.

— Je dois vraiment y aller, là, se défila-t-il en un demi-tour.

Elle l'attrapa par le bras, s'approcha et lui vola un baiser sur la bouche, si rapide que Franck ne le réalisa qu'après, ses lèvres encore humides comme seule preuve.

— Tu n'étais pas obligée.

— J'en avais envie, dit-elle en rougissant.

L'équipe était maintenant dans la voiture, moteur tournant et Franck au volant. Alex resta seule avec Tomas, sur le seuil du pavillon. Deux lampes sphères éclairaient les fleurs du jardin dans la nuit et elle descendit les premières marches du perron. Pendant ces quelques jours difficiles, la famille Alves s'était bien tenue, mais une dernière fois, les termes de leur marché devaient être précisés. Elle demanda à Tomas de s'approcher.

— Plus près, je vais pas te manger…

Pas très rassuré, il fit deux pas dans sa direction. Alex se pencha vers lui et le complimenta à voix basse.

— T'as été parfait. Courageux. Un vrai père de famille.

— Merci, s'inquiéta Tomas.

— On a une entente toi et moi, tu sais ça ?

— Je sais ce que vous allez dire, mais ce n'est pas nécessaire.

— Pourtant si, le corrigea-t-elle, presque ennuyée. Dans une semaine, la peur va s'estomper. Tu penseras même que tu aurais pu faire ci, ou ça, pour nous empêcher d'entrer. Tu vas te repasser le film, reprendre du poil. Et dans deux semaines, tu te persuaderas que tu peux nous balancer aux flics sans conséquence. Alors dis-toi que si cette idée te venait en tête, tu as tout pour nous faire tomber. Nos visages comme nos prénoms. Mais un soir, tu vas rentrer chez toi et j'aurai envoyé quelqu'un mettre la tête de ta fille sur le corps de ta femme et la tête de ta femme dans son putain de four à gratin.

Tomas baissa les yeux.

— Vraiment, c'était pas nécessaire.

Un voisin sortit de son pavillon, sac-poubelle à la main, et son attention se porta sur eux. Alors Alex enlaça Tomas, comme on le fait pour un vieil ami, puis quitta enfin sa propriété.

Et sa vie, il l'espérait.

QUATRIÈME PARTIE

Effet papillon

« C'est la merde, si vous me permettez cette introduction. »

Fleur Saint-Croix,
magistrate du TGI de Bobigny

42

SDPJ 93.
Onze heures plus tôt.

Presque perdu dans un bureau trop grand pour lui, dissimulé dans un costume beige passe-partout comme s'il tentait de s'y cacher, Stévenin, le commissaire divisionnaire du SDPJ 93, parcourait les deux épaisses procédures échouées sur son bureau. Il passa de l'une à l'autre, essayant de se faire une idée, avant de refermer chacune d'elles et de s'en remettre à Coste, assis en face de lui. Ce dernier assurait le commandement des deux groupes de la criminelle depuis le départ de Damiani et sa légitimité à ce poste avait semblé une évidence. Excepté peut-être pour le capitaine Lara Jevric, chef du Groupe crime 2, qui ne comprenait toujours pas pourquoi le choix ne s'était pas porté sur elle. Elle avait argué de son ancienneté supérieure, bien qu'elle ne fût que de deux mois, s'était avancée sur la réputation sulfureuse de Coste[1] et avait même tenté un rapprochement corporatiste avec Stévenin, puisqu'elle s'évertuait pour la quatrième année

---

1. Voir *Code 93* et *Territoires*.

consécutive à décrocher le concours de commissaire, comme un petit chiot qui se casse la truffe à essayer de sauter sur un canapé trop haut. Malheureusement pour Jevric, Damiani avait choisi son candidat et Stévenin en avait profité pour se cacher derrière cette décision.

— Comment trouvez-vous votre nouveau bureau ?

— Ce n'est pas le mien. C'était celui de Damiani, ce sera celui de son successeur. Je suis juste en intérim.

— Et avec Jevric ?

— Elle n'a jamais été compliquée à cerner. Méprisante avec ses hommes, agressive avec ceux du même grade et docile avec la hiérarchie. Pour l'instant je représente la hiérarchie, elle me fout une paix relative.

— Rassurez-vous, le remplaçant de Damiani arrive dans une semaine. Vous pourrez retrouver votre groupe et retourner sur le terrain.

Bureau ou terrain, là n'était pas la question. Coste resta impassible et son supérieur ne poursuivit pas sur le sujet, bien conscient que son capitaine traversait une mauvaise passe. Il posa les mains à plat sur les deux procédures et parla d'un ton motivé, espérant que cela soit contagieux.

— Vous me faites un point ? Ce sera plus rapide.

— Bien sûr, obtempéra Coste. Pour le groupe de Jevric, c'est l'affaire de la femme retrouvée dans la rue, hier matin, le visage défoncé à coups de marteau. Après l'autopsie on a découvert qu'il n'y avait pas que son visage qui était en morceaux. Son corps aussi, entièrement, brisé comme un vase.

— Toujours à coups de marteau ?

— Non, impossible. D'après la légiste, les fractures ressemblent à celles que l'on trouve dans les chutes de hauteur, comme en bas des falaises, ou des immeubles. Avec cette info, il a suffi de lever les yeux. Le corps a bien été trouvé en bas d'un immeuble. Celui de son concubin, qu'elle avait visité pour lui annoncer qu'il ne l'était plus. Une engueulade violente, il la balance par la fenêtre du septième étage mais elle survit. Le corps humain, des fois... Alors il est descendu et il l'a terminée, à coups de marteau.

— Nous, avec ma femme, on a pris un conseiller conjugal, ajouta Stévenin, pensif.

— Le marteau est dans mon bureau si vous changez d'avis. On garde l'ex encore quelques heures en cage, il sera déféré ce soir.

Le commissaire se leva et fit glisser une capsule dans sa machine à café. Du regard, il en proposa un à Coste et du regard, Coste refusa.

— Pour mon groupe... pardon. Pour le groupe de Ronan, se reprit Coste, c'est l'affaire d'hier après-midi. La petite Chinoise découverte morte dans son lit. Six ans, pas une blessure, pas une fracture, même pas une égratignure. Les parents ont appelé le commissariat à 14 heures en disant qu'elle ne respirait plus. À 15 heures, Crime 1 était sur place avec le doc' du SAMU. Après l'autopsie, la légiste a fait le décompte des heures et de la température du corps. Grosso modo, un degré en moins par heure à partir de la troisième heure après le décès si vous vous souvenez de vos cours. Le corps est arrivé à 18 heures à l'Institut médico-légal, il aurait dû faire trente-cinq degrés. Il en faisait vingt-sept. Elle est morte la veille ou tôt dans la nuit. Les parents nous ont baladés.

Ronan a interpellé les neuf membres de la famille ce matin, histoire d'y voir plus clair.

— Et le gagnant est ?

— Le père. La gamine avait une bronchite depuis sept jours. Vu qu'elle l'empêchait de dormir, il l'assommait avec des somnifères, mais il y a deux soirs, il a eu la main lourde. Une mort à la con.

— S'il en existe d'autres. Vous féliciterez la légiste, elle a eu du flair sur les deux affaires. C'est du bon boulot, dites-moi.

— Oui. Vous avez raison. Mieux vaut le voir dans ce sens. C'est du bon boulot.

— Et ce matin ?

— Une Rom retrouvée poignardée dans une décharge sauvage, à deux cents mètres de son camp, répondit Coste, la voix pleine de lassitude.

Stévenin reposa sa tasse vide.

— Ce sont juste des affaires, capitaine, pas des gens.

— Je le sais pourtant, mais je commence à être de moins en moins hermétique.

— Prenez quelques jours.

— Déjà essayé. Ça ne fait que repousser le problème.

Stévenin faillit demander quel était le problème, mais il réalisa à temps qu'il ne voulait pas connaître la réponse et comme il avait la bouche ouverte, il en profita pour le congédier poliment.

À peine Coste fut-il sorti du bureau qu'il aperçut Jevric au fond du couloir. De sa démarche pendulaire, elle dirigeait sa lourde carcasse vers lui avec, sur le visage, un air de reproche. Elle n'attendit même pas d'être à son niveau pour aboyer.

— Sérieux, Coste ? Sérieux ?

Déjà quelques têtes sortaient des bureaux qui longeaient son passage, amusées par la nouvelle gueulante de Jevric. Bien qu'elle soit maintenant face à son supérieur par intérim, elle poursuivit sans baisser le volume.

— Déjà hier, tu nous refiles le carpaccio au marteau et maintenant la roumiche en pleine décharge sauvage ? Tu nous a pris pour des éboueurs ou quoi ? Pourquoi tu ne l'attribues pas à ton groupe, celle-là ? C'est clairement du favoritisme !

— Je trouvais ça assez évident pour ne pas avoir à le souligner.

Elle manqua de s'étrangler devant tant de franchise et Coste la laissa en plan au milieu du couloir avec sa rage dans la gorge et une bonne dose d'énervement qu'elle saurait répercuter sur le prochain venu.

Une fois seul à son nouveau bureau, porte fermée, Coste s'assit et tira de sous une pile de dossiers un rapport qu'il avait commencé le matin et qu'il avait jugé bon de dissimuler encore un temps. Il ne manquait que sa signature au bas du document pour le rendre officiel. Il se saisit d'un stylo, le décapuchonna et apprécia que son portable sonne à cet exact moment, repoussant sa décision à plus tard. Il lut sur l'écran l'identité de l'appelant et rangea le rapport dans un tiroir.

— Salut, Léa. J'allais t'appeler. Le commissaire me demande de te féliciter pour ton bon travail.

Elle garda son téléphone entre l'épaule et l'oreille, le temps de garer le brancard qu'elle poussait dans le couloir de l'IML, de monter dessus et de s'y installer confortablement.

— Alors fais-le.

— Pardon ?

— Félicite-moi.

Coste hésita sur la suite de ses mots. Il y réfléchissait depuis quelques jours. Une introspection de quadra, conjuguée avec la réalité de son job et les mots de son père. Après quinze années les mains dans la merde, il avait réalisé qu'il n'y avait peut-être que deux choses de vraies dans sa vie. L'amitié de son équipe. Et Léa.

— Pas au téléphone. De toute façon, il faut que l'on se voie. Je voudrais m'excuser de mon attitude, si ce n'est pas trop tard.

— Attention, Victor. Je te jure que je te pète la gueule si tu joues avec moi.

— T'aurais déjà dû le faire depuis longtemps. Écoute, je me demandais…

Portes qui claquent, brouhaha d'excitation et bruit de course. Coste se leva au beau milieu de sa phrase et passa la tête dans le couloir. Un premier groupe de flics galopa en sprint vers la sortie sans lui prêter attention. Plus loin, il aperçut le commandant Rivière, archétype du rugbyman, tant dans le physique que dans la mentale, radio collée à l'oreille, donnant une série d'instructions fermes, avec derrière lui deux de ses lieutenants, l'un enfilant son pare-balles, l'autre insérant son arme à l'étui.

— Léa, je dois te laisser, il se passe quelque chose.

Il raccrocha à l'instant où elle allait céder d'un « Tu me manques » qu'elle se serait reproché toute la journée. Comme une balle perdue, l'aveu rata sa cible. Déjà ailleurs, Coste intercepta Rivière au passage.

— En une phrase ?

— Braquage de la salle des scellés du tribunal.

— Du tribunal… Tu veux dire, notre tribunal, là ? À vingt mètres d'ici ? s'exclama Coste.

— Oui. À vingt mètres de deux cents flics.

Et le commandant du GRB disparut, ses hommes à sa suite. Victor se retourna et par la fenêtre de son bureau observa le tribunal, murs de pierres rouges et grandes verrières, dans une architecture cubique un peu bancale, comme si un gosse perturbé avait joué avec une boîte de Lego.

— Fallait bien que ça arrive un jour, reconnut-il pour lui-même.

43

Au lendemain matin du braquage, Dorian, allongé sur le canapé déplié en lit, batailla avec un reflet du soleil levant qui teintait le loft d'un orange foncé automnal. Il se tourna, se retourna et avec l'aube naissante, retrouva le sommeil. Il n'avait même pas remarqué l'absence d'Alex à ses côtés. Mais il s'en aperçut très nettement lorsqu'elle lui balança, presque au visage, un des scellés dérobés, lourd comme une brique.

— Merde ! Qu'est-ce qui t'arrive ? bafouilla-t-il, mal réveillé.

Elle s'assit à côté de lui et lui tendit un morceau de papier déchiré, le visage fermé. Dorian reconnut la moitié de liste dont il avait été en charge.

— Troisième ligne, tu lis quoi ? lui demanda-t-elle comme on questionne un gamin sur son mauvais bulletin.

Dorian se redressa dans le lit et constata que Franck et Rhinocéros, attablés devant leur café au centre du loft, le regardaient déjà, mal à l'aise. Il se frotta les yeux et lut :

— 2015/58/1, pourquoi ?

Elle récupéra sur les draps le scellé qui lui avait servi de réveille-matin et le lui colla sous le nez.

— Et là, tu lis quoi ?

— 2015/53… Merde.

— Oui, merde ! 2015/53/1. Tu t'es planté de numéro.

Elle se releva, furieuse, et se laissa tomber sur le fauteuil en face du canapé-lit.

— Tu veux bien lire l'infraction qui va avec ?

Dorian, confus, s'exécuta.

— 2015/53/1 – Un ordinateur portable – Affaire contre Doucey Antoine – Détention d'images et de vidéos à caractère pédopornographique.

Il reposa le scellé sans toujours comprendre l'énervement d'Alex qui pourtant ne semblait pas en avoir terminé avec lui.

— Je sais très bien quand c'est arrivé. C'est au moment où t'as posé les yeux sur l'écrin à bijoux, tu t'es mis à papillonner et tu t'es déconcentré. Utile comme un seau percé !

— À sa décharge, c'était pas très bien écrit, tenta Rhinocéros à moitié caché derrière sa tasse de café.

— Toi, ta gueule ! le recadra Alex.

Dorian, un peu mieux réveillé, retrouva ses esprits et le chemin de son orgueil.

— Bon, maintenant tu te calmes, Alexandra ! Tu te calmes et tu nous expliques. On a pris cinq scellés pour lancer cinq pistes différentes aux flics. Que ce soit des vidéos de bébés partouzeurs ou une tête nucléaire, on s'en fout, l'important c'était de noyer le vol de la montre avec le reste. Alors ça ne change rien, non ?

Alex baissa les yeux et Dorian répéta, plus doucement.

— Alex. Ça change rien, non ?

Ils étaient maintenant réunis autour de la table, Alex au centre de l'attention de son équipe.

— Il fallait que ce soit ces scellés, exactement.

— T'es la seule à te comprendre, Alex. Sois plus claire, la pria Franck.

— La liste de Tiretto, elle n'a pas été constituée au hasard.

— On le sait. Des scellés majeurs dans des procédures importantes, histoire de paumer les bleus.

— Non, il a été très spécifique, il fallait que ce soit ceux-là et pas d'autres.

— Tu penses qu'il a une idée en tête ?

— Merde, c'est un avocat, tu crois qu'il fait les choses par générosité ? Évidemment qu'il a un truc en tête et il a toujours la possibilité de nous balancer avec un simple appel anonyme.

— Bon, attends. Répète-nous au mot près ce qu'il t'a demandé, exigea Dorian.

— On vole la montre pour Nunzio, puis les quatre autres scellés. On n'y touche pas, surtout on ne les ouvre pas et on attend qu'il nous appelle pour convenir d'un lieu où les lui remettre.

— Tu sais ce qu'il veut en faire ?

— Je n'en ai aucune idée.

— Et t'as pas demandé ?

— Non, s'exaspéra Alex. Il m'a donné la solution pour sortir Nano de là et il m'a dit que le reste, ce serait son dédommagement. J'ai pas discuté.

Rhinocéros se leva, cassant le cercle de la réunion.

— Ça pue, cette histoire. Moi je dis qu'on lui donne rien avant que Nano soit dehors et qu'on soit tous en Corse. Si ces scellés sont si importants pour lui, ce sera notre garantie de nous barrer du continent sans embrouilles. Surtout qu'on n'en a que trois de bons et qu'apparemment, il attend autre chose que des photos de gamins en bas résille.

— Faut juste espérer qu'il poursuivra le plan, maugréa Alex. Maintenant que la montre ne peut plus être expertisée, il doit faire une requête pour faire sortir Nano. C'est pas le moment de le contrarier.

Dans la poche de Franck, son portable vibra. Il consulta le message, attrapa son manteau et s'excusa auprès des autres.

— Je vais faire du *public relation*. Je vous abandonne.

— Où et voir qui ?

— Si ça t'intéresse, je peux te faire la liste de tous mes contacts, cousine. Tu veux des armes, je t'en trouve, des bagnoles, je t'en trouve, mais ça nécessite de la confiance et pour ça, il faut bien que je montre ma bobine de temps en temps. J'en ai juste pour l'après-midi. Autre chose ?

Franck quitta la planque, dévala les quatre étages, ouvrit la porte d'entrée et inspecta chaque côté de la rue avant de faire un signe à la jeune fille qui l'attendait, assise sur le capot d'une voiture. Elle s'approcha, il la saisit par le bras et la fit entrer dans l'immeuble.

— Où tu m'emmènes ? demanda-t-elle.

Les trois premiers étages de l'immeuble étaient complètement vides. Seul le quatrième avait été transformé en loft pour y accueillir l'équipe d'Alex. Avant, pour la préparation de leurs coups et après, jusqu'à ce que les choses se tassent.

Ils arrivèrent au palier du premier, poussèrent une double porte battante et découvrirent un espace, immense et silencieux. Une succession de bureaux inoccupés, de la moquette pas encore foulée et, çà et là, quelques fournitures sous emballage. Reliefs rescapés d'un projet immobilier avorté. Au fond, une pièce large, bénéficiant de la même baie vitrée que celle du loft, avec un canapé sous plastique, probablement prévu pour le futur directeur.

— Tu m'as manqué, souffla Aurélie dans son cou.

Ils s'embrassèrent tendrement, leurs mains se baladèrent, puis ils se laissèrent aller sur la moquette épaisse et leurs gestes se firent plus désordonnés. Deux minutes plus tard, ils avaient migré sur le canapé et se tripotaient comme du papier bulle.

— Je dois être rentrée à 18 heures, prévint Aurélie qui en profita pour reprendre son souffle, bretelles du soutien-gorge descendues sur les bras.

— Je te ferai un mot pour tes parents. Reviens par là, s'impatienta-t-il en l'attirant vers lui.

44

Quelques minutes avant 19 heures, le téléphone fixe de Coste sonna. Jevric avait déposé sur son bureau les scellés des vêtements portés par la jeune Rom poignardée ainsi que les constatations et photos faites à la décharge. Le tout dégageait cette odeur spécifique de poubelle, fruit pourri et viande avariée, qui flottait dans la pièce que Coste avait tenté d'aérer en ouvrant les fenêtres. Il décrocha, ravi de penser à autre chose.

— Capitaine Coste ? Fleur Saint-Croix. J'ai besoin de vous voir, vous et votre équipe.

— Maintenant ? demanda-t-il en regardant l'horloge murale.

— Vous voulez vraiment que je vous réponde ?

Au son de sa voix, il comprit rapidement que l'ambiance n'était pas à la fête. La Justice s'était fait braquer la veille et la Justice était crispée.

— Donnez-nous cinq minutes.

Johanna, Sam et Ronan choisirent des chaises un peu à l'écart du bureau. Coste s'assit sur celle qui restait, bien en face de la magistrate. Une pièce grise et noire à la décoration inexistante. Fleur Saint-Croix ne s'était même pas autorisé un tableau au mur. L'endroit rappela à Coste son propre appartement.

— C'est la merde, si vous me permettez cette introduction.

— Oui, on a cru comprendre, confirma Coste.

— Non, c'est encore plus la merde que ça ne l'était déjà hier.

— On t'écoute, dit Ronan, fronçant le nez immédiatement après l'usage du tutoiement, accordé seulement sous les draps.

Fleur Saint-Croix ne releva même pas.

— Si le GRB ne vous a pas fait de topo, permettez-moi. Le responsable des scellés et les huit membres de son service ont passé la journée entière à les vérifier et à les recenser. Il nous en manque cinq.

— Seulement ? s'étonna Sam. Tout ça pour ça ?

— Ce n'est pas le nombre qui nous inquiète aujourd'hui, mais l'absurdité de ce qu'ils contiennent. Un ordinateur portable, une montre de luxe, un CD d'écoutes téléphoniques, un GPS et un couteau de chasse. Cinq scellés, de cinq procédures séparées, diligentées par cinq services de police différents. Et pour la plupart, des objets sans grande valeur marchande. Même les infractions n'ont aucun rapport entre elles. Je ne vais quand même pas saisir cinq services pour enquêter sur le même fait ?

— C'est beaucoup trop disparate et incohérent pour qu'il n'y ait pas un lien, avança Coste.

— En fait, je ne sais pas quelle direction donner à tout ça, avoua la magistrate. J'ai l'impression que quelqu'un joue avec nous, ce sont juste les règles que je ne saisis pas.

— Vous nous demandez conseil ? apprécia Coste.

— Non, je vous demande de reprendre l'enquête, et de tout centraliser.

— Elle est aux mains du commandant Rivière du GRB. Je ne vois aucune raison de le dessaisir.

— Je n'en vois pas non plus, rassurez-vous. Laissez au GRB l'aspect technique du braquage et focalisez sur le lien dont vous parliez et qui doit obligatoirement exister entre ces cinq affaires. On n'attaque pas le tribunal de grande instance pour un GPS, tout de même !

Coste se tourna vers Ronan et l'interrogea.

— Jevric est prise sur la Rom poignardée, donc si la Crime prend cette affaire, c'est toi qui la traiteras. Tu la sens ?

— Évidemment, répondit Ronan, presque vexé.

— Alors il ne nous faudra aucune zone d'ombre, poursuivit Coste. Je veux les cinq procédures initiales et toute leur actualité avec les requêtes de la défense.

— Je m'en occupe, assura Saint-Croix. Une copie des procédures sera à votre disposition, demain matin première heure. Tout le monde est sur les dents, personne ne fera de rétention d'informations.

Coste la salua d'un hochement de tête et se leva, imité par son équipe dont un membre fut appelé à rester.

— Lieutenant Scaglia, je peux vous voir une minute ?

Johanna fit un clin d'œil à Ronan en refermant la porte derrière elle. Une fois seul avec la magistrate, celui-ci s'apprêta à s'excuser.

— C'est pour le tutoiement ?

— Arrête, tout le monde est au courant dans ton équipe. Comment va Coste ? demanda-t-elle en s'approchant de lui, s'asseyant sur un coin de table.

— Il gère la Crime de loin, de son bureau. Ça fait plus d'une semaine qu'il n'est pas sorti.

— Quand il dit que tu vas prendre l'affaire… Il aura quand même un regard dessus ? Enfin, je veux dire, il va participer aussi ?

— N'y compte pas trop, s'assombrit Ronan. Mais rassure-toi, je ferai de mon mieux.

Heurté par ce manque de confiance, il fit demi-tour, posa la main sur la poignée de la porte et marqua un peu plus sa contrariété.

— Et puis je suis pas tout seul, si ce sont mes compétences qui t'inquiètent.

Saint-Croix se mordit la langue, regrettant de s'être montrée encore une fois indélicate avec Ronan. Sorti du bureau, celui-ci se retrouva face à l'équipe, un brin moqueuse.

— Tout va bien ? demanda Sam. Tu t'es fait gronder ?

— Faudra juste que j'évite le tutoiement à l'avenir, esquiva-t-il.

45

La nuit ne porta pas ses conseils et Coste avait hésité cent fois à appeler Léa. Le matin ne clarifia rien de plus et, dans son bureau, il se retrouvait de nouveau face à ce courrier qu'il n'arrivait toujours pas à signer. Le titre, « Rapport de démission », lui laissait une impression de lâcheté et d'abandon.

Trois coups frappés, la porte s'ouvrit en même temps et Lara Jevric fit irruption. Maladroitement, Coste planqua son rapport, donnant l'impression d'un ado dissimulant trop tard une revue adulte.

— Je te dérange ? Tu caches quoi ? s'amusa-t-elle.

— T'occupe. Qu'est-ce que je peux faire pour toi ?

— Rien. Je viens te donner mes conclusions sur la gamine dans la décharge.

— Déjà ? s'étonna Coste.

— Je suis peut-être moins mauvaise que tu ne le penses.

Elle s'assit en face de lui et ouvrit la procédure sur ses genoux.

— Denitza Boti, dix-sept ans. La seule enfant scolarisée du camp. Je n'ai eu que des témoignages sous anonymat, mais en gros, elle refusait d'accompagner le groupe dans le métro pour mendier. Le chef du camp n'a pas apprécié, il lui a donné une première leçon qui l'a envoyée à l'hôpital. J'ai retrouvé le rapport médical, c'était sévère. Mais malgré tout, elle est retournée au lycée et on connaît le résultat. Il a voulu faire un exemple.

— Denitza Boti, ça me dit quelque chose, répéta Coste pour relancer sa mémoire.

— Pareil. Alors je me suis renseignée. Ils ont fait son portrait dans *Libération*. Elle voulait devenir pédiatre pour les gens du voyage et les Roms.

Lara se leva en refermant sa procédure et avant de quitter le bureau, se sentit en verve pour une de ses conclusions qui avait le don d'irriter Coste comme un eczéma.

— Eh ouais, le bateau coule, Victor, et on ne pourra pas sauver tout le monde.

Sa porte de nouveau fermée, Coste récupéra son rapport et le signa sans hésiter. Il laissait à sa hiérarchie assez de temps pour que le remplaçant de Damiani pointe son nez, après, il faudrait faire sans lui. Il regarda la feuille une dernière fois puis se dirigea vers le secrétariat pour officialiser sa décision. Empruntant le long couloir vitré, il passa devant le bureau du Groupe crime 1 et aperçut, avec un pincement au cœur, son équipe déjà affairée.

« Personne n'est irremplaçable. Le bateau coulera très bien sans moi », se dit-il.

*
* *

Comme promis la veille, ils avaient récupéré environ quatre mille pages de procédure. Attention délicate, Saint-Croix y avait ajouté une boîte de muffins au chocolat.

Face à cette somme d'informations, Ronan effaça entièrement le tableau blanc avec la ferme intention de le noircir rapidement.

— Bien, Johanna et Sam, vous prenez les comptes rendus d'enquête de chacune des procédures et vous me faites le détail.

Johanna posa son café, son muffin à moitié attaqué, s'essuya les mains sur son pull et tourna la page de la première pile, la bouche encore pleine.

— Premier scellé volé. Un ordinateur portable contenant des images et vidéos pédopornographiques.

Ronan nota en lettres majuscules les premières indications.

— Une affaire des Mineurs 93 contre Antoine Doucey. Il s'est fait démasquer par les parents d'un gamin. Ses propres voisins si j'en crois ce que je lis…

Centre pénitentiaire de Marveil.
Cellule d'isolement 13.

Le souvenir de cet après-midi accompagnait la plupart des nuits de Doucey. Celui qu'il avait passé, chez lui, avec Léo, alors que l'enfant était malade et qu'il avait proposé à ses voisins de le garder. Quand huit ans plus tôt, le couple s'était installé, provinciaux débarquant en banlieue, la femme portait un ventre déjà bien rond et Léo arriva à peine trois mois plus tard. Les années passant, de voisins, ils étaient devenus amis. Jusqu'à cet après-midi où, Léo à sa merci et le dernier *Harry Potter* comme complice, il en avait profité pour être un peu plus proche, plus tactile. Le soir même, la maman prépara son fils pour le bain. D'abord le pull, ensuite le tee-shirt, puis le pantalon mais, à son grand effroi, plus de culotte. Elle resta paralysée par l'évidence et huit années de confiance stupide lui sautèrent au visage. Après une nuit blanche, elle composa le 17 Police au matin. En perquisition chez Doucey, les flics retrouvèrent le sous-vêtement entre deux coussins du canapé et, sur le bureau, un ordinateur portable bourré d'images et de vidéos téléchargées à en brûler les yeux.

— On ne se méfie jamais assez de ses voisins, ajouta Sam en ouvrant la deuxième procédure. Deuxième scellé volé, enchaîna-t-il. Un GPS. Une affaire de la Brigade financière contre Boyan Mladic. Incendie criminel.

— Quel est le rapport entre un GPS et un incendie criminel ? s'étonna Ronan.

— Attends une minute, je regarde.

Marveil – Cellule d'isolement 20.

Plus que quelques jours à patienter. Boyan n'aimait pas trop l'idée que son avenir soit entre les mains d'un avocat, mais il savait trop de choses sur Darcy pour être laissé dans ce trou. Son employeur avait tout intérêt à ne pas l'y laisser réfléchir longtemps. On prend de mauvaises décisions lorsqu'on se sent abandonné, même si, Boyan le reconnaissait, il avait un peu déconné sur son dernier contrat. Il s'était présenté au domicile d'un patron de brasserie pour lui expliquer combien sa surface intéressait monsieur Darcy et le groupe immobilier qu'il représentait. En vain.

Alors il avait tout simplement cramé ladite brasserie à grands coups d'essence. Malheureusement pour lui, les flammes prirent un peu trop d'importance et leur lueur permit au seul témoin sur place de relever sa plaque d'immatriculation. Interpellé, le Serbe avait nié les faits, mais vu son statut d'étranger, son passé de légionnaire et celui de garde du corps, le juge préféra le laisser en détention provisoire, le temps d'analyser le GPS de sa voiture et de découvrir s'il s'était bien rendu au magasin avant qu'il soit réduit en cendres. Oui, Boyan le reconnaissait, il était devenu moins vigilant, moins précautionneux. Mais plus que quelques jours, se rassurait-il, renforçant ses poings à grands coups contre le mur de sa cellule, des heures durant, jusqu'au sang.

— Si c'est lui qui a fait le coup, il doit être bien content que le GPS ait été volé, en déduisit Sam à voix haute alors que Johanna récupérait la procédure suivante.

— Troisième scellé, annonça-t-elle. Une montre de luxe Van Cleef and Arpels. Une affaire du GRB, groupe Rivière contre Nunzio Mosconi. Un braquage de bijouterie…

Marveil – Cellule d'isolement 2.

Nano se réveillait souvent en pleine nuit. Ou en plein jour pour ce qu'il en savait, sans fenêtre, ni preuve du temps qui passe. Et toujours cette même particularité, quel que soit le rêve : des montres partout. Au poignet, par terre, en l'air, accrochées à des arbres ou cachées sous des oreillers, rondes, carrées, molles, des montres, encore des montres. Juste après le braquage, il avait suivi des amis à une soirée lors de laquelle il avait découvert pour la première fois la cocaïne. Jolie rencontre, grosse claque, mauvais effet. Littéralement déchenillé, il avait tenté de démarrer sa voiture qu'il n'avait réussi qu'à encastrer dans celle de devant. Contrôle de police, évidemment, et tentative de fuite à pied, évidemment. Il se rappela s'être mélangé les jambes et avoir chuté la tête la première dans une poubelle, ridicule. Ce n'est qu'au commissariat que les flics réalisèrent que sa montre valait deux ans de leur salaire, mais surtout, que son numéro de série la raccrochait à un braquage de bijouterie. Les fichiers de police enregistrent tout.

Cette fois-ci, Nano avait rêvé d'un chien portant un collier-montre et urinant sur son billet d'avion Paris-Ajaccio. Il se retourna sur sa couche en béton et tout doucement se tapa en rythme régulier la tête contre le mur pour s'endormir.

— Comme quoi, on peut mettre en place un beau casse, le réussir et rester con à bouffer du foin, s'amusa Ronan.

— Quatrième scellé, poursuivit Sam, et celui-ci vient de chez nous. Un couteau de chasse. Une affaire d'homicide contre Gabriel Rezelny, suivie par le Groupe crime 2 de notre très chère Lara Jevric.

Marveil – District 3 – Cour de promenade.

Gabriel Rezelny, dit Scalpel, se tenait dans un coin de la Jungle, dos au mur, observant ses camarades de misère. Il partageait tout avec eux, bouffe et ennui, violence et solitude. Tout, à l'exception peut-être de son innocence. Ouvrier dans le bâtiment, à la tête de sa propre entreprise, il avait accepté un chantier de deux semaines, ainsi qu'une belle ristourne à cette jeune femme, fraîchement séparée, avec qui le courant était très vite passé, à la limite de l'électrocution. Qu'il ait ensuite, avec elle, trompé son épouse, il ne l'avait jamais nié. Qu'il ait effacé les messages de sa cliente folle amoureuse lorsqu'elle l'avait menacé de tout révéler, non plus. Mais le viol dont elle avait été victime, chaussette dans la bouche pour l'empêcher de crier, suivi de l'égorgement au couteau, il s'en était toujours défendu.

Il n'avait jamais reçu une seule visite de sa femme, persuadée comme les autres qu'en plus d'être un mari volage, il était aussi un violeur et un assassin. Dès lors, il avait capitulé face à son destin dont il s'était fait une raison, entre quatre murs. Jusqu'à cette nouvelle affaire, à quelques départements de la sienne, avec un mode opératoire familier. Une victime violée sous la menace d'un couteau, réduite au silence par une simple chaussette dans la bouche. Victime, mais combative, puisqu'elle réussit à faire fuir son agresseur, puis à le décrire à la gendarmerie. Un traîne-savate interpellé, mi-clochard, mi-vagabond, et sur lui, un couteau de chasse cranté. À la demande de son avocat, le couteau avait été transféré au tribunal de Bobigny pour une comparaison avec les blessures relevées sur la gorge de la cliente de Gabriel Rezelny, et dans le cas d'un résultat positif, envisager sa sortie de prison.

Scalpel n'arrivait pas à se réjouir qu'il ait fallu une seconde victime pour réexaminer son cas, mais l'espoir de sortir lui bouffait le ventre et le poussait à devenir un détenu modèle, à quelques jours maintenant d'une éventuelle décision de justice en sa faveur. Une seule fois, il avait failli à son code, lorsqu'il avait tenté de prendre sous son aile le jeune Nano. Peine perdue, ce dernier avait vrillé et se trouvait depuis trop longtemps en isolement. Scalpel s'était alors juré de ne plus se laisser attendrir et c'est pour cette raison même que, lorsqu'il vit, au milieu de la Jungle, ce nouveau prisonnier, regard vissé droit devant, mâchoires serrées, se diriger vers Machine assis en pleine partie de poker, il préféra se décoller de son mur pour s'éloigner des futures éclaboussures. Arrivé au niveau du Black, le nouveau renifla un grand coup, se racla la gorge et cracha un filet jaunâtre dégueulasse en plein sur la double paire valets/dames de Machine. Ce dernier leva les yeux vers lui, calmement, et jeta ses cartes au sol.

— Plus on avance et plus je suis perdu, avoua Ronan. Je ne vois toujours aucune connexion entre toutes ces infractions. Un pédophile, un incendiaire, un braqueur et un assassin. Si on les fait rentrer dans un bar, on a le début d'une mauvaise histoire drôle. Allez, courage, le cinquième.

— Et le dernier et cinquième scellé, conclut Johanna. Un CD d'écoutes téléphoniques. Une affaire contre…

Elle bloqua sa lecture sur le service en charge et le nom de l'accusé.

— Affaire contre qui ? s'impatienta Sam.

Le nouveau prisonnier venait de défier Machine d'un bon gros crachat, interrompant la partie de poker et une main pourtant pleine de promesses. Mais Machine avait déjà oublié ses cartes et se trouvait debout, d'abord surpris par l'attitude de son codétenu, puis très impatient de lui mettre une raclée devant tout le monde.

— Oh, la Biche, y a quelque chose qui s'est éteint dans ton cerveau ou tu cherches mon attention ?

Yassine Chelli ne répondit pas, fit demi-tour et se dirigea vers le Préau. Le reste des joueurs, désormais intéressés, déposèrent leurs cartes devant eux. Les badauds s'écartèrent au passage de Yassine avec un murmure inquiet qui ne donnait pas cher de sa peau. Sa silhouette devint imprécise sous l'ombre du Préau, à l'abri des jumelles du surveillant, juché sur son mirador. Il bomba le torse, fixa Machine avec un air de défi, s'attrapa le sexe à pleine main et lança à forte et intelligible voix :

— Hey gorille ! Viens par ici, j'ai une banane pour toi.

Comme les chiens avant d'attaquer, Machine commença à tiquer du nez et des commissures des lèvres, se préparant tout bonnement à détruire Yassine. Il serrerait ses mains autour de son cou et il taperait sa tête contre le sol jusqu'à ce qu'il ne reste que de la bouillie entre ses doigts. Dans un démarrage au ralenti, ses premiers pas furent lourds, puis le rythme s'accéléra et il arriva en pleine vitesse sous le Préau. Il tendit le bras pour attraper sa proie quand quatre détenus apparurent derrière Yassine qui, stoïque, n'avait pas bougé d'un millimètre. Réalisant le piège, Machine freina mais trop tard, et les coups commencèrent à pleuvoir. Mâchoires, côtes, pommettes, estomac, foie. Sous la violence, il se recroquevilla à terre, monta ses genoux contre son ventre et enfonça sa tête entre ses bras. Visiblement, Machine avait déjà été rossé par le passé et savait comment se protéger. Malheureusement pour lui, il sentit que l'on tirait ses bras et jambes dans leur longueur et malgré sa force, il ne put résister à l'écartèlement qui laissa sans plus aucune défense son entrejambe. Yassine s'approcha de lui, toute humanité envolée.

— T'aimes bien quand je te caresse en cellule, c'est ça ?

Il prit de l'élan et envoya un premier coup de tibia en plein milieu, écrasant de manière irréversible un testicule. Machine hurla comme un porc et immédiatement ses yeux partirent en arrière. Yassine frappa plus fort et cette fois, le corps caverneux du sexe s'écrasa sous le choc. Il répéta les coups, encore et encore et à chacun d'eux, la même question, hurlée comme s'il revivait l'instant :

— Et là ? Tu les aimes mes caresses, enculé ?

Au troisième coup, sous la douleur intense, Machine avait déjà perdu connaissance et ne sentit rien de la suite. Même quand ses bras et jambes furent lâchés et que Yassine continua à coups de poing répétés, interminables, ne laissant qu'un appareil génital désormais inutilisable.

Si Machine avait des amis dans cette prison, Yassine en avait encore plus, et personne ne vint défendre le Black. Deux gamins le tirèrent par les jambes, le laissèrent à vue du mirador et le micro cracha :

276

— À la porte !

Les deux gamins se saisirent à nouveau du corps et à quelques mètres d'eux, Yassine, essoufflé, s'alluma une cigarette.

— Affaire contre qui ? s'impatienta Sam.

— Affaire du Groupe crime 1, reprit Johanna. Contre Yassine Chelli. Kidnapping, séquestration et complicité de meurtre.

La pointe posée sur le tableau blanc ne bougea pas.

— Merde, souffla Ronan. Mais qu'est-ce qu'il fout là, lui ?

Il capuchonna le feutre et se tourna vers Sam.

— Tu veux bien aller chercher Coste, s'il te plaît ?

46

Tout en le rangeant dans le parapheur, la secrétaire du commissaire divisionnaire lut le rapport qui venait d'être déposé sur son bureau. Une démission était assez rare pour qu'elle la lise une seconde fois, histoire d'être sûre de la mauvaise nouvelle qu'elle allait apporter à Stévenin. Elle l'intercala avec le reste du courrier à viser et sortit de son bureau avec la nette impression qu'on allait, une fois de plus, tirer sur le messager. Au fond du couloir, elle vit le brigadier Sam Dorfrey en discussion avec Coste. Une discussion visiblement contrariante.

— Mais putain de putain, c'est pas vrai ! Il vient foutre quoi dans ce bordel ? s'énerva le capitaine.

Intriguée, elle continua de les épier.

— On n'en sait pas plus pour l'instant. Peut-être rien. Ronan s'est juste dit que tu voudrais peut-être…

— Attends-moi là, le coupa Coste.

Il fit volte-face, d'un pas décidé rejoignit la secrétaire et tendit la main dans sa direction.

— Mon rapport s'il te plaît ?

— Mais bien sûr.

Elle ouvrit le parapheur et tira sur la feuille qu'elle avait placée en premier.

— Tu gardes ça pour toi, pour l'instant.

— Mais bien sûr, répéta-t-elle.

— T'es un cœur.

Puis il se tourna vers Sam, toute lassitude envolée, un orage électrique dans la tête, motivé comme au premier jour.

— Bon, on y va oui ou merde ?

*
* *

Pièce de théâtre aux rôles inversés, Ronan, en chef de groupe, résuma les faits à Coste, avec au début un certain malaise. L'ordinateur du pédophile. Le GPS de l'incendiaire. La montre de luxe du braqueur. Le couteau de l'assassin et le CD d'écoutes téléphoniques du kidnappeur. Au fur et à mesure de son exposé et face à l'attention studieuse de Coste, il retrouva de son assurance, puis vint le moment du brainstorming. Les hypothèses fusèrent. Des traits sur le tableau liant les uns aux autres, des points d'interrogation, pas mal de conjectures farfelues, des idées plus ou moins sensées, des présomptions fragiles, pour arriver au bout de quelques heures à un silence de messe, chacun le nez dans une procédure, sans la queue du début d'une idée.

— Alors ? demanda Johanna avec espoir.

Coste leva les yeux et réalisa que la question lui était destinée.

— Alors quoi ? répéta-t-il. Vous n'y êtes pas arrivés à trois cerveaux, je ne vais pas faire de miracle.

Bien que ce sentiment fût déplacé, Ronan se sentit rassuré de constater que Coste n'était pas un flic de cinéma, avec la solution toujours dans la poche, identifiant le coupable avant les autres. Il séchait, comme tout le monde. Sur son ancien bureau, le téléphone sonna et par habitude il décrocha.

— Coste.

— Vous faites quoi à ce poste ? l'accueillit Saint-Croix.

— Je m'intéresse à votre affaire.

— J'en suis ravie. Vous avez trouvé le lien ?

— Pas pour l'instant.

— Eh bien moi je me le suis pris en pleine gueule. Ce braquage a des répercussions que personne n'aurait pu imaginer, c'est juste l'enfer qui se profile. La Justice va se ridiculiser.

— On arrive.

— Non, j'ai déjà mon manteau sur le dos et des documents plein les bras, je suis chez vous dans vingt mètres.

*
* *

Depuis le matin, Fleur Saint-Croix avait été inondée de coups de téléphone et au greffe des juges d'instruction, c'était littéralement la tempête. Les raisons du braquage commençaient à se préciser et cet éclairage providentiel avait été offert par trois avocats. Face à Coste et à l'équipe, la magistrate ne perdit pas une seconde, à peine son manteau posé sur le canapé rouge. Elle observa le tableau blanc déjà bien chargé.

— Je vois que ça patauge, dit-elle en tendant le feutre à Ronan. Si vous me permettez, j'ai quelques nouvelles informations.

Elle ouvrit son classeur sur le bureau le plus proche et en sortit la première feuille.

— Cinq scellés ont été volés. Un scellé c'est une preuve, un élément à charge ou à décharge qui permet de connaître la vérité et le cas échéant d'incarcérer un coupable. Désolée pour le côté professoral mais cela explique beaucoup de choses. Ça explique, par exemple, pourquoi les avocats des prévenus ont soudainement trouvé de l'intérêt à ces scellés et pourquoi les greffes se sont retrouvés sous une pluie de demandes d'actes complémentaires et de contre-expertises.

— Et concrètement, ça ressemble à quoi ? demanda Sam.

— À une journée nuageuse, chargée de mauvaises nouvelles. D'abord l'avocat de Boyan Mladic. Il avait fait une demande d'analyse du journal de bord du GPS de la voiture dans laquelle on aurait vu son client juste après l'incendie criminel. Sans le GPS, nous ignorons si Mladic était bien sur place.

— Et le témoin qui a noté sa plaque sur les lieux ?

— Il s'est rétracté il y a une semaine. Il n'est plus très sûr d'avoir bien vu l'immatriculation, ou il a reçu une visite convaincante, on ne saura jamais. Toujours est-il qu'on avait placé Mladic en détention provisoire, puisque sa double nationalité franco-serbe lui permettait de nous échapper, mais maintenant, on a les poches vides et sa demande de libération ne va pas tarder. Celui-ci vous pouvez le rayer.

D'un coup de feutre, Ronan obtempéra.

— Venant du même avocat, mais datant d'il y a une quinzaine de jours, une demande d'expertise du scellé de la montre Van Cleef and Arpels issue d'un braquage. Apparemment l'identification a été faite par le joaillier lui-même qui a reconnu son bien. Malheureusement, une identification n'est pas une expertise. L'opération devait être faite chez Van Cleef and Arpels, les créateurs du bijou. Mais sans la montre, pas d'expertise, donc le doute s'installe et profite au prévenu. Nunzio Mosconi, vous pouvez le rayer aussi, il ne va pas tarder à sortir. Je continue, mais j'imagine que vous commencez à comprendre ?

— Doucement, confirma Coste, inquiet. Des scellés disparaissent alors les avocats se réveillent. Ils vérifient, ils sautent sur l'occasion, au cas où cela jouerait en faveur de leur client. Et pour l'instant, ça marche plutôt bien. La suite est aussi catastrophique ?

— On reste dans le même registre. Avant midi, c'est l'avocat d'Antoine Doucey qui apporte au dossier la facture d'achat d'occasion de l'ordinateur. Maintenant qu'il est sûr qu'on ne peut plus vérifier, il assure que les photos et vidéos pédophiles s'y trouvaient déjà. Il aurait voulu, dit-il, que les dates de téléchargement soient contrôlées mais, pas d'ordinateur, pas d'analyse et le doute revient. Avec la facture, il a déposé une demande de mise en liberté pour son client. Doucey va bientôt pouvoir siroter un soda, dans un parc public, au milieu d'enfants.

— On a quand même retrouvé le slip du petit voisin dans son canapé, pesta Johanna, encore moins tolérante que les autres sur le sujet.

— Oui, mais le mineur n'a jamais témoigné contre lui, parce que, je cite, « c'est mon voisin et mon meilleur ami ». Petit cerveau manipulable.

— C'est discret comme un orchestre, cette histoire, s'emporta Sam. Les baveux cherchent n'importe quelle faille pour sortir leurs clients.

— On leur offre une chance, précisa Coste, désabusé. Et l'image de celui qui ne saura pas la saisir en prendra un coup. C'est même un concours de notoriété, et pour l'instant, c'est un sans-faute.

— Et ça continue, reprit Saint-Croix. À 13 heures, c'est l'avocat de Gabriel Rezelny qui s'est manifesté. Le mode opératoire d'un vagabond qui a violé une jeune femme dans la Somme ressemble exactement à celui dont on accuse Rezelny. Par-dessus tout, le couteau qui a été trouvé sur lui correspond en tout point aux blessures de l'affaire Rezelny. Pour plus de facilité, le scellé a été transféré il y a un mois au tribunal de Bobigny pour comparaison. Cette histoire est probablement la plus gênante de toutes. La disparition de l'arme nous ôte toute possibilité de disculper Rezelny du crime qui lui est reproché, et nous avons donc un possible innocent en prison. Mais surtout, l'autre pervers, dans sa Somme, ne sera accusé que d'un viol. Une peine moyenne pour un violeur c'est sept ans, alors que pour un meurtrier sériel c'est trente. Vous imaginez ? Tout cela parce que nous sommes incapables de protéger nos scellés ?

La stupeur de Johanna l'empêcha de rester silencieuse.

— Les gars, je veux bien détester les avocats pénalistes autant que vous, mais de là à penser qu'ils pourraient profiter du braquage pour transformer un assassin en vulgaire violeur, juste pour leur réputation, je crois qu'on les diabolise un peu.

Son innocence amusa Coste.

— Ils le font parce que la loi le leur permet. C'est une phrase qui me révolte quand ils la prononcent. Si un avocat découvre une preuve qui accuse son client, il n'a aucune obligation de la fournir aux policiers. Pour toute autre personne, ce serait de la complicité, mais pour eux, c'est le fameux droit à la défense. Résultat, ils font régulièrement libérer leurs clients tout en sachant qu'ils ont commis un crime. Parce que la loi le leur permet. Alors si les avocats sont autorisés à ne pas dire toute la vérité, je me demande pourquoi on devrait les croire.

— OK, mais on parle d'un assassin en série, là, ça joue pas dans la même ligue.

— Je pourrais te donner dix exemples, alors je vais juste t'en choisir un de cette année. Une femme est condamnée à trente ans pour l'empoisonnement de ses quatre époux successifs. Son avocat fait appel et comme cet appel prend du retard, plus d'un an pour être exact, il dégaine l'article qui stipule qu'un prévenu doit être jugé dans un délai raisonnable et réussit à faire sortir sa veuve noire. Quand un journaliste lui a demandé s'il comprenait l'émotion que pouvait susciter la remise en liberté d'une meurtrière en série, surtout pour les familles des victimes, il s'est contenté de répondre avec aplomb que la loi le lui permettait. Tu vois le niveau de morale ?

— Je me suis toujours demandé si les avocats avaient des mamans. Ça me paraît étrange, ironisa Sam.

— Ou alors, elles n'ont pas dû beaucoup les aimer, rétorqua Johanna, consternée.

Coste vit Saint-Croix hésiter sur le dernier dossier avant de se lancer et de l'ouvrir.

— Désolé, capitaine, de ne pas avoir percuté plus tôt. Yassine Chelli était à vous, je crois.

— Un temps. Après je l'ai confié à Marveil.

— Vu ce qu'on lui a mis sur le dos, je serais franchement étonné qu'il sorte, se vanta Ronan.

Lorsqu'à ces mots Saint-Croix baissa imperceptiblement les yeux, Coste comprit que Yassine aussi profiterait du prix de groupe. La magistrate changea de ton, moins directive, avec un soupçon de culpabilité.

— Son avocat a de l'audace, c'est le moins qu'on puisse dire. Vous avez utilisé un logiciel de reconnaissance vocale pour identifier Chelli, le même que celui utilisé dans l'affaire Cahuzac. Sauf que l'homme politique est toujours dehors et que votre logiciel est fiable à quatre-vingt-quinze pour cent. L'avocat tente une sorte de jurisprudence Cahuzac et sollicite une expertise vocale. Sans le CD des écoutes téléphoniques, ça va être compliqué. Vous n'auriez pas fait une copie par hasard ?

— C'est illégal et vous le savez.

— Je tentais le coup. Pour une fois, j'aurais apprécié que vous preniez quelques libertés avec le code pénal.

— Et les téléphones retrouvés chez lui qui ont servi à l'organisation du coup ? tenta Sam.

— Je vous l'accorde, on les a retrouvés à son domicile, mais il a pu les acheter à n'importe qui, n'importe quand, avant, après. Ça n'en fait pas un criminel.

— Et ses deux complices ?

— Votre enquête a prouvé que Lorenzo Weinstein avait des résidus de poudre sur ses vêtements et sur les mains. Lui, il reste à l'ombre. Par contre, même si Sofiane Badaoui a été vu faisant des allers-retours pendant plus de cinq heures sur les vidéos du centre commercial, il pourra toujours dire qu'il attendait sa copine. Coup de chance, il s'est battu contre un surveillant à Fleury-Mérogis et lui a cassé le bras, alors pour l'instant, il restera au chaud.

L'exposé prenait fin et le tableau blanc, surchargé, aurait été incompréhensible pour tout nouvel arrivant. Saint-Croix pensa pouvoir conclure :

— Le braquage du tribunal libère quatre criminels. Il est là, le lien.

— Je ne pense pas, se permit Coste, et désolé pour l'apparente bêtise de ma phrase, mais il n'y a pas de lien parce qu'il n'y a pas de lien. Il est plutôt là, le lien.

— J'ai l'air débile si je te dis que je te suis pas ? avoua Ronan.

— Une même équipe n'a pas quatre objectifs différents, reprit Coste. Ceux qui ont monté le braquage nous enfument. Depuis le début, ils ne veulent faire sortir qu'une seule personne, les autres sont des chanceux qui leur servent de leurre pour nous envoyer dans tous les sens. La vraie question c'est de savoir qui était la cible initiale ? Doucey, Mosconi, Mladic ou Chelli ?

— Et celui au couteau de chasse, Rezelny ?

— Rezelny, il n'est pas pour nous, il est pour l'opinion publique. C'est la pierre angulaire, le levier de toute l'histoire. La Justice aurait pu faire sa tête de mule et garder nos quatre clients au trou, mais elle aura assez à faire avec cette histoire Rezelny qui laisse peut-être un innocent en prison. Ils ne vont pas risquer une accumulation d'erreurs judiciaires.

— La seule manière de retrouver les scellés, c'est de retrouver les braqueurs, ajouta Saint-Croix. Mais avec quatre objectifs différents, comme vous dites, si le GRB ne découvre aucun ADN ou indice sur les lieux, on est marrons.

— Ça ressemble à un coup parfait, se désola Johanna.

— Parce que c'est un coup parfait, confirma Coste. Profitez-en, c'est assez rare de se faire aussi bien baiser.

À peine avait-il terminé sa phrase que la secrétaire du SDPJ 93 passait le nez dans l'embrasure de la porte avec l'air doublement désolé d'interrompre une réunion et d'apporter une mauvaise nouvelle.

— J'ai un journaliste qui veut te parler, Victor.

— Dis-lui que c'est pas réciproque.

— C'est Farel, ajouta-t-elle, consciente que l'information pouvait changer la donne.

Coste se ravisa dans la seconde et la secrétaire disparut.

— J'espère que vous ne comptez pas lui faire état de cette affaire ? protesta Saint-Croix.

— Ce n'est pas juste un journaliste. Marc Farel est un chroniqueur judiciaire en qui j'ai confiance[1], et s'il nous appelle c'est certainement plus une faveur qu'autre chose.

Coste décrocha à la première sonnerie et après les salutations d'usage, Farel aborda le sujet qui faisait danser toute sa rédaction.

---

1. Marc Farel apparaît dans *Code 93*.

— Paraît que c'est journée portes ouvertes à Marveil, capitaine ?

— Quelque chose comme ça. On régule le manque de place en prison comme on peut. C'est des infos que vous voulez ?

— Ah non, niveau infos, j'ai ce qu'il me faut. Je vous appelais juste pour vous dire que ça sortait demain.

— Vous pouvez retarder ?

— Impossible. Tout le monde est au courant.

— Évidemment. Et qui vous a balancé le scoop ?

La conversation se poursuivit sans que Coste la passe sur haut-parleur. Quand elle fut terminée, il raccrocha le combiné et répondit à la question que personne ne lui posa :

— Demain dans tous les kiosques. Les avocats ont informé les médias sans attendre, histoire de donner du poids à leur action. Avec tout le foin que la droite fait sur l'organisation de la justice, ils veulent avoir le soutien de l'opinion publique.

— Et nous ? glissa Ronan.

— Et nous, on n'a rien.

Coste regarda le soleil par la fenêtre, sérieusement blasé.

— C'est un bien beau temps pour une journée de merde.

47

Scalpel n'emporterait rien. Aucun souvenir ne devait lui rappeler ce taudis. Il laisserait derrière lui trois années de patientes économies : des produits hygiéniques, des conserves, un peu d'argent et une minuscule boulette de cannabis qu'il gardait pour les nuits difficiles. Même son téléviseur, il le laisserait à Cuistot, son codétenu, celui qui lui avait permis de comprendre les codes de Marveil et celui qui l'avait protégé. Le surveillant tapa deux coups à la porte.

— Rezelny, parloir exceptionnel.

Scalpel baissa la tête et se mordit les joues pour ne pas sourire. Il n'en fallut pas plus pour énerver son ami.

— Je t'interdis de faire ça, putain ! Saute, crie, remercie le ciel. Tu fais quoi ? Tu me protèges de ton bonheur ? Merde, à moi aussi ça fait du bien, je croyais que ça existait plus.

Le vieux Turc s'approcha de lui et le prit dans ses bras.

— J'ai même l'impression que tu sens bon, enfoiré.

— Ça doit être un avant-goût de dehors.

*
* *

Lorsqu'il s'approcha des cabines transparentes des parloirs, vides à l'exception d'une seule, il reconnut, de dos, la silhouette voûtée de son avocat. Ils avaient ensemble traversé les orages et connu des heures sombres, mais aujourd'hui était un autre jour et pas n'importe lequel. Aujourd'hui était son dernier jour en tant qu'assassin. Il fit le tour de la cabine et aperçut enfin le visage de son conseil. Fermé. Les yeux baissés, évitant le contact. Le cœur de Scalpel se souleva et un trou noir se forma dans son ventre, aspirant la lumière, l'espoir et l'infini des possibles auquel il croyait encore une fraction de seconde plus tôt. La porte en Plexiglas se referma sur eux alors qu'il s'asseyait en face de l'avocat.

— Regarde-moi au moins, siffla Scalpel entre ses dents.

L'homme ne bougea pas. Scalpel frappa du plat de la main sur la table et le fit sursauter.

— Regarde-moi, putain !

Le surveillant posa les doigts sur la poignée de sa matraque et se rapprocha d'un pas.

— Le scellé du couteau a disparu il n'y aura pas de comparaison je suis désolé vraiment désolé je ne sais pas ce qui s'est passé Gabriel, balança l'avocat d'un trait, comme si le dard de ses mots le piquait en passant par ses lèvres.

— C'est impossible, refusa Scalpel. Ça ne peut pas arriver. Pas maintenant.

Et comme il put, l'avocat expliqua à Scalpel les cahots d'une histoire dont il était le dommage collatéral.

— Tu dois dire ça à ma femme. Tu comprends ? Il faut qu'elle sache. C'est le plus important.

Et comme il put, l'avocat expliqua à Scalpel que Lola Rezelny ne prenait plus ses appels depuis six mois. Depuis qu'elle avait emménagé ailleurs, avec quelqu'un d'autre, loin du 93 qu'elle n'estimait pas assez sûr pour l'enfant qu'elle attendait.

Scalpel avait écouté, calmement, les mains posées sur la table, immobile, au-delà de la fureur et des larmes.

*
* *

Cuistot ne le savait que trop bien. L'espoir est la pire chose qui peut arriver en prison. Son codétenu était revenu de son parloir et s'était assis sans dire un mot. Un silence brûlant que le Turc comprit aussitôt. Scalpel n'était pas naturellement violent, encore moins envers lui, mais tout le monde a son point de rupture et Cuistot avait estimé que les questions pourraient attendre.

La nuit tomba et Gabriel n'avait toujours pas décroché son regard du sol, comme s'il voyait l'enfer à travers, quelques milliers de kilomètres plus bas. Quand il fut assez tard pour que le poste de télévision rediffuse les émissions de la journée, il s'allongea sur son lit, les yeux au plafond, et Cuistot se redressa sur sa couche pour le surveiller. Il resterait là, sur le qui-vive, autant de temps qu'il le faudrait. Il recommencerait, jour après jour s'il le fallait, puis la blessure se refermerait, pas complètement bien sûr, mais assez pour simplement respirer. Il serait là et…

Ses yeux s'ouvrirent en grand dans un soubresaut d'alerte. Combien de temps avait-il dormi ? La télé était passée en veille automatique et la cellule était plongée dans l'obscurité. Il chercha la télécommande et la trouva dans les plis de ses draps. Même les yeux fermés, il connaissait l'emplacement de chacun des boutons et il ralluma le poste. L'écran diffusait une publicité montrant une famille à vélo qui roulait sur les feuilles mortes d'un nouveau parc hôtelier à dix minutes de Paris, construit de toutes pièces pour les urbains en manque de chlorophylle. L'annonce montrait maintenant la même famille dans la piscine à vagues du parc et les flots artificiels jetèrent leur lumière bleutée sur Scalpel, pendu avec son drap accroché à un barreau de la fenêtre.

Le nœud coulant s'ajoutait au poids du corps et Cuistot n'eut pas la force nécessaire pour le détacher. Il frappa sur la porte à s'en casser les poignets, hurla qu'on vienne l'aider et réveilla ainsi le district 3 de Marveil.

Demarco arriva le premier dans la cellule, alerté par les cris. D'un coup de couteau, il coupa le drap et le corps de Gabriel s'effondra. Le surveillant posa deux doigts sur la jugulaire, regarda le vieux Cuistot et s'assit par terre à son tour, inutile.

Pendant les minutes qui suivirent, l'information passa de cellule en cellule. Scalpel n'avait jamais arnaqué personne, ni volé, ni baissé les yeux. Il faisait partie de ces rares prisonniers que tout le monde respecte.

Demarco sortit en même temps que le brancard et la cellule redevint silencieuse, comme si Scalpel avait simplement décidé de déménager. Seul le drap, torsadé telle une mèche, serpentait au sol comme preuve qu'il n'avait pas fait un simple cauchemar.

Cuistot attrapa sa timbale en fer et tapa un coup contre l'un des barreaux de sa fenêtre. Un autre. Et un autre. Puis toutes les secondes, un autre. Les deux détenus de la cellule voisine prirent le rythme et les coups résonnèrent plus fort. Le message, contagieux, se répercuta dans toutes les cellules du district et la prison entière vibra au rythme des coups donnés, comme si un géant frappait Marveil avec une barre métallique de dix tonnes. Une prière de taulards pour un innocent.

Scalpel aurait été ému par cette scène. Non parce qu'un millier de délinquants lui aurait témoigné de l'estime, mais parce qu'elle lui aurait rappelé un souvenir heureux. Il aurait alors raconté à son ami le jour où, au Viêt-Nam, sous cet arbre exactement, il avait demandé à Lola d'être sa femme. Cet arbre où les lucioles trouvaient leur abri. À la nuit tombée, l'une d'elles émettait une première lumière en intermittence. Une simple lueur d'un vert boréal. Une autre, voisine, l'accompagnait alors, puis une autre. Et l'intensité augmentait. D'abord de façon anarchique, l'arbre s'éclairait en divers endroits, puis les petits culs scintillants des lucioles s'accordaient comme autant d'instruments et l'arbre irradiait enfin, passant d'une lumière verte intense au noir profond, avec la régularité d'un cœur battant au ralenti.

Ce soir-là, à Marveil, les prisonniers jouèrent les lucioles une heure durant, en souvenir d'un homme qui, même ici, avait su rester bon.

Ce soir-là, à Marveil, Scalpel s'était offert la liberté qu'on lui avait refusée.

48

Dorian poussa la porte du loft, les bras chargés de café, de provisions pour la journée et, roulé en tube dans la poche arrière de son pantalon, le quotidien du jour.

Franck était allé voir une connaissance dans une casse auto afin d'y recycler la voiture utilisée pour le braquage et Rhino était allé « quelque part, qu'est-ce que ça peut vous foutre ? », sans plus de précisions. Dorian trouva Alex seule, face à l'ordinateur portable, en conversation Skype avec l'île, et avec son père plus particulièrement. Que l'on soit séduit ou non par les nouvelles formes de communication, Skype permettait tout de même de parler avec la planète entière sans risque d'être écouté ou surveillé par la police. Dorian rangea les courses dans le frigo tout en volant quelques bribes de conversation. Monsieur Mosconi, impatient, se demandait combien de temps tout cela allait encore prendre et Alex tentait de le rassurer sans pourtant détenir aucune réponse. Dorian n'aimait pas l'entendre parler avec son père, sa voix était soumise, comme si elle s'excusait de chacun de ses actes. L'appel se termina et il hésita un instant avant de s'approcher d'elle. Il avait, dans la poche, de quoi pourrir la journée. Il prépara deux sandwichs, histoire de profiter d'elle avant de la voir s'énerver.

— T'as pris le journal ?

Autant pour le moment calme. Dorian déposa sur la table le quotidien dont là une accrochait le regard comme un hameçon.

« INNOCENTS ? »

Sous ce mot, les photos de quatre hommes. Dans l'ordre, Doucey, Chelli, Mosconi et Mladic. Parmi les mines peu engageantes, Nano donnait une impression d'erreur de casting. À la suite, un article rédigé par Marc Farel dont Alex lut attentivement chaque mot. Phrase après phrase, elle comprit enfin les pantins qu'ils avaient été entre les mains de Tiretto.

— Nous n'avons pas aidé que ton frère. Chacun des scellés volés a servi à faire sortir quelqu'un.

Alex repoussa le journal devant elle, surprenant Dorian par son flegme.

— Je ne peux pas dire que je sois surprise. Je me doutais bien que Tiretto avait un autre agenda que le nôtre. De là à nous faire faire le boulot pour ses amis, il s'est bien foutu de moi.

— De nous, si ça te dérange pas trop.

— Je te conseille pas de faire ta susceptible, Dorian, vu que parmi ceux qui sortent, il y a un pédophile. Juste parce que tu ne sais pas lire un numéro de procédure.

— Tiretto saura quoi faire pour le remettre en cage. Appelle-le.

— Non. On a un rendez-vous téléphonique demain à 9 heures du matin, trois jours exactement après le coup. C'est ce qu'il a dit.

— Il nous baise et on respecte encore les règles ?

— Tant que Nano n'est pas sorti, c'est l'avocat qui a les cartes en main.

Dorian se dirigea vers le plan de travail de la cuisine américaine et récupéra les sandwichs préparés. Du fond de la pièce, il rebondit sur le reproche d'Alex, espérant minimiser son erreur.

— Tu sais, le gars fait peut-être que regarder. Un type qui s'excite sur des gosses, c'est qu'il a un problème de virilité ou un truc comme ça. C'est juste un mateur. Ça télécharge des photos de gamins à la piscine et ça se branle dans un gant mouillé.

— Mais c'est parce qu'il y a des types comme lui qu'il y a un marché. C'est parce qu'il y a des types comme lui que d'autres abusent d'enfants. Et depuis le temps qu'il est à l'ombre et qu'il n'a côtoyé que des lascars, qui te promet qu'en sortant, les photos lui suffiront ? Le passage à l'acte, c'est courant. Moi j'ai passé des années à admirer des bijoux dans les vitrines. Puis je me suis mise à les casser.

— On trouvera un moyen de réparer ça. Tu t'inquiètes pour rien.

— Si tu le dis, capitula Alex.

*
* *

Franck avait accepté de passer la soirée avec son pote ferrailleur pour un dîner avec sa famille. La ferraille, ça tache et c'est pas très guindé, mais ça

296

gagne bien et il avait été surpris du pavillon luxueux que son pote avait pu s'offrir. À moins que cela ne tienne à ses activités annexes de receleur de voitures volées.

De son côté, Rhinocéros avait réussi à convaincre sa nouvelle conquête de rester dans cette chambre d'hôtel et, pour à peine quelques billets de plus, la jeune femme avait trouvé l'idée excellente. Heureuse conséquence, Dorian et Alex avait eu le loft pour eux seuls et à un moment du dîner, au deuxième regard amoureux, le repas n'eut plus aucun intérêt et les vêtements devinrent superflus.

Étreinte passée, Dorian avait déplié le canapé-lit. Il en avait sorti le matelas intégré qu'il avait déposé au sol devant la baie vitrée donnant sur Paris et dont Alex profitait maintenant en silence. Vue de dos, nue en ombre chinoise, elle donnait l'impression de planer au-dessus des rues de la capitale. Une fois allongé, il tendit la main vers elle et elle le rejoignit. Seule une des fenêtres était entrouverte et quelques minutes plus tard, ils s'endormirent dans le ronronnement de la ville.

En plein milieu de la nuit, Alex se réveilla avec une nausée violente, courut aux toilettes et vomit. Elle se mouilla le visage puis se servit un verre d'eau fraîche avant d'allumer une des petites lumières qui éclairaient la table et de s'y asseoir. Elle se tourna vers Dorian, assoupi, puis ses yeux tombèrent sur les scellés, en pagaille devant elle. Comme un signe, celui d'Antoine Doucey se trouvait être le plus proche. Elle posa sa main sur son ventre, hésita et céda. D'un coup sec elle décacheta la cire et sortit de l'enveloppe renforcée l'ordinateur et son câble d'alimentation. À dire vrai, elle repoussait ce geste depuis la lecture de l'article du matin, parfaitement consciente qu'elle ne résisterait pas longtemps. Si par sa faute un prédateur sexuel était libéré, elle devait savoir de quoi il se nourrissait.

L'écran tressaillit puis se régla tout seul, affichant une photo de collines verdoyantes. Posée sur une des collines, l'icône du seul fichier présent. Elle double-cliqua dessus et deux nouveaux fichiers apparurent : « photos » et « vidéos ». Pas de protection, pas de mot de passe, aucune sécurité. Son propriétaire souffrait d'un visible excès de confiance ou d'un syndrome de supériorité évident. Elle ouvrit le fichier « photos », par crainte de ce que pouvait contenir l'autre. Sous ses yeux, une interminable colonne de dossiers rangés par numéros. Elle fit défiler la molette de la souris et constata qu'il y en avait plus de mille. Elle ouvrit le premier et cliqua sur la photo une. Un décor exotique, une mer bleue et un coucher de soleil aux couleurs vulgaires. Sur la plage, souriant tristement, comme si l'ordre lui en avait été donné, un gamin tout habillé, assis sur une chaise en plastique. Brun, dix ans tout au plus, la peau basanée, les traits tirés, comme exténué. Elle cliqua sur la deuxième photo. Même décor, même gosse, cette fois-ci entièrement nu et moins souriant. Elle cliqua sur la neuvième photo pour en avoir le cœur net. L'enfant était assis à côté d'un homme cagoulé, nu lui aussi. La présence de ce type en cagoule sur une plage était tout aussi choquante que sa nudité. Alex n'osa pas aller plus loin et changea de dossier. Nouveau décor. Une forêt traversée par une rivière, et sur un chemin boisé, un nouvel enfant. Un peu moins âgé, mais du même type méditerranéen que le premier. Elle se rendit immédiatement à la photo numéro 14. L'enfant était à genoux et toujours vêtu, la mâchoire à la limite de se briser tant ce que l'on y enfournait était démesuré. Le flash automatique de l'appareil photo avait réussi l'exploit artistique de faire scintiller, comme un diamant, la larme qui coulait sur sa joue. Alex se leva d'un bond et fit tomber sa chaise en arrière. Dorian se retourna dans son lit. Elle ferma le dossier « photos », but son verre d'un trait et, dans une persévérance aussi malsaine qu'incontrôlable, ouvrit le fichier « vidéos ». Une centaine d'icônes apparut, représentant chacune un court film. Elle lança le premier sans s'expliquer les raisons de son geste, peut-être simplement parce qu'elle devait le faire. Une table en Inox brillant, recouverte d'un drap blanc. Une silhouette y déposa un bébé qui lança ses bras potelés en tous sens, comme le font les nourrissons qui ne maîtrisent pas encore leurs gestes. Alex porta les mains à sa bouche. Un homme en costume, masque blanc vénitien, s'approcha et d'une main, écarta une jambe pour caresser la peau douce de l'intérieur des cuisses. Puis avec sa langue, il recouvrit abondamment son majeur de salive pour le lubrifier. Comme si elle pouvait réellement mettre un terme à la scène, Alex referma au plus vite l'ordinateur avant que le pire n'arrive, et court de nouveau aux toilettes. Mais ce geste brusque fit rebondir l'écran sur le clavier sans réellement éteindre le PC. De la salle de bains, les pleurs du nourrisson commencèrent à s'entendre. Agenouillée devant la cuvette des toilettes, Alex s'essuya la bouche et se releva précipitamment. De retour au centre du loft, elle aperçut Dorian, réveillé par le bruit, debout devant l'écran relevé, le visage éclairé par les images. Il déglutit difficilement, ferma correctement le portable et se tourna vers Alex.

— À quelle heure demain, Tiretto ?

— Neuf heures, souffla-t-elle.

— Je mets le réveil.

49

Nuit sans sommeil. Café passé. Dorian massa les épaules d'Alex et sentit sous ses doigts la nuque raide et les trapèzes durs comme le bois.

— Ne lui saute pas à la gorge, d'accord ?

Pour toute réponse elle posa sa main sur la sienne, sans se retourner. À 9 heures une minute, le portable sonna sur la table, faisant vibrer la cuillère contre la porcelaine de la tasse, et elle décrocha.

— J'imagine que vous avez lu la presse ? amorça Tiretto.

— Le jour où ta bagnole explosera t'auras une milliseconde pour te souvenir du moment où tu m'as prise pour une conne.

Dorian fronça les sourcils. Si Alex pouvait paraître en contrôle, il y avait toujours en elle un rottweiler prêt à mordre.

— Je conçois votre énervement, c'est de bonne guerre. Mais ne vous mentez pas à vous-même. Vous saviez très bien que je n'aurais pas fait tout cela sans un intérêt propre.

— J'aime connaître les enjeux dès le départ, sinon je me sens vulnérable et quand je suis vulnérable, j'ai besoin d'assurance.

— Ce qui signifie ?

— Que tant que mon frère n'est pas dehors et que toute mon équipe n'est pas en sécurité en Corse, tes scellés, je les garde. Une assurance. Tu comprends mieux ?

— Vous ne devriez pas. Ça risque de déplaire.

— À qui ? Moi, je voulais faire sortir Nano, mais toi, c'est quoi ton objectif parmi les trois autres ? Pas le 58, j'espère, parce qu'on s'est planté de numéro.

— J'ai lu ça. Bravo. Une erreur qui peut libérer un pédophile. Rassurez-vous, ça ne change rien. Vous pouvez garder les scellés si cela vous rassure, tant que vous respectez les consignes.

Alex déplia le journal de la veille et lut le nom sous une des photos.

— Je suis prête à passer l'éponge si vous me dites de quelle manière renvoyer Doucey là où est sa place.

— C'est assez simple, il vous suffit de retourner le scellé intact au tribunal. Vous ne l'avez pas ouvert j'espère ?

Tiretto traduisit le silence d'Alex comme un aveu.

— Le cachet de cire porte le sceau de la Marianne du service de police qui l'a confectionné. S'il est décacheté, le contenu n'a plus force de preuve. Vous auriez pu mettre n'importe quoi dedans, rajouter, enlever, modifier. Alors je vous repose la question. Vous ne l'avez pas ouvert j'espère ?

Nouveau silence, nouvel aveu.

— Alors vous pouvez le jeter, il ne sert plus à rien. Vous devrez vivre avec cette idée. Mais rassurez-vous, Doucey est classé parmi les passifs, si ça peut aider votre morale. Par contre, pour votre sécurité comme la mienne, n'ouvrez pas les autres, mettez-les en lieu sûr où vous voulez mais ne les égarez pas.

— Vous avez l'air inquiet. C'est presque agréable à entendre.

— C'est que vous ne connaissez pas tous les acteurs.

— Justement, la grande première est pour quand ?

— Les demandes de mise en liberté sont parties ce matin au bureau de l'instruction. Ils ont cinq jours pour statuer ou pour saisir le juge des libertés, ce qui ajoute trois jours. Donc en fourchette large, entre demain et dans huit jours.

Apaisée, elle se laissa aller contre le dossier de sa chaise.

— D'autres surprises à venir ?

— Ce serait abuser de votre confiance, Alexandra.

Franck se présenta une heure plus tard, une vague aura d'alcool flottant autour de lui. Il s'écroula sur le canapé, un tambour de machine à laver dans la tête.

Dorian glissa les scellés dans un des grands sacs de toile noire et Alex tapa gentiment sur la tête de son cousin, à moitié assoupi.

— Tu nous as pris quoi ?

Il fouilla dans la poche de son manteau et en sortit un jeu de clefs, cadeau du ferrailleur.

— Une Volvo. C'est laid mais discret.

— La classe. Fallait pas, ronchonna Alex.

— J'ai aussi pris une nouvelle flotte de portables, avec de nouvelles lignes. Servez-vous, ils sont dans un sac à l'entrée. Un par personne.

Puis il remarqua Dorian, sac sur l'épaule.

— Z'allez où ?

Alex lui jeta le scellé de la montre Van Cleef sur les genoux.

— Gare du Nord. On dépose les trois autres en consigne et toi tu me fais disparaître ça. Tu la fonds, tu la manges, tu l'envoies sur une autre planète mais je ne veux plus entendre parler de cette montre. Jamais.

50

Soixante-douze heures plus tard.
Centre pénitentiaire de Marveil.
18 heures.

Boyan Mladic signa le registre de sortie sous le regard attentif du planton qui voyait s'évader légalement le dernier de ceux qu'on appelait désormais les quatre feuilles du trèfle. Des chanceux, en somme.

— Faudra jouer à la loterie, t'es en veine, lança le surveillant, pensant faire de l'esprit.

Boyan leva ses yeux gris-blanc vers lui et toute notion d'humour s'envola. Il partirait de Marveil sans avoir jamais prononcé un mot. Il attrapa son sac rempli de ses effets personnels et franchit la lourde porte en fer. Il respira à fond l'air frais, passa devant un container poubelle dont il souleva le couvercle pour y balancer son sac, sans nostalgie aucune de ce qu'il pouvait contenir. Il se dirigea vers le taxi qui l'attendait, moteur tournant, et y inséra sa lourde carcasse. Sans une indication, la voiture démarra et Mladic se retourna vers la prison qui rétrécissait au fur et à mesure qu'il s'en éloignait. Le taxi traversa Marveil puis se retrouva dans un no man's land entre ville et campagne, des terres agricoles à perte de vue avoisinant les entrepôts des zones d'activité commerciales. La voiture emprunta ensuite une route nationale qui coupait un champ de colza en deux rectangles jaunes immenses et s'arrêta à peu près nulle part. Mladic descendit, claqua la porte et le taxi redémarra. Sans transition, de sa cellule d'isolement de quatre mètres carrés, Boyan se retrouva au centre d'une mer de fleurs dorées, totalement seul. Un instant, un petit avion biplan épandeur attira son attention. Il passa au loin, lâcha un nuage brumeux d'engrais, relança les gaz et disparut.

Dix minutes plus tard, au bout de la route, apparut un point noir qui, grossissant, devint une berline, Bentley gris métallisé, dont la course s'arrêta à ses pieds. La porte s'ouvrit, il s'y engouffra et prit place à côté de l'homme qui se trouvait à l'arrière.

— Bonjour Boyan.

— Mes respects, monsieur Darcy.

Mladic parlait donc. Un français dénué d'accent, qui plus est. Darcy fit un signe à son chauffeur et, sans aucun à-coup, la Bentley vogua à travers le colza.

— Vous auriez dû m'y laisser. Vous avez pris des risques.

— Quel ami serais-je si je vous abandonnais à la première erreur ?

Mladic se tourna vers lui et hocha la tête dans un signe respectueux de remerciement. Darcy lui sourit paternellement et, par la vitre, laissa son regard partir au-delà des champs. Il avait choisi aujourd'hui exactement le même costume que celui qu'il portait sur les affiches publicitaires de sa société. Gris anthracite, chemise noire, cravate rouge et cheveux argent plaqués en arrière. Quarante milliards d'euros de chiffre d'affaires annuel et pourtant l'envie d'en avoir encore, toujours plus, jusqu'à l'étouffement.

— C'est amusant les coïncidences. Nous traversons actuellement ma dernière acquisition. Deux cents hectares de champs que je vais bétonner pour accueillir mon petit dernier. Le cent-soixantième supermarché Darcy.

Dont la moitié construits illicitement et pour lesquels il devait s'acquitter d'une amende de quatre-vingt-quatorze milliards d'euros que l'État n'osait jamais lui demander. Voilà qui posait le personnage, son maillage de réseaux et la puissance de son empire. Il devenait ainsi difficile de savoir qui, dans la Bentley, était le plus dangereux.

— Je ne sais même pas ce que je vais raser, c'est joli pourtant, poursuivit-il, pensif.

— Du colza, je crois, précisa Boyan. Votre père serait très fier de vous.

— Mon père était un petit représentant de commerce sans ambition, un vendeur de lessive. Je suis un homme d'affaires et vous devriez en être heureux. Ce n'est pas mon père qui aurait pu vous sortir de Marveil.

— Justement. Comment vous y êtes-vous pris ? Si je peux me permettre.

— J'ai fait disparaître le GPS et j'ai envoyé quelqu'un faire changer d'avis le témoin qui vous a vu sur les lieux de l'incendie.

— Vous m'avez déjà remplacé ? demanda Boyan, inquiet pour son job.

— Pour le GPS, j'ai profité d'une opportunité. Pour le témoin, le pauvre avait soixante-dix ans, Philippe s'en est occupé.

— Merci Philippe.

Le chauffeur se retourna, le visage sombre à l'évocation de ce souvenir désagréable.

— De rien, mais je l'ai déjà dit à monsieur, je n'ai pas aimé ça.

Darcy laissa filer un petit rire moqueur.

— Vous voyez Boyan, tout le monde n'a pas votre niveau de tolérance face à la violence. Je la considère pourtant comme faisant partie de toute négociation. C'est pour cela que j'ai un faible pour vous, même si, pour un militaire, je pensais que vous préféreriez les bonnes vieilles cartes à un GPS.

Boyan accusa le coup. Il savait pertinemment que sous cette politesse de façade, Darcy était mécontent. Il n'ignorait pas que dans la boîte à gants de Philippe se trouvait un 9 millimètres et que le chauffeur savait s'en servir, même s'il dirait par la suite à monsieur qu'il n'avait pas aimé ça. Il tenta de se racheter.

— J'ai combattu en Côte d'Ivoire et au Tchad. J'ai été sniper pour la Légion française en ex-Yougoslavie, mais depuis trois ans à votre service, je terrorise des marchands de légumes, des chefs de chantier ou des avocats et ils ont tous une endurance minimum à la douleur. Je pense que j'ai baissé ma garde, je me suis adouci. Et je suis tombé. Vous auriez dû me laisser avec les prisonniers communs, je me serais entraîné.

Darcy posa la main sur le genou de Boyan et tapota avec bienveillance. Un autre que lui y aurait perdu deux doigts, mais l'homme d'affaires éprouvait pour Boyan des sentiments qu'en professionnel il réfrénait et que Boyan faisait semblant de ne pas voir.

— J'ai quelque chose pour vous remettre en forme, reprit Darcy.

— Je vous écoute.

— Alexandra Mosconi. Oui, c'est une femme, mais ne vous y fiez pas. C'est elle qui a récupéré notre scellé.

— Je devrais plutôt la remercier.

— Sauf qu'elle joue les égoïstes. Elle détient encore le GPS et elle n'est pas très pressée de le rendre.

— Je l'élimine et je récupère ce qui est à nous ?

— J'hésite encore.

*
* *

Stains – Cité Clos-Saint-Lazare.
19 heures.

Personne ne l'avait attendu devant les portes de Marveil. Yassine était monté dans la navette gratuite qui conduisait les libérés de prison à la première station de RER et, après deux heures de trajet dans la grisaille des banlieues, il déposa enfin son sac sur le palier de sa porte. Il leva le bras mais hésita à appuyer sur la sonnette. Peut-être savait-il déjà ce qui l'attendait derrière.

Sa mère le giflerait, puis l'embrasserait, avec autant d'amour dans chacun des deux gestes. Au début, son frère n'oserait pas le regarder dans les yeux et il devrait le rassurer, lui dire qu'il n'y était pour rien. Il leur promettrait aussi que tout cela n'était qu'une erreur et qu'il n'avait jamais trempé dans le moindre kidnapping. Il mentirait comme il le faisait depuis ses treize ans, âge de sa première garde à vue. Puis il lirait le doute et la résignation dans les yeux de sa mère, sentiments qu'elle n'oserait formuler, préférant se mentir, prétendre que tout allait bien et que la vie pouvait reprendre. Jusqu'à la prochaine fois.

Il recula d'un pas, fit demi-tour et, au fond du couloir, ôta la plaque en bois d'une gaine électrique pour y fourrer son sac. Par la seule fenêtre de l'étage, il scruta le bas de l'immeuble voisin et reconnut quelques visages familiers, adossés aux murs comme s'ils les soutenaient. Il allait faire le beau, parfaire sa légende de quartier en racontant comment il avait tenu le coup à Marveil.

*
* *

Centre pénitentiaire de Marveil.
19 h 30.

Jusqu'au dernier moment, Nano avait cru à un piège. Lorsque Demarco était venu lui dire qu'il allait être libéré. Lorsqu'on avait ouvert la porte de sa cellule et même une fois dehors, face à ce taxi qui l'attendait. Les événements se déroulèrent à une telle vitesse qu'il se retrouva sans comprendre, sac à la main, en dehors de l'enceinte de la prison, comme un locataire expulsé. Dans sa poche, un tube d'anti-dépresseurs pour tenir le coup, avec les compliments du psy de Marveil.

Par sécurité, paranoïa et professionnalisme confondus, Alex avait décidé qu'ils ne se verraient que deux jours plus tard, à l'aéroport, billets d'avion en poche.

Entre-temps, elle avait organisé les choses au mieux et au bout d'une heure, le taxi arrêta sa course au pied de l'hôtel de Banville, un quatre-étoiles à quelques rues de l'Arc de triomphe.

Piano à queue dans le hall, portier et bagagiste à l'affût, Nano ne passa pas inaperçu. Il fut accompagné à sa chambre, payée d'avance en liquide, et vu son accoutrement, son odeur et son air perdu, le groom n'osa même pas patienter les quatre secondes gênantes qui vous forcent à chercher un pourboire dans votre poche.

Quelques instants plus tard, le groom se présenta à nouveau, un courrier à la main. Nano reconnut sans hésitation l'écriture appliquée et ronde de sa sœur. Il décacheta l'enveloppe et en sortit une feuille qu'il déplia.

« On se voit dans deux jours. Repose-toi. Sors le moins possible. Demande ce que tu veux à la réception, tu le mérites. Fais-toi plaisir. Pas de drogue. Pas de filles. Reste sage. Nous serons bientôt en famille. Je t'aime. Basgi et Forza. Alex. »

Il laissa tomber le mot qui voleta et se posa sur le lit aux draps blancs impeccables, rembourré et accueillant. Propre, tout était tellement propre. Il embrassa du regard la chambre et le petit salon où, sur la table en verre dépoli, l'attendait une bouteille de champagne. La suite royale faisait quatre-vingts mètres carrés, soit exactement vingt fois et demie la taille de sa cellule. Il fut soudain pris de vertige et une crise d'angoisse l'enferma dans la salle de bains, plus à sa mesure. Il fouilla sa poche, ouvrit le tube, laissa tomber trois comprimés au creux de sa main et les goba sans eau.

Le Pré-Saint-Gervais (93).
20 h 30.

Doucey était arrivé dans son quartier en fin d'après-midi, lorsque les gens rentrent du travail ou reviennent de l'école avec leurs gamins collés aux chaussures comme une portée de canetons. Pas vraiment le meilleur moment pour montrer sa tête, surtout lorsque celle-ci risquait d'être mise à prix par tout le voisinage. Il attendit que la soirée offre assez d'ombre pour s'y dissimuler et c'est le visage à moitié baissé qu'il remonta la rue jusque chez lui.

Dans le hall, il passa devant sa boîte aux lettres, bourrée à craquer de prospectus. Il s'apprêtait à l'alléger en bazardant le tout quand il suspendit son geste, réalisant qu'en la vidant, il ne ferait qu'annoncer son retour. Nul besoin de participer, la nouvelle allait se répandre bien assez vite. Six étages plus haut, il pria pour que les portes de l'ascenseur ne s'ouvrent pas sur un visage connu. Prière identique quand il remonta le couloir pour arriver à son appartement. Sur la sonnette de ses voisins, il remarqua que le nom avait changé. Il redoutait par-dessus tout de croiser Léo et ses parents et pourtant, une certaine déception lui chatouilla le ventre. Évidemment, ses anciens amis avaient préféré laisser derrière eux cette histoire difficile, mais surtout, ce viol de la confiance qui les faisait se sentir tellement crédules les bons jours, et se détester les autres. Sur sa porte, assez gros, assez rouge, un mot au feutre : « PARTEZ OU SUICIDEZ-VOUS, MAIS NE RESTEZ PAS ICI ».

L'information avait devancé son retour, peut-être même les journaux en avaient-ils déjà parlé. D'un coup de manche de pull, Doucey comprit assez vite que l'encre était indélébile. Il tourna la clef et seule une odeur de renfermé l'accueillit.

Voilà plus d'un an et demi qu'aucun meuble n'avait vu le jour et que le même oxygène circulait entre les pièces. Au sol, ses affaires et ses livres, poussiéreux, toujours en pagaille depuis la perquisition qui l'avait fait tomber. Même les coussins du canapé étaient encore dispersés dans l'appartement. Une fouille lors de laquelle les flics s'en étaient donné à cœur joie, sous le contrôle de Doucey, comme la loi les y oblige. Il se souvint de son estomac qui se nouait chaque fois que l'un d'eux se rapprochait de la cuisine ou laissait courir un regard sur le sol carrelé blanc. Puis ils avaient ouvert l'ordinateur, consulté quelques photos et toute leur attention s'était focalisée sur son contenu. Pourtant le simple sommet de l'iceberg.

Doucey récupéra un couteau dans un tiroir près de l'évier, se mit à genoux et, à vingt centimètres du frigo, passa la lame sous un des carreaux qui se descella sans effort. Dessous patientaient une clef et une carte d'identité française qui, bien qu'elle portât la photo d'Antoine Doucey, n'était pas à son nom, ni même à son prénom.

Au bas de son immeuble, dans une Volvo phares et moteur éteints, Dorian balança sa cigarette par l'interstice de la fenêtre. Il souffla sa fumée dont une partie embruma l'habitacle.

— Je sais que ça fait trois jours que tu ne penses qu'à ça, mais tu vois bien qu'il ne fait rien. Tu t'attendais à quoi ? Qu'un car scolaire s'arrête en bas de chez lui et qu'il sorte avec un appareil photo, la bite à la main ?

Alex ne lui accorda même pas un regard, qu'elle préférait garder fixé sur la porte d'entrée du hall.

— Selon Tiretto, il est resté vingt et un mois à Marveil, répondit-elle. T'imagines ? Il doit être en feu. On décolle du continent dans quarante-huit heures, alors t'en fais ce que t'en veux, mais moi, je reste là. Je veux savoir qui il est. Je veux savoir qui on a libéré.

Se sentant légèrement coupable de la situation, Dorian se conseilla à lui-même de la fermer et se félicita de s'être écouté lorsque, après une heure de surveillance, Doucey pointa le bout de son nez, l'attitude inquiète, tendu comme un lapin un jour d'ouverture de chasse. Un taxi allumé vert dépassa la Volvo et s'arrêta devant lui. Le voyant passa au rouge alors qu'il montait dedans et Alex démarra à sa suite.

— Je t'avais dit qu'il craquerait.

*
* *

Bobigny – SDPJ 93.
21 heures.

Tel un agent immobilier appliqué, le commissaire Stévenin avait accompagné le commandant Ventura pour une visite complète du service. Bureau après bureau, chef de groupe après chef de groupe. Le remplaçant de Damiani avait pris ses marques dans son nouveau fief et avait, plus de deux heures durant, reçu Lara Jevric, la chef du Groupe crime 2. Assise sur une chaise comme un lion de mer sur son rocher, elle lui servit une liste interminable de revendications et s'éternisa volontairement, trouvant à son goût ce nouveau supérieur direct et son côté rital un peu mafieux. La cinquantaine, barbe noire coupée au millimètre, cheveux bruns, courts et en désordre, un léger début de bedaine, le tout enrobé d'un costard brun foncé. Ventura n'avait prévu qu'un entretien d'un quart d'heure, mais Jevric l'avait littéralement vampirisé et il fallut pour le libérer l'intervention du chef du Groupe crime 1, annonçant le pot de bienvenue en son honneur, en salle de réunion.

— Merci mille fois. Coste, c'est ça ? J'ai cru que j'allais devoir la tazer pour la faire taire.

— Je suis arrivé trop tôt, alors, s'amusa le capitaine.

— Désolé, je n'ai pas pu te recevoir alors que c'est pourtant toi qui m'intéresses le plus. C'est bien ton groupe qui gère l'affaire brûlante du service, celle des quatre feuilles du trèfle ?

— Malheureusement, oui. Mais ce n'est pas avec celle-là que nous allons briller.

— Tu sais me faire un point en trente secondes, ou tu as été à la même école que Jevric ?

— Trente secondes, c'est jouable. Aucun indice sur les lieux du braquage. Pas d'ADN, pas d'empreintes, pas de vidéos et des témoins inutiles. Quatre pistes puisque quatre bénéficiaires, mais pour le coup, ils ont le meilleur des alibis puisqu'ils étaient en prison, sous surveillance, entre des murs de deux mètres d'épaisseur et à quarante kilomètres de là. Leur passage en taule les a rendus comme vierges : pas de téléphone connu, pas de compte en banque, pas de réseaux sociaux, donc aucune faille. Je les ai inscrits aux contrôles frontières, histoire de suivre leurs mouvements mais pour l'instant, ils restent sages. Voilà, il me reste encore quelques secondes, mais je ne saurais pas les remplir tellement on est à poil.

— Ils n'ont pas été aidés par des inconnus. Il faut chercher parmi leurs anciens complices, avança Ventura.

— T'imagines bien que par sécurité, ils ne prendront pas contact entre eux avant des semaines. Et quand bien même. Pour Nunzio Mosconi, c'est sa première visite sur Paris. Avant ce braquage, il était inconnu des services de police. Pour Doucey, j'ai tendance à croire que les pédophiles agissent seuls la plupart du temps, ou à la solde de notables.

— Faut arrêter avec cette légende urbaine, le rabroua Ventura. Les soirées pédophiles avec des gamins loués pour le plaisir de quelques pervers.

— Ballets bleus et ballets roses. Ça me semble assez établi pour porter un nom, mais on pourra en reparler. Ensuite, nous avons Boyan Mladic. Un ancien légionnaire. On peut se dire que tous les légionnaires sont ses complices. Ces types-là sont soudés comme les éléments d'une seule pièce, on n'en tirera rien. Et enfin Yassine Chelli, mais lui, ses complices, on les a déjà arrêtés.

Ils quittèrent la passerelle en verre qui reliait les deux parties du service et se dirigèrent vers les festivités.

— Bien. Tu me présenteras ta procédure, j'aurai peut-être une approche différente, ça peut être utile. Mais j'imagine qu'on aura tout le temps nécessaire dans les jours qui viennent.

— À ce sujet, tenta de rectifier Coste...

Stévenin les aperçut au fond du couloir et leur fit de grands signes avec les bras, comme si on pouvait le rater.

— Je crains qu'on ne doive remettre cette discussion à plus tard, Coste.

L'installation d'un nouveau collègue n'est un événement qu'au sein de son service, mais celle du nouveau chef de la Crime génère un peu plus d'audience. Se trouvaient ainsi en salle de réunion la totalité des officiers du SDPJ, quelques magistrats dont Fleur Saint-Croix et le pool de la DACRIDO[1], ainsi qu'un éventail de commandants et de commissaires venus d'autres départements.

— On a sorti le beau linge, reconnut discrètement Ventura avec une pointe d'orgueil satisfait.

Il accepta une coupe de champagne et un canapé au contenu non identifié, siffla la première d'un coup et reposa le second sans y toucher. Il serra quelques mains et attira l'attention de Coste à la vue d'une jeune femme, de dos.

— Parfait, il y a même ma petite chouquette. J'ai bossé avec elle sur pas mal d'affaires à la PJ de Paris avant d'être transféré ici. Ça fait des années que j'essaie de me la faire. Y a six mois elle a même failli

---

1. DACRIDO : Division des affaires criminelles et de la délinquance organisée.

craquer, mais on n'a pas dépassé la première base. Remarque, j'aime bien quand elles résistent un peu.

Ventura se saisit du bras de la jeune femme et le geste la fit se retourner. Il posa sa main sur ses hanches et l'approcha pour l'embrasser bruyamment sur les deux joues.

— Léa Marquant ! Ma petite chouquette ! Le légiste le plus sexy de Paris. Avec vingt pour cent de criminalité en plus sur le 93, on va se voir vingt pour cent de plus. C'est pas une bonne nouvelle ?

Léa aperçut Coste et fit mine de l'ignorer, accordant tout son intérêt au charmeur italien qui poursuivait ses roucoulements. Coste se sentit un peu bête d'assister à cette sérénade, mais une équipe reste une équipe et Johanna et Ronan apparurent dans la seconde.

— Bonjour, commandant Ventura, salua Johanna, convivialité au maximum. On vous voit passer de hauts gradés en chefs de groupe, mais si vous ne parlez qu'à eux, vous ne comprendrez rien au service.

— Le plus important, ce sont les chevilles ouvrières, les petites abeilles, celles qui font le miel, enchaîna Ronan en le tirant vers lui, le plaçant hors de portée de Léa. Suivez-nous, on va vous présenter.

Le groupe s'éloigna, laissant la légiste seule avec Coste.

— Tu les a bien dressés dis-moi, constata-t-elle.

— Normalement ils auraient dû le plaquer au sol, mais je me doute que toute jalousie serait déplacée.

— Surtout venant de quelqu'un qui voulait me dire quelque chose de très important… Il y a six jours.

— Mes gars ont peut-être été un peu autoritaires. Tu veux que je te ramène à Ventura ?

Léa fouilla dans la poche de veste de Coste et en sortit son paquet de cigarettes.

— Il paraît que vous avez un toit avec quelques chaises longues d'où on peut profiter de la nuit en toute tranquillité.

— Tu vas rater la fête.

— Je suis venue pour toi.

Ils quittèrent la salle de réunion sous le regard intrigué de Ventura et montèrent les escaliers réservés au personnel seulement…

— Chouquette ? demanda Coste, tracassé par cette familiarité.

— Je t'expliquerai, s'amusa-t-elle.

*
* *

Le taxi s'arrêta en pleine banlieue, vers Noisy-le-Sec, dans un coin où les réverbères n'éclairaient que des rues vides. Doucey paya la course, descendit de voiture et se retrouva en face d'un énorme entrepôt de stockage dont le panneau publicitaire annonçait gaiement et en lettres lumineuses : « M2P : Ma Pièce en Plus ».

À quelques mètres derrière, Dorian se gara.

— Tu vois bien. Il est pas parti en chasse. C'est juste un box. S'il a laissé un gamin là-dedans, au bout de vingt et un mois, il doit commencer à avoir un petit creux, tu crois pas ? Bon, on peut aller retrouver les autres maintenant ?

Alex n'avait toujours pas changé d'attitude. Revêche et déterminée.

— S'il va là, c'est que les flics n'y sont pas allés.

— Super, tu veux lui voler ses fringues de ski et son habit de communion ? Tu crois qu'on laisse quoi, dans un box ?

— Sauf qu'il a peut-être pas tout sur son ordinateur. Si on y va et qu'on trouve d'autres photos, d'autres vidéos, il replonge. Tu me suis ? On l'attache, on éparpille les preuves tout autour de lui et on appelle la police. Faut bien qu'elle serve de temps en temps.

Dorian hésita quelques secondes qui irritèrent Alex.

— De toute façon, on n'a pas le choix. Si tu t'étais pas planté sur ce putain de numéro de procédure…

— Et si tu n'avais pas ouvert le scellé.

— C'est bien pour ça que je suis là, s'emporta-t-elle. Mais toi, t'es avec moi ?

Dorian sortit de la boîte à gants une paire de liens serflex qu'il rangea dans sa poche, récupéra son pistolet sous le siège et l'arma en faisant reculer la culasse dans un bruit métallique.

— Jusqu'en enfer, bébé.

Le gardien de l'entrepôt vit arriver une jeune femme titubante, blond soleil, le visage baissé comme si elle cherchait des indices au sol pour rentrer chez elle. Il sortit de sa guérite pour lui porter secours ou, qui sait, profiter de la situation. Il prononça « mademoiselle » puis vacilla, sous le choc du coup de crosse. Dorian le regarda tanguer à gauche, puis à droite et lui porta un deuxième coup. L'homme mit un genou à terre, se frottant bêtement le cuir chevelu, un peu sonné tout de même, et Dorian frappa une troisième fois pour qu'il s'écroule enfin.

— Merde ! Je sais pas comment ils font dans les films ! En un coup sur la nuque c'est réglé, normalement.

Alex pénétra dans le guichet de l'accueil pour y consulter l'ordinateur.

— Dernier box ouvert, le 297.

Doucey avait enfin retrouvé son *Neverland* à la Michael Jackson. Il avait ouvert la porte basculante de bas en haut et une lampe automatique s'était allumée, projetant une lumière vive sur sa collection. Trente mètres carrés tout entiers voués à sa passion inavouable : les moins de seize ans. Sur une table accolée au mur, des albums photos en pile, des caisses pleines de vieux films super-8 achetés sur le darknet et des cartons de cassettes vidéo. Au centre, un magnétoscope rescapé des années 1980, branché à une télé, face à un vieux fauteuil en cuir à larges accoudoirs. Relié à un moniteur à côté de la télé, un ordinateur perdu parmi des colonnes de CD. Accrochés en haut du mur de gauche, du mur de droite et du mur du fond, se trouvaient trois rouleaux de tissu, enroulés sur eux-mêmes et retenus par une corde à nœud coulant. Sous le rouleau de tissu du centre pendait un nounours marron aux grands yeux noirs, comme à une potence.

Avant de s'offrir un plongeon dans ses perversions favorites, Doucey se rendit au fond du box, à une prise où un téléphone portable était branché. Il l'alluma, ouvrit le seul fichier présent sur l'écran d'accueil et en contrôla le contenu. Il le rangea dans la poche de son pantalon et souffla, rassuré.

Désormais apaisé, il plongea la main dans un des cartons, fouilla et en sortit cet album qui lui avait tant manqué. Il l'ouvrit en grand sur ses genoux, confortablement installé dans le fauteuil, tourna quelques pages et jouit directement dans son pantalon sans même avoir seulement effleuré son sexe. Il géra une nuée de papillons derrière ses paupières et fut pris d'une série de soubresauts d'extase. Il avait inondé son caleçon et apprécia de sentir le liquide chaud contre son ventre, quand la porte métallique de son box s'ouvrit en grand.

— Reste assis ducon, le braqua Dorian, cagoule noire sur la tête.

Doucey en laissa échapper l'album qui s'ouvrit sur une série de photos de petits garçons, sexes poilus à la main.

Alex, le bas du visage dissimulé par un foulard, entra à son tour. Elle remarqua tout d'abord la large auréole au niveau de la fermeture Éclair du pantalon, puis les huit clichés jaunis sur deux pages cornées. Elle commença par une claque sonore.

— Fils de pute.

— Attendez… commença Doucey.

Mais une deuxième claque lui coupa la parole.

— Je peux pas te promettre que tu vas rester en vie, l'informa Dorian. Alors je te propose de fermer ta gueule.

Alex le saisit par le bras et le força à se lever.

— Écoute-moi bien, tu vas me sortir toutes tes saloperies et tu vas les amener au centre de la pièce, comme ça, même les flics comprendront.

Doucey supplia, pleura même, hoquetant au milieu de ses phrases comme les enfants qui font des gros chagrins, mais Alex n'en trouva que plus d'énergie, voire de plaisir.

— Vous pouvez tout prendre si vous voulez, essaya-t-il. Ça représente énormément d'argent, je peux même vous dire à qui le vendre.

Ce fut au tour de Dorian de voir rouge.

— Mais tu nous prends pour qui, enfoiré ?

Il empoigna son arme par le canon et lui asséna un mauvais coup sur le coin de l'arcade. Doucey chancela, manqua de tomber et se rattrapa comme il put à la corde qui retenait le rouleau de tissu de gauche. Le nœud coulant se détacha, laissant échapper l'étoffe qui se déroula sur elle-même, du haut jusqu'au bas du mur, offrant à la pièce un sublime coucher de soleil sur une plage déserte. Alex bloqua littéralement, bouche moitié ouverte. Elle reconnaissait le décor. Elle détailla la pièce, paralysée d'effroi, et aperçut le rouleau de droite, et celui du fond. Elle tira sur un premier nœud coulant et un décor de montagne enneigea le mur. Elle se dirigea vers le dernier, le dénoua et en se déroulant, le tissu les transporta dans une forêt longée par une rivière et un chemin. Elle recula comme si elle assistait au plus sanglant des crimes et cogna la table sur laquelle des cartons étaient encore en piles. Elle se retourna et, sous l'un des cartons, la table lança un éclair de lumière. D'un geste large, elle la débarrassa et les cassettes et photos se déversèrent au sol, laissant une table immaculée d'un Inox aussi réfléchissant qu'un miroir. Le souvenir des pleurs du nourrisson lui brûla les oreilles.

— Un mateur, c'est ça ? enragea-t-elle à l'attention de Dorian.

Ce dernier, tout aussi choqué de réaliser quel monstre ils avaient entre les mains, baissa les yeux, gêné de s'être autant planté sur la personnalité de Doucey. Il le releva, le jeta sur le fauteuil, s'agenouilla auprès de lui et lui attrapa les poignets pour les entourer d'un serflex. Il fit de même avec les chevilles et un dernier serflex relia les deux premiers. Recroquevillé comme il l'était, Doucey pourrait ramper, gigoter comme un ver, sans grand résultat. Quoi qu'il fasse, il serait retrouvé par les flics quand ils leur passeraient un coup de fil anonyme. Et retour à Marveil.

— N'appelez pas la police, s'il vous plaît, implora Doucey. Je ne veux pas retourner en prison. On peut s'entendre, j'ai de l'argent. Pas là, sur moi, mais je peux en avoir, beaucoup même.

Dorian, déjà ulcéré d'avoir à le toucher, ne répondit même pas.

Une image d'enfant, bouche grande ouverte, assaillit Alex. Puis une autre, d'un homme masqué se léchant le majeur. Elle ôta le foulard qui cachait son visage.

— De toute façon, quelle que soit la peine, il sortira un jour ou l'autre, souffla-t-elle.

Dorian sentit un glissement dans le bas de son dos alors qu'elle lui prenait le pistolet. Il se leva, comprit qu'il était trop tard et recula d'un pas.

— Perpétuité.

Et elle tira deux fois dans la tête de Doucey. Il partit en arrière, rebondit sur le rembourrage moelleux du fauteuil et s'écroula au sol devant lui. D'abord rien, puis des deux trous coula un sang chaud qui se répandit sur les photos de l'un des albums.

Cherchant de l'air, Dorian enleva d'un geste précipité sa cagoule et inspira un grand coup.

*
* *

Sur le toit du SDPJ, Victor et Léa avaient laissé de côté les chaises longues et s'étaient assis par terre, sur la veste du policier. Léa en cuillère entre les jambes de Coste, tous deux regardant la ville.

— Un jour, je ne sais pas pourquoi, je ne me souviens plus de la conversation, mais j'ai laissé entendre que j'aimais ça. Et depuis, à chaque autopsie, il m'apporte un sac de chouquettes. On appelle ça une attention et ça fait fondre les filles.

Le flic tendit son briquet et la légiste s'alluma une cigarette. Amusée du silence provoqué, elle le laissa s'installer. Coste marina quelques secondes avant de se reprendre.

— Il m'a fait comprendre que vous vous connaissiez.

Léa éclata de rire.

— C'est pas vrai ! Vous vous êtes rencontrés aujourd'hui et c'est votre premier sujet de discussion ?

— Arrête. Il m'a juste dit qu'il t'avait fait craquer et je sais pas quoi d'autre à propos de la première base. Ça doit être une métaphore sportive. Vous avez… Enfin je veux dire, vous avez…

Léa se retourna et lui souffla la fumée au visage.

— Capitaine Coste, t'as même pas le droit de me poser ce genre de question. Tu m'as mise de côté comme un objet que t'aurais eu en double. J'étais censée faire quoi ?

— Excuse-moi. Tu as raison. Sur toute la ligne. N'empêche... C'est quoi la première base ?

Elle lança son bras en arrière et lui caressa la nuque.

— Rassure-toi. La première base c'est un restaurant trop guindé, une grosse drague bien lourde, un raccompagnement au bas de chez moi et, bien obligé, une petite pipe dans le hall pour m'en débarrasser.

Coste manqua de s'étouffer et sa cigarette lui tomba des doigts.

— Ça te fait mal ? s'amusa-t-elle.

Il serra les dents pour ne pas s'emporter. Elle sentit son corps se raidir.

— Ne sois pas bête. Il ne m'a pas touchée.

Elle tourna la tête et l'embrassa doucement.

— Je te déteste encore tu sais ?

Au contact de ses lèvres, le flic fondit un peu.

— Je sais. Mais je compte changer. Vraiment.

— C'est ça, la nouvelle dont tu voulais me parler ?

Coste la serra un peu plus fort dans ses bras et elle s'y lova.

— Tu as déjà vu des aurores boréales ? lui demanda-t-il.

— Oui. Sur des fonds d'écran et des tableaux Ikea.

— On les aperçoit au Canada ou en Norvège. J'ai l'impression qu'on peut y trouver la paix.

— J'ai toujours rêvé du Canada, et je veux bien discuter nature avec toi, mais t'essaies de me dire quoi ?

Sur sa lancée, au bord du gouffre, il sauta.

— Paris, la banlieue, c'est un environnement obligatoire pour toi ?

Elle lui fit face d'un coup, le poussa au sol, se coucha sur lui et l'embrassa plus fiévreusement.

— J'espère que tu ne joues pas avec moi, Victor.

*
* *

De retour dans la voiture, Alex tremblait de tout son corps. Elle venait de supprimer quelqu'un. Tuer, c'est se tuer un peu. Quelque chose dans son âme s'était déréglé.

Dorian n'avait pas décroché un mot depuis qu'il avait refermé la porte basculante en fer sur le corps inanimé. Il aurait dû se douter de la réaction d'Alex. Il aurait dû se douter que dans son état, ça ne passerait pas. Avant de démarrer, il posa la main sur le ventre de sa compagne, inquiet.

— Vous allez bien ?

Elle le regarda, au bord des larmes, et mit sa main sur la sienne.

— On ne lui dira rien, d'accord ?

Dorian n'eut même pas le temps de la rassurer ou de lui parler de la balance universelle du bien et du mal qu'elle avait sensiblement fait pencher du bon côté que le téléphone d'Alex se fit remarquer. Numéro inconnu, elle hésita. Bizarrement et sans réflexion raisonnée, elle craignit un instant que Doucey ne l'appelle de l'au-delà pour lui dire qu'il l'attendrait le temps qu'il faudrait. Elle décrocha. L'homme à l'autre bout du fil avait une voix stressée, préoccupée et pourtant d'une courtoisie très professionnelle.

— Madame Carat, bonsoir, croyez bien que nous sommes particulièrement gênés, mais nous rencontrons un léger problème avec votre ami.

Alex colla sa main sur le combiné et informa Dorian en quelques mots :

— C'est l'hôtel. Un souci avec Nano.

— Nous avons entendu de grands bruits dans sa chambre, poursuivit le réceptionniste et depuis, il refuse de nous ouvrir. Si vous pensez pouvoir régler cette situation, cela nous éviterait de contacter les forces de l'ordre.

— Merci de ne pas le faire. Je peux être là dans moins de trente minutes, si ça vous convient.

— Ce serait parfait. Pouvez-vous venir avec monsieur Demarco ? Votre ami crie son nom en frappant sur sa porte et semble ne vouloir ouvrir qu'à lui.

Alex fronça les sourcils, se demandant dans quel labyrinthe mental son frère s'était encore perdu.

— Je vais régler ça moi-même. J'arrive. Merci encore.

Elle raccrocha et comme Dorian l'observait, perplexe :

— Nano plane comme un cerf-volant. On va le récupérer.

— T'es sûre de toi ? On avait pourtant dit pas avant…

— Je m'en fous, se fâcha-t-elle. Tu comprends ? Je m'en fous ! Je veux être avec mon frère.

Le réceptionniste et le responsable sécurité de l'hôtel marchaient devant Alex le long du couloir moquetté rouge du dernier étage. À leur passage, quelques portes s'ouvrirent sur des visages réprobateurs. Ils s'arrêtèrent devant la chambre de Nano, calme depuis seulement cinq minutes selon les employés. Le responsable accepta qu'Alex entre seule et glissa sa carte passe devant la serrure électronique.

Elle pénétra dans la suite qu'elle découvrit sens dessous dessus. Derrière le lit, déplacé lui aussi, elle aperçut Nano, entouré d'une table et d'un matelas relevé, assis dos au mur, la fenêtre ouverte à sa droite, au centre d'un château fort d'enfant d'environ quatre mètres carrés. Au sol, des restes de sandwichs dans leurs boîtes en carton.

— Salut frangin.

Nano se retourna vers elle, les yeux rouges et la commissure des lèvres blanche, la bouche asséchée par les médicaments.

— Alex !

— Sérieusement ? Je te dis que c'est *all inclusive* et tu te fais monter du McDo ? C'est plus grave que je pensais, essaya-t-elle d'ironiser.

Elle enjamba le lit et s'approcha de lui.

— Je peux ?

— Ouais. Assieds-toi. Écoute.

À quelques dizaines de mètres à vol d'oiseau, on entendait sans peine le périphérique de la porte de Champerret dont le vrombissement des moteurs lui servait de berceuse. Le cerveau brumeux de Nano transformait le trafic automobile en vagues qui s'échouaient sur Paris. D'abord, un souffle lointain, lorsque la voiture approchait, puis une bourrasque lorsqu'elle passait devant et une caresse sur le sable lorsqu'elle se retirait.

— T'entends ?

— Quoi ?
— La mer.
Alex plissa les yeux, atterrée.
— Ah ouais, quand même. On va y aller, d'accord ?
— T'as vu avec Demarco ? s'inquiéta Nano.

51

Puisqu'ils en avaient tous deux très envie, Léa ne toucha pas le sol du moment où la porte d'entrée fut ouverte. D'un mur à l'autre jusqu'à la chambre, elle cogna partout, bras et jambes accrochés à Coste, et les vêtements s'effeuillèrent sans délicatesse dans une étreinte qui ne s'arrêterait que longtemps plus tard.

À tâtons et à 5 heures du matin, Coste chercha son portable avant qu'il ne sonne une troisième fois et ne réveille définitivement Léa. Il décrocha et la voix de Ronan l'accueillit, déjà fraîche.

— Le trèfle a perdu une feuille.

Coste enregistra mentalement l'adresse où l'équipe devait se retrouver et raccrocha.

— À cette heure-ci, je te demande pas si c'est le boulot.

Il se retourna et Léa, par coquetterie, dissimula une partie de son visage sous ses longs cheveux bruns.

— Je vois quand même que t'es belle, tu sais ?

— Non, tu devines que je suis belle. Tu dois y aller tout de suite ?

— Doucey a été abattu.

— Le pédophile ? C'est presque une bonne nouvelle, non ?

— Ça relance une enquête au point mort. On va dire que oui.

Il se leva, récupéra quelques vêtements propres et disparut sous la douche. Le rideau s'ouvrit et Léa le rejoignit, collant son corps contre le sien sous l'eau chaude.

— Cette affaire, je vais avoir du mal à l'abandonner.

— Personne ne te le demande.

*
* *

Coste arrêta sa voiture devant l'enseigne lumineuse « M2P : Ma Pièce en Plus ». Sans besoin d'un guide pour le mener sur les lieux, il n'eut qu'à suivre les voitures de police et dépasser celle de l'Identité judiciaire pour arriver devant le box 297, protégé par un ruban jaune qui en interdisait l'accès. Pour une fois, Sam avait accepté d'entrer sur une scène de crime, estimant probablement que l'horreur était plus supportable quand elle s'abattait sur un monstre, et Coste y retrouva son équipe au complet.

Doucey, ligoté comme un gibier, était affalé au sol, entouré d'un patchwork de photos, entre une forêt, une plage déserte et une montagne sur laquelle une gerbe de sang tachait la neige. Johanna s'approcha de son chef et lui tendit une paire de gants latex.

— Je sais que ce n'est pas la priorité, mais t'es rentré seul hier soir ?

Sam et Ronan levèrent le nez, amusés.

— Tu ne penses pas qu'on a des choses plus importantes à régler ? suggéra Coste.

Johanna regarda son alliance, le type au sol, puis Coste.

— Non. Je crois qu'il n'y a rien de plus important, justement.

— Ronan ? Topo ? esquiva-t-il.

— Antoine Doucey et son empire du porno pédophile. On va mettre des jours à faire le tri. J'ai contacté l'APEV[1]. Ils passeront au service pour chercher des concordances avec des gamins disparus. J'ai aussi appelé la Brigade des mineurs du quai de Gesvres à Paris. Leur service fera des recoupements avec leurs affaires en cours, mais déjà nous savons que Doucey n'était pas que passif.

Sam lui tendit une photo qu'il avait, parmi toutes, choisie supportable. Un petit Black dans les cinq ans jouait sur une plage que Coste reconnut contre le mur de gauche. Johanna s'approcha de lui.

— Entre les cassettes, les CD et les photos, il doit y avoir des centaines de gosses différents. Comment a-t-il pu trouver autant de proies sans avoir jamais attiré l'attention sur lui ?

— Il y a plus de mille mineurs étrangers isolés déclarés dans Paris et sa banlieue, l'informa Sam. Donc tu peux compter le triple en non déclarés. Tu ajoutes les minots roms qui se baladent dans la capitale et qui monteraient dans n'importe quelle bagnole pour dix euros, si c'est pas le chef de camp qui te les propose lui-même, et de tous âges. Tu intègres quarante-cinq mille fugues par an et les points de

1. APEV : Association d'aide aux parents d'enfants victimes.

prostitution enfantine officiels comme à la porte Dauphine ou au bois de Boulogne et tu te retrouves face à un vrai supermarché. Pas très compliqué et surtout pas besoin d'aller jusqu'aux Philippines.

De son côté, Ronan avait ouvert un premier album, puis un second et avait abandonné, mettant désormais tout le contenu du box dans de grands cartons sans même vérifier ce que ses mains prenaient. De son profond dégoût lui vint une hypothèse.

— Vous pensez que ça peut être un des parents ?

— Je crois que j'en serais capable, avoua Johanna. Quelle que soit la peine de prison, par rapport à ce qu'il leur fait subir, ce ne sera jamais assez.

Un policier en tenue se présenta, demanda qui était le responsable, suivit les regards et s'adressa à Coste.

— J'ai un couple avec sa petite fille qui veut avoir accès à son box. Je leur ai dit que ça n'était pas possible mais ils doivent récupérer des affaires pour partir en vacances.

— Fais-les patienter trois secondes, on ferme. Tu frapperas deux coups quand ils seront passés.

Ronan leva les bras pour attraper la poignée de la porte basculante qu'il tira vers le bas et la lumière du plafond s'éteignit.

— Ah oui, merde, souffla Sam. Elle s'est allumée automatiquement quand on a ouvert, c'est la même chose quand on ferme, évidemment. Il doit y avoir un interrupteur quelque part.

Dans le noir, une mélodie de trois notes de piano résonna.

— C'est à quelqu'un ? demanda Ronan en allumant sa torche Maglite.

Personne ne répondit, mais sur la porte, deux coups secs furent donnés. Il se saisit de la poignée et quand il ouvrit, la lampe s'alluma de nouveau. Et un piano joua pour la seconde fois sa courte sonate de trois notes. Tout le monde se regarda. Puis regarda au sol.

— Vous avez fouillé le corps ?

— Pas encore, l'Identité judiciaire vient juste de terminer ses prélèvements.

Ronan, gants latex déjà enfilés, se mit à genoux, palpa la veste, puis le pantalon. Son geste s'arrêta sur un objet solide et rectangulaire, au fond d'une des poches. Il en sortit un portable qu'il tendit à Sam. Ce dernier le consulta brièvement, car il n'y avait pas grand-chose à en dire.

— Il n'y a même pas d'opérateur. Impossible d'appeler, ni d'être appelé. Je vois pas trop à quoi ça peut servir. Il y a juste l'icône d'un logiciel que je n'ai jamais vu auparavant. J'ouvre ?

Ils se rapprochèrent, intrigués, et Coste donna son accord. Sam effleura l'écran tactile qui afficha un calendrier. À la date d'aujourd'hui était noté l'inscription : 7 entrées. À la date d'hier, l'inscription : 4 entrées. D'une pression du doigt, il ouvrit le fichier du jour. À leur surprise, Ronan apparut sur l'écran, bras levés, ouvrant la porte. Sam eut besoin de quelques secondes pour réaliser.

— Il a mis son terrier sous surveillance, le con. Ronan, t'es le dernier à avoir ouvert quand le collègue a tapé deux fois sur la porte. Il doit y avoir un déclencheur au contact qui active un appareil.

Il fit glisser les photos suivantes et ce fut au tour de Johanna.

— Là, c'est quand on arrive.

Il les afficha au fur et à mesure, remontant les ouvertures et fermetures, comme un reportage photo monté à l'envers.

— Ici, les flics qui sont arrivés en premier. Un peu avant, le gardien quand il est sorti des vapes et qu'il est venu vérifier.

— T'es en train de nous dire que si on poursuit dans le temps on va avoir un portrait de nos assassins ? s'excita Ronan.

Sam ouvrit le fichier daté de la veille et ses quatre entrées. Pour les lire dans l'ordre, il les sélectionna dans le sens contraire.

Premier cliché, Doucey qui ouvre.

Second cliché, Doucey de dos qui s'enferme.

Troisième cliché, un homme en cagoule et une femme blonde le visage caché par un foulard qui ouvrent. Face à eux, Doucey assis sur son fauteuil.

Quatrième cliché, l'homme et la femme, le visage découvert, lui sans cagoule, elle sans foulard, une arme à la main. Au sol, Doucey, poignets et chevilles liés, dans une mare de sang.

Sam posa ses deux doigts sur la dernière photo et en les écartant sur l'écran, zooma sur les visages.

— Salut, vous.

— On connaît ? demanda Johanna.

— Du tout.

— Un couple, s'étonna Ronan. Sam a peut-être raison avec son idée de parents qui viennent se faire justice.

Coste observa plus attentivement l'angle de prise de vue de manière à trouver son origine. Au fond du box, pendu à une corde, se trouvait un nounours

336

marron aux grands yeux noirs. Il le décrocha, dézippa la fermeture Éclair à l'arrière et découvrit un minuscule appareil photo numérique dont l'objectif était collé à l'œil droit du jouet.

— Toi, t'es un bon indic, reconnut-il en plongeant la peluche dans un sac à scellé.

52

De retour au service depuis plus d'une heure, Coste estima qu'il était temps de faire un compte rendu à son supérieur. Il se dirigea vers le bureau de Ventura qu'il trouva, déjà furieux, en train de s'en prendre au responsable du matériel, un vieux flic blessé en service qui n'avait jamais réussi à quitter la maison.

— Je me fous de vos histoires de budget. Je veux un ordinateur portable que je puisse déplacer, pas une de vos grosses machines à laver. À Paris j'en avais un, ici, j'en veux un aussi. Point.

Le vieux collègue quitta la pièce, la mine désolée, en adressant un regard d'impuissance à Coste, car à moins de l'acheter lui-même, il ne récupérerait jamais d'ordinateur portable pour le nouveau commandant.

— Je profite de te trouver de bonne humeur… risqua Coste.

— Ah ! Justement. Je voulais te voir. Dans mon bureau.

Il accepta l'invitation en se souvenant des paroles de son père qui lui avait un jour déconseillé d'engager une conversation avec un homme déjà énervé. Il referma la porte derrière lui et Ventura l'attaqua de front.

— Bon. Tu vas attendre qu'ils crèvent les uns après les autres ou tu comptes participer un peu ?

D'abord surpris par cette franche inimitié, Coste repensa à la discussion de la veille avec Léa au sujet de leur avenir et décida que ses dernières semaines ne seraient pas gâchées par un petit dictateur. Fait rare, il courba l'échine.

— J'imagine que c'est une manière de me demander un point sur l'affaire ? Si c'est le cas, Ronan entrepose tout ce qu'on a saisi dans le box dans la salle de réunion. Comme tu le sais, l'endroit était sous photosurveillance, Johanna fait le tour des groupes avec les clichés de Bonny and Clyde. On a aussi trouvé une pièce d'identité sur Doucey. Une fausse. Probablement celle avec laquelle il a ouvert son compte bancaire qui lui a permis de payer le box tous les mois pendant qu'il était sous les verrous.

— Il devait bien avoir un complice, fulmina Ventura. Les piles de mon appareil photo je dois les changer tous les mois, ça marche pas à l'oxygène ces trucs-là.

— L'appareil s'allume quand il doit prendre une photo et s'éteint après. Il n'y a que onze clichés enregistrés et il a fabriqué un adaptateur pour utiliser les mêmes piles que celles qu'on trouve dans les détecteurs de fumée. Ces trucs-là durent plus de cinq ans.

— Mouais. On va pas se traîner ces connards de trèfle à quatre feuilles jusqu'au printemps prochain. Une affaire, en général, ça se résout en une semaine, sinon ça devient un boulet, on prend du retard, ça décale tout et après on skie en juillet. J'espère que t'avanceras un peu plus vite que sous les ordres de mon prédécesseur.

Coste voulait bien passer outre à un accès d'autorité venant d'un commandant en recherche de repères. Tant que ça ne touchait que lui… Mais pas Marie-Charlotte.

— Tu parles de Damiani ? Te vexe pas, commandant, mais si un jour tu lui arrives à la cheville… tu pourras dire que t'es un grand garçon.

Du rouge nerveux, Ventura vira au calme pervers, sourire en coin.

— T'aimes pas jouer en équipe, toi. Je me trompe ?

Coste leva un sourcil interrogateur. Il venait de se prendre un tir dont il ignorait les motifs. Ventura l'éclaira sur-le-champ.

— Je te dis que la petite Marquant, c'est chasse gardée et toi, tu me caches que vous êtes ensemble. Ça te plaît de me faire passer pour un blaireau ?

Sous ce nouvel éclairage, Coste comprit enfin pourquoi il était, aujourd'hui, la cible privilégiée du commandant.

— On n'était pas vraiment ensemble. Je veux dire, pas à ce moment.

— Encore mieux ! Je te dis qu'elle me plaît et tu décides d'aller la baiser sur le toit ?

La main de Coste vibra de fourmis qui annonçaient un bon poing dans la gueule quand Johanna entra en trombe.

— Je peux te voir, Victor ?

Dans le couloir, Johanna remarqua l'état de tension de son chef.

— Ça va toi ?

— Impeccable, trancha-t-il.

— Alors desserre les mâchoires, tu vas te péter une dent.

Il réalisa alors qu'il s'envoyait une tonne de pression sur les molaires, relâcha, souffla, et passa à autre chose en entrant dans le bureau de Rivière, le commandant du Groupe de répression du banditisme. Sur son écran d'ordinateur, le visage de Clyde.

— Je te présente Dorian Calderon, annonça Johanna, plutôt fière. Il était dans nos fichiers photos.

Coste s'assit sur la chaise la plus proche et invita Rivière à lui en dire d'avantage.

— Je suis assez surpris que ce soit votre objectif. Mon groupe a déjà enquêté sur lui, il y a deux ans. Son nom est sorti sur des écoutes dans une affaire de braquage de bijouterie. Une histoire avec une famille corse. Les bijoux devaient repartir en toute discrétion par l'aéroport du Bourget, on a planqué pendant des jours, mais rien. En attendant, comme ton Dorian Calderon n'a qu'un pedigree de petit cambrioleur de villa, on l'a mis de côté et on n'a pas poussé plus loin. De toute façon, on avait tellement peu sur cette équipe que le juge nous a clôturé la commission rogatoire.

D'un clic de souris, Rivière afficha une seconde photo. Celle d'un type balafré, massif comme une bûche de bois.

— Il est tombé une fois avec ce play-boy, un certain Michaël Mention, alias Rhinocéros. Ils ont fait deux mois de placard ensemble, ça crée des liens.

— Et la femme ? Interrogea Coste.

— Elle est jolie. C'est tout ce que je peux t'en dire.

— C'est vrai qu'elle est pas mal, cette conne, avoua Johanna.

341

Rivière imprima les résultats et Coste remonta le couloir jusqu'au Groupe crime 1. Il afficha les deux clichés sur le tableau blanc, par-dessus le reste des pistes, des informations et des hypothèses, puis il pointa la photo de Dorian et se retourna vers son équipe réunie.

— Je veux savoir pourquoi ce type en voulait à Doucey. Je veux aussi toutes les vidéosurveillances autour de l'entrepôt de stockage, privées et publiques. Dorian Calderon et Michaël Mention, le seul complice qu'on lui connaît. On sort le maillage complet, professionnel, personnel et financier. Je veux tout apprendre jusqu'à l'intime. Les lieux qu'ils fréquentent et avec qui ils les fréquentent, leurs bagnoles, leurs boulots, leurs adresses connues, actuelles et passées, leurs biens mobiliers, leurs voyages, ce qu'ils mangent, ce qu'ils portent, ce qu'ils aiment. On perquisitionne leur vie, je veux en savoir autant que si j'étais leur petite copine. Je m'occupe de lancer une diffusion nationale pour que leurs têtes soient affichées dans tous les commissariats. Il est midi, on fait un point dans deux heures. Action.

— Tu penses qu'il y a un rapport avec le braquage du tribunal ? demanda Johanna.

— Je pense que c'est notre seule piste, alors je ne me pose pas de question.

53

Au loft, les visages étaient sombres. Pourtant, jusqu'à ce matin, tout allait sur des rails. Ils avaient braqué leur cinquième bijouterie avec succès. Ils avaient braqué le tribunal avec panache. Ils avaient sorti Nano et n'avaient plus qu'à attendre de prendre l'avion, comme de simples touristes.

— On a pris toutes les précautions, se défendit Alex.

— Non, s'irrita Franck, le logisticien du groupe. Non et non. On met trois semaines à mettre sur pied un casse. Les habitudes, les horaires, les systèmes de sécurité, le matériel nécessaire et la fuite. Toi, sans rien nous dire, sans aucune préparation, t'es allée buter ce con. Des pervers y en a plein la planète, qu'est-ce qui t'a pris de vouloir faire la justicière ?

— Ça n'était pas prévu, précisa Dorian.

— Parfait, rebondit Franck. Un coup de tête. On ne fait rien de bien quand c'est les tripes qui jouent à la place du cerveau. Vous faites chier. Je suis à deux doigts d'appeler ton père, Alex.

Elle baissa les yeux, consciente que Franck prenait la main sur le groupe. Seule fille de la famille Mosconi, elle avait dû en faire cent fois plus que les hommes pour obtenir le respect des siens et l'autorisation d'avoir une équipe. Le retour sur l'île serait moins brillant que prévu.

— Personne ne sort du loft, poursuivit Franck. On laisse les portables sur la table. On ne communique plus. À peine si on respire. Dans la nuit, je vais encore aller changer de voiture, faire des courses pour deux jours et je serai de retour au matin. Jusqu'ici, vous ne bougez plus une oreille.

Avant de partir, il lança un regard peu amène vers le canapé déplié sur lequel Nano dormait encore, le visage enfoncé dans l'oreiller et autour de sa bouche, une large auréole de salive.

— Et s'il pique une crise, vous l'assommez.

*
* *

Après deux heures de recherches infructueuses, l'effet galvanisant d'une piste fraîche commençait à s'affaiblir. Dorian Calderon et Michaël Mention semblaient avoir disparu de la circulation. Fatigué, Sam fit un résumé pour lui-même, s'aidant du tableau où toutes les options avaient été rayées au fur et à mesure.

— Pas de boulot déclaré, pas de voiture, des adresses vieilles de dix ans que j'ai fait vérifier. Pas d'abonnement téléphonique, les types n'ont même pas de Facebook. Ils touchent tous les deux le RSA qui tombe sur un compte où rien ne bouge depuis des semaines. De ce que j'en ai appris, ils pourraient tout aussi bien être ailleurs qu'en France. La seule preuve de la présence de Dorian Calderon sur le territoire, c'est la photo prise hier dans le box.

— Justement, des nouvelles de la PAF[1] ? interrogea Coste.

— Non, mais il faut qu'ils procèdent agence après agence, ça peut prendre du temps, rétorqua Ronan, à qui la mission avait été attribuée.

— Ils sont discrets. Voire inexistants. Ne rien trouver c'est déjà trouver quelque chose. Ça ressemble fort à un duo qui cherche à passer sous les radars. Du positif sur les vidéosurveillances ?

— Oui, il y a une soixantaine de caméras sur Noisy-le-Sec. Nouvelle politique sécuritaire. La rue dans laquelle se trouve l'entrepôt de stockage se termine à ses deux extrémités par un carrefour. Entre l'heure d'enregistrement de l'ouverture du box de Doucey et le time code sur la photo où on voit sortir le couple, soixante-treize voitures ont été filmées. Aucune de volée. Je les ai passées au fichier cartes grises mais personne d'intéressant, encore moins de Calderon ou de Mention. Quand les propriétaires étaient des femmes, je me suis fait transmettre la copie de leur permis de conduire mais aucune ne ressemble à la Bonny de Dorian.

— Ils ne sont sûrement pas allés tuer cet homme en prenant leur propre voiture. Pour ce genre d'opération, il faut de la discrétion. Ils auront certainement pris une doublette : une voiture volée mais avec la plaque d'immatriculation d'une voiture en règle. On se divise la liste en quatre et on appelle tous les propriétaires. Quand on trouvera celui qui n'était pas sur Noisy-le-Sec entre 21 h 30 et 22 heures, on aura notre immatriculation. Ce sera un début.

---

1. PAF : Police aux frontières.

— Et après, quoi ? demanda Ronan. Au lieu de courir après un visage on courra après une plaque ? Tu sais combien il y a de bagnoles sur le 93 ?

Coste se tourna vers lui et lui tapa amicalement sur l'épaule. Ronan comprit le message et le Groupe crime 1 se transforma en centre d'appel. Pendant trois heures, en même temps que Sam distribuait les numéros de fixe grâce aux Pages Jaunes et les portables grâce aux opérateurs téléphoniques divers, les autres pianotèrent les numéros et se présentèrent. Sans succès jusqu'à cette jeune Brestoise que l'appel de la police judiciaire du 93 fit bégayer.

— Noisy où ? fit-elle reprendre.

— Noisy-le-Sec, répéta Johanna. Hier, dans la soirée.

La jeune femme écarta le rideau en dentelle de sa cuisine et vérifia que sa Volvo était bien à sa place.

— Non. Ni elle ni moi n'avons quitté Brest.

Johanna remercia, raccrocha et mit un terme aux autres conversations, devenues stériles.

— Une Volvo bleue, modèle 740, une antiquité bretonne qui est restée à sa place de parking toute la nuit. Immatriculation AB 344 CA. Je gagne quoi ?

— Un salaire indécent, ironisa Ronan. Et maintenant ?

Coste attrapa le répertoire administratif de la police et le lança à Sam qui manqua de le rater.

— On transforme cette voiture en cible. Ronan, tu me l'inscris tout de suite au fichier des véhicules volés. Sam, tu appelles tous les commissariats du 93 et tu fais sortir les voitures LAPI, maintenant, cet après-midi et toute la nuit jusqu'au matin. Je veux les voir tourner comme des toupies jusqu'à ce qu'ils accrochent cette Volvo, mais surtout, pas d'intervention, elle est à nous.

Malgré ses deux ans au sein du groupe, Johanna redevint candide.

— Voiture LAPI ?

— Quelqu'un lui explique ? Moi je file à l'autopsie de Doucey.

54

Du tranchant de la lame, Léa écarta les chairs du sternum. Un os gêna le passage et d'un coup sec du poignet, elle le cassa. Un peu de liquide gras s'écoula et elle le réserva dans une coupelle. Coste sortit deux assiettes qu'il déposa à côté du plat et elle fit le service. Blanc pour elle, haut de cuisse pour lui. Léa avait écouté avec beaucoup d'intérêt le déroulement de l'enquête, se permettant quelques hypothèses, mais elle tiqua sur le même mot que Johanna.

— LAPI ?

— Lecture automatisée des plaques d'immatriculation. On a une trentaine de voitures de patrouille équipées sur le 93. De quoi largement couvrir le département. Elles ont six caméras sous le gyrophare et peuvent filmer mille trois cents plaques/minute. Chaque plaque est automatiquement passée au fichier des véhicules volés. Le genre d'équipement qui fait à lui seul le job de cent flics. Donc, si on inscrit la Volvo comme volée et si elle n'est pas planquée dans un garage souterrain, on a une bonne chance de la retrouver.

— Oui mais si la Bretonne, avec sa voiture en règle, se fait contrôler ?

— Ah oui, merde, effectivement. J'aurais dû l'appeler. Espérons qu'elle soit casanière.

Plus tard dans la soirée, Léa se cala dans le canapé contre une épaule de Coste et plongea dans un bouquin pendant qu'il s'intéressait aux infos en continu, histoire de voir les répercussions médiatiques de la mort du pédophile.

Elle reposa doucement son livre sur sa poitrine et tapota du doigt sur la couverture. Il sentit que deux trois pensées cherchaient leur chemin dans son cerveau.

— Je regarde pas vraiment tu sais, l'invita Coste.

— Parfait, ça tombe bien. Parce que je me pose des questions.

— Je t'écoute.

— T'es un flic Coste. Tu n'as jamais fait que ça et tu ne sais faire que ça.

— Et on voit ce que ça donne.

— Tu sais que je te suivrai partout. Le boulot, avec mes diplômes, c'est pas vraiment un problème. Mais toi, une fois que t'auras fait le point, trois mois le cul sur la neige sous tes aurores boréales, tu vas faire quoi ?

— T'es chiante en fait, s'amusa-t-il. Tu dis que mon travail prend trop de place et maintenant tu as peur de ne pas m'aimer si je ne suis plus flic.

— Je ne t'ai jamais demandé de démissionner. Et si ton travail prend trop de place, c'est que tu lui donnes trop d'importance. Personne ne t'oblige à passer douze heures par jour au boulot.

— C'est ce que tout le monde fait en PJ.

— Justement. Laisse-toi du temps pour y penser. Il y a mille autres manières d'être flic, tu le sais bien, et aucune de dégradante. Un petit commissariat tranquille, dans une ville plus calme, comme Mathias[1] ? On y serait bien, non ?

— Faudra que j'y réfléchisse. Commençons par les aurores boréales, tu veux bien ?

Elle se repositionna, lui caressa le visage du dos de la main et reprit son livre, rassurée. Sa respiration se fit plus régulière et en même temps plus lente et Coste en déduisit qu'elle venait de s'assoupir. Il observa son visage, en paix, et vit sa lèvre supérieure bouger, comme si elle rêvait d'être chanteuse. Malgré son poids léger, elle lui ruinait littéralement l'épaule, mais il n'aurait interrompu ce moment pour rien au monde. De son bras valide, il baissa le son, zappa deux ou trois fois, avant lui aussi de s'endormir.

À 5 heures du matin, son téléphone sonna et quatre phrases laconiques le jetèrent sous la douche.

— Capitaine Coste ? Équipage TN 816 de Saint-Denis. Nous avons repéré AB 344 aux abords d'une casse auto. Vos instructions ?

La Volvo venait d'être utilisée pour un meurtre, normal d'en changer et quel meilleur endroit pour le faire, pensa-t-il.

— Appelez votre BAC[2], qu'elle vous remplace avec une voiture banalisée. Ils ne bougent pas, ils notent tout ce qui entre et tout ce qui sort, on les rejoint dans moins de trente minutes.

---

1. Mathias Aubin, lieutenant et ami de Coste dans *Code 93*.
2. Brigade anti-criminalité : unité de commissariat, généralement en civil, spécialisée dans les interventions en milieu sensible. Elle assure aussi, sur le terrain, la protection et le soutien des services extérieurs.

55

Ronan gara la 306 du groupe à vingt mètres de l'entrée de la casse auto. Il éteignit les phares et laissa un interstice ouvert à sa fenêtre, pour éviter que la buée de leur respiration ne s'y colle et les trahisse. À l'arrière, allongé et prêt à poursuivre sa nuit, Sam bataillait pour ne pas déjà fermer les paupières.

Dans la seconde voiture du groupe, Coste et Johanna les dépassèrent et s'arrêtèrent devant une Renault Mégane noire. Coste descendit du côté conducteur et courut jusqu'à elle, dos courbé, caché par les carrosseries. Un coup toqué à la vitre et la porte arrière s'ouvrit.

— Messieurs.

— Capitaine, répondirent les trois effectifs de la BAC en chœur.

— Vous me racontez ?

— À 4 h 50, la LAPI de Saint-Denis a grillé votre objectif et l'a suivi, de loin, jusque-là.

— Longtemps ? s'inquiéta Coste.

— Non, seulement sur une rue. Après ils ont décroché pour ne pas se faire repérer. Dans leur rétroviseur, ils l'ont vu entrer dans cette casse. Ils vous ont contacté à 5 heures et nous les avons remplacés à 5 h 07. Il est 5 h 32 et depuis personne n'est sorti.

— C'est précis. Vous connaissez le proprio des lieux ?

— Oui. C'est un gros porc de Gitan qui nous a tiré dessus à la chevrotine la semaine dernière. On pense qu'il recèle pas mal. D'un autre côté, quand on a une casse auto sur le 93, c'est tentant.

— Merci, on prend la suite, mais j'ai encore besoin de vous.

— Sans souci, on prévient notre état-major.

Quelques minutes avant 8 heures, Sam reçut une claque vivifiante sur la cuisse. Il se réveilla en sursaut et mit un peu de temps à réaliser qu'il n'était pas dans sa chambre. Ronan attrapa sa radio et s'adressa au second équipage pendant que Sam émergeait.

— Vous la voyez ?

Roulant au pas, une Clio vert foncé coupa le brouillard matinal sur le chemin de terre qui menait de la casse auto à la rue goudronnée. Avant de s'engager, Franck contrôla à gauche et à droite et, pour ce faire, se pencha en avant vers le pare-brise, révélant son visage à la lumière de l'éclairage public.

— PJ pour la BAC, annonça Coste à la radio. Ça ressemble à votre gros porc de Gitan ?

— Négatif, cracha la radio. Le nôtre fait trois fois sa taille.

— Parfait. Vous ne bougez pas, vous nous laissez partir en premier et vous pouvez faire retour service. Merci du coup de main.

Puis il s'adressa à Ronan et Sam pour organiser l'opération, conscient qu'il n'y a rien de plus compliqué que de suivre un homme qui craint d'être suivi.

— OK, les enfants. Personne n'est entré après la Volvo à 5 heures du matin. On a neuf chances sur dix que ce soit notre gars avec un nouveau véhicule. Perso, ça me convient comme probabilité. On commence la filoche avec Johanna. On profite de la circulation fluide du petit matin, vous restez bien en arrière et on vous annonce notre progression. Interversion des véhicules toutes les trois minutes.

Les rues s'égrenèrent et Coste suivit la Clio, se dissimulant à l'ombre des fourgonnettes et des camions, invisible. Au bout du laps de temps prévu, il mit son clignotant à gauche et quitta la route. Immédiatement derrière lui, la 306 de Ronan prit sa place et poursuivit la filature pour les trois minutes suivantes. Ce manège se répéta jusqu'à ce que le décor devienne plus que familier. Sam, toujours allongé à l'arrière, communiqua avec Coste.

— On entre dans Bobigny. Il nous ramène sur notre territoire. On passe juste devant le central RATP, vous prenez la suite ?

Ronan bifurqua, disparut, et Coste poursuivit le ballet. Il vit la Clio dépasser les bus agglutinés à la gare routière et se garer le long de la route bordant le centre commercial Darcy. Johanna lui indiqua une place à une dizaine de véhicules d'écart et il s'y inséra. Il aperçut leur cible qui sortait de la voiture et se dirigeait vers l'escalier de pierre menant à l'esplanade qui faisait face à l'entrée principale du centre commercial. Deux mendiants dont un musicien, une quinzaine de gamins juchés sur leurs scooters, fumant, s'insultant, sifflant les jolies filles et même les autres, ainsi qu'une rivière continue d'anonymes citoyens, entrant les mains vides et sortant les bras chargés de sacs de courses. Derrière le supermarché, un demi-cercle de cités aux tours impressionnantes, comme si le Darcy était leur hall d'entrée.

— Coste pour Ronan. Je me suis garé trop loin. Je ne sais pas s'il entre dans le centre co. S'il vient s'approvisionner, on a des chances qu'il nous mène ensuite à son équipe, mais là je ne le vois plus.

— Je me suis placé juste devant l'entrée, dans la même rue que toi. Il arrive vers moi, je coupe la radio.

Ronan se cala contre son fauteuil et même si cela ne servait à rien, retint sa respiration alors que Sam tentait de s'enfouir au maximum dans les sièges arrière au moment où Franck Mosconi longeait leur voiture. La tension retomba lorsqu'il posa un pied sur l'esplanade et Ronan ralluma sa radio. Leur cible s'approcha des portes d'entrée, ralentit et changea de cap vers les gamins à scooters. L'un d'eux, capuche vissée sur la tête, s'écarta du groupe et se porta au niveau de Franck.

— Il entre en contact avec un type, annonça Ronan.

— On connaît ?

— Je peux pas te dire. Pas de là où je me trouve.

Coste estima qu'avec le peu d'infos en leur possession, le contact de leur cible pouvait parfaitement faire partie de la bande. Moment d'incertitude, fil bleu, fil rouge, il donna ses ordres.

— Que Sam s'équipe et aille sur place. Il entre dans le Darcy et ressort par l'arrière, rien de plus. Je veux savoir qui est le nouveau.

Ronan tapa du poing dans la boîte à gants qui s'ouvrit d'un coup, y récupéra une seconde radio et la tendit à Sam. Ce dernier y brancha un écouteur qu'il inséra dans son oreille. Malheureusement, les délinquants sont depuis longtemps habitués à chercher ce petit détail et le reconnaissent au premier coup d'œil. Sam recouvrit alors l'oreillette d'un imposant casque audio encore moins discret, mais bien plus couleur locale. Pour se fondre dans la masse, il releva la capuche de son sweat et sortit de la voiture. Ronan baissa sa vitre et l'interpella.

— Vire ta capuche, ça flingue ta vision périphérique.

Sam s'exécuta et se dirigea à son tour vers l'esplanade. Il enfonça les mains dans ses poches, fronça les sourcils et bougea la tête au rythme d'une musique imaginée. D'un pas nonchalant, il s'approcha de leur cible et de son contact qui lui tourna le dos au moment où il passa. Il freina sa marche, espérant un angle de vue meilleur. Franck se tourna à son tour et croisa son regard un quart de seconde. L'air de rien, Sam regarda ailleurs et entra dans le centre commercial déjà bondé.

— Désolé, j'ai rien vu. Vous voulez que je repasse ?

— Négatif. Trouve une boutique avec une vitrine miroir et essaie une dernière fois.

La première que Sam vit sur son chemin, directement en entrant à gauche, était une bijouterie et contenait assez de surfaces réfléchissantes pour y voir chaque issue. Il fit mine de s'intéresser aux montres, laissa filer son regard doucement sur l'un des miroirs, aperçut les roues des scooters et les baskets des gamins, remonta légèrement et tomba les yeux dans les yeux avec la cible qui l'observait déjà.

Il n'eut alors plus d'autre choix que de poursuivre son rôle et d'entrer dans la boutique. La vendeuse s'approcha de lui et lui demanda quel article avait attiré son attention. Sam l'ignora et porta la main à son oreille, le souffle un peu court.

— Bon, ça fait deux fois qu'on fixe. Il va prendre chaud si je continue.

La vendeuse se demanda à qui il pouvait bien parler et Sam le lui expliqua en soulevant un peu son sweat, révélant son arme. De son côté, Franck glissa un mot à l'oreille du jeune sous capuche, puis ils se séparèrent et il traversa à nouveau l'esplanade, d'un pas qui ne trahissait aucun stress. Au contraire, Ronan le trouva presque lent.

Revenu sur le trottoir, Franck longea la file de voitures pour rejoindre la sienne, calmement, et dépassa celle de Ronan dont il regarda le toit d'un air distrait. Dans son oreillette, Sam reçut un nouvel ordre de Coste.

— Tu restes où tu es et tu gardes un visuel sur le groupe des scooters.

Ronan avait laissé la cible avancer de deux mètres et, radio entre les cuisses, informa Coste.

— Il se dirige vers vous. Doucement. Trop doucement, même. Je ne sais pas ce qu'il fait mais je crois qu'il monte en température.

Bonne analyse. Franck était effectivement passé en mode scan et balayait tout son entourage à la recherche de la moindre personne suspecte, de l'ingrédient qui dénote, de la couleur qui jure. Déjà, le type dans le centre commercial ne l'avait pas rassuré, mais ici, les gens se toisent plus qu'ils ne se regardent. Il avait alors mis sa paranoïa de côté. Mais ensuite, le toit de cette voiture grise ne lui avait rien dit de bon et ses sens se mirent en alerte maximum flicaille. Il continua de marcher, le regard toujours posé sur les toits. Il arriva au niveau d'une voiture dont les passagers se tenaient les mains amoureusement, en pleine conversation de couple. Elle, un peu bonhomme avec ses cheveux blonds en brosse et lui, quadra poivre et sel. Alors qu'il allait les dépasser, ses yeux se portèrent sur le toit de leur voiture et pour la seconde fois, dans la même rue, il constata les mêmes rayures. Des rayures profondes laissées au fur et à mesure des interventions, lorsque les flics bourrés d'adrénaline collent sans délicatesse le gyrophare aimanté sur le toit. La voix de Ronan s'entendit dans l'habitacle.

— Putain, je sais ce qu'il fait ! Il vérifie les traces de gyro, l'enfoiré. Il sait qu'il est grillé. On fait quoi ?

Coste regarda leur cible s'approcher de sa Clio et comme Johanna, laissa la main sur la poignée de la porte, prêt à s'éjecter.

— On espère que tu te trompes et on attend. Si on serre, toi et Sam vous occupez du contact sur l'esplanade.

Franck Mosconi posa la main sur sa portière et respira un grand coup. Son dos se couvrit d'une fine pellicule de sueur. Il estima que, vu le temps nécessaire pour faire un créneau, il se retrouverait avec une tripotée de flingues collés à son pare-brise, canons dans sa direction. Il contempla les cités autour de lui, leurs accès labyrinthiques, et prit sa décision. Une nouvelle respiration et il attaqua un sprint vers les tours.

— On tape ! hurla Coste.

Johanna et lui furent hors de la voiture en moins d'une seconde et se retrouvèrent à remonter les dix mètres que leur cible leur avait déjà mis dans la vue. Dans sa course, Franck attrapa son portable dans la poche de sa veste et au premier virage, le balança sans être vu dans une bouche d'égout. Il se retourna pour constater que la femme flic avait déjà rattrapé la moitié de la distance qui les séparait et, traversant le passage piéton à pleine vitesse pour arriver vers les cités, ne vit qu'au dernier moment la camionnette le frapper de plein fouet dans un crissement de pneus assourdissant.

La circulation s'arrêta des deux côtés, certains curieux sortirent de leur voiture alors que, sous le choc, le conducteur de la camionnette restait paralysé, perturbé par cette question idiote que se posent tous ceux qui viennent d'avoir un accident : « Je suis en tort ou pas ? »

Quand Franck ouvrit les yeux, allongé sur le sol, les premières images captées furent floues. Deux ombres se penchaient au-dessus de lui. Il fit le point et reconnut plus nettement le couple de flics. La question de savoir s'il était au paradis ne se posa donc pas.

— Tu m'as fait peur, connard, railla Coste en lui passant les mains dans le dos. J'ai cru que t'étais mort.

« On tape ! »

Dès qu'il eut entendu le top départ de Coste, Sam sortit de la bijouterie au moment où le gamin sous capuche entrait dans le centre commercial et se fondait parmi la foule. Sam donna des épaules pour se frayer un chemin et ne réussit qu'à se faire remarquer. Capuche le regarda un court instant et fonça directement dans le supermarché afin de se perdre dans les rayonnages.

Quand Ronan arriva au niveau de la bijouterie, il fit un trois cent soixante degrés avant de constater qu'il avait perdu son équipier.

— Sam ? T'es où ? cria-t-il dans la radio.

— En plein milieu du Darcy. J'ai perdu le contact !

Au détour d'une allée, entre les céréales et le lait, Sam vit une silhouette sous capuche tourner à gauche et fonça dans sa direction. Il évita un Caddie de peu, vira en dérapant sur le sol carrelé et déboula au milieu des surgelés. Il dévisagea dans la seconde une vingtaine de clients, perdus dans l'organisation des menus de la semaine, mais pas de Capuche. Fatigué de se faire balader, il grimpa sur les bacs réfrigérés, escalada le mur de congélateurs pour avoir une vision globale des rayons l'entourant. Il repéra Capuche qui longeait les gels douche et dentifrices en regardant régulièrement derrière lui. Si Sam remontait l'allée parallèle, il pourrait, au bout, lui couper le chemin. Il sauta à terre au milieu des clients ahuris et fonça jusqu'au croisement où il tomba nez à nez avec Capuche qui détala immédiatement en un demi-tour. Sam n'avait rien d'un sportif, mais il pouvait au moins faire un sprint de cinq enjambées. Arrivé à un mètre derrière l'objectif il lui bondit dessus et dans l'élan, tous deux percutèrent une pyramide de confitures allégées bio dont Darcy faisait la promotion. Les pots se cassèrent au sol, rouge fraise et violet figue dans un tableau abstrait. Alors que Capuche glissait en tentant de se relever, Sam lui attrapa les jambes, le bloqua, le fit rechuter et posa son genou sur son torse pour l'immobiliser. Dans l'altercation, la capuche tomba en arrière et de longs cheveux bruns apparurent.

— Putain, mais t'es qui toi ? s'exclama Sam, surpris d'avoir tant bataillé avec une ado.

Ronan les retrouva à ce moment, dans une inondation de sucre, recouverts de confiture, alors que Sam procédait à une palpation rapide. Il découvrit un portefeuille en tissu qu'il tendit à Ronan. Ce dernier le fouilla et tomba sur une pièce d'identité qu'il lut tout haut.

— Aurélie Alves. Je sais pas ce que tu fous dans cette histoire, mais t'es en garde à vue ma chérie.

Pendant qu'au micro une voix annonçait que pour deux pots de confiture bio achetés, le troisième était offert, Sam passa les menottes à la nouvelle protagoniste de l'enquête.

56

Interpellé sans aucun document d'identité sur lui, le gardé à vue avait été mené au service de la Scientifique pour procéder à un relevé de ses empreintes digitales.

— Si tu veux savoir qui je suis, suffit de le demander.

— Vous pourriez mentir, lui rétorqua le technicien alors qu'il préparait l'encre noire et la fiche de prélèvement.

— Je m'appelle Mosconi. Franck Mosconi. Dis ça aux autres, ça devrait les réveiller.

Surpris, le technicien adressa un signe à son assistant qui se dirigea vers le téléphone mural de la pièce.

*
* *

Sam raccrocha, perplexe et excité.

— Je ne sais pas pourquoi il nous fait gagner du temps mais il vient de donner son nom à l'IJ[1]. Franck Mosconi.

---

1. IJ : Identité judiciaire.

En même temps qu'il parlait, Sam pianotait sur le TAJ pour connaître son passé et lut à voix haute le résultat.

— Incendies criminels, agressions et extorsions diverses. Le tout en Corse mais rien en France métropolitaine. Un beau spécimen.

— Mosconi ? répéta Coste en se plaçant devant le tableau du groupe.

Il observa, parmi toutes les autres, les photos de Dorian Calderon et de la femme inconnue sortant du box avec un cadavre en arrière-plan, puis les noms des quatre feuilles du trèfle, de leurs avocats, des adresses, les immatriculations des diverses voitures impliquées, le tout dans un fatras organisé dont même eux ne voyaient pas toutes les connexions.

— C'est le deuxième de la famille. Nous avons donc Franck Mosconi, au volant de la Volvo repérée à l'heure et au lieu du meurtre de Doucey, un pédophile libéré grâce au braquage du tribunal. Tout comme a été libéré Nunzio Mosconi dans la même opération. Je ne dis pas que c'est totalement clair, mais ça commence à prendre forme. Combien de temps depuis l'interpellation ?

— Trente-sept minutes, répondit Johanna après avoir consulté son portable.

— Il nous reste moins de trente minutes pour respecter ses droits. On déménage dans un bureau libre pour toutes les auditions à venir, il y a trop d'informations sur les murs, ici.

*
* *

362

Une pièce aux stores baissés avec une table au centre supportant un ordinateur. Rien de plus ne décorait l'endroit aux murs beiges où Coste se tenait face à Franck.

— Tu veux voir un médecin ?

— Je me suis pris une fourgonnette en pleine gueule, à ton avis ?

— Tu veux qu'on prévienne quelqu'un de ta garde à vue ? Un proche, une épouse ? Un complice même, on n'est pas chiens, mais il nous faudrait son nom et son téléphone.

Franck le regarda, amusé, et son silence fut traduit par un refus.

— Tu veux voir un avocat ? Commis d'office ? Personnel ?

— Personnel, répondit Franck sans hésitation. Maître Tiretto, du barreau de Paris.

— Le même avocat qui a fait sortir ton frère, Nunzio Mosconi ? tenta Coste.

— Nunzio est mon cousin. Et Tiretto est l'avocat de notre famille. Va falloir bosser un peu les gars, je vais pas vous offrir toutes les infos avec un ruban autour.

Coste glissa sur son bureau la photo du couple sortant du box.

— Et comme ça, de toi à moi, tu veux nous dire qui sont ces personnes ? Tu conduisais la même voiture qu'eux hier soir.

Franck repensa à la Volvo bleue, modèle 740, transformée en Rubik's Cube entre les presses de son ami ferrailleur. Il faudrait beaucoup de patience à la police pour en retirer la moindre preuve ADN.

— Et comme ça de toi à moi, répondit-il au flic, tu veux pas me foutre la paix et me redescendre en cellule ?

— T'es ronchon parce que je t'ai traité de connard quand je t'ai interpellé ?

— C'est jamais agréable, reconnut Mosconi.

— Désolé, je pensais que tu le savais déjà.

*
* *

— On n'en tirera rien, maugréa Coste en regardant s'éloigner Franck, menotté dans le dos, escorté par deux effectifs en tenue, en direction des cellules de garde à vue du rez-de-chaussée.

— Pas avant que son avocat lui ait conseillé quoi dire, confirma Ronan. Remarque, on n'a trouvé aucune pièce d'identité sur lui, il aurait pu gagner quelques heures avant que ses empreintes ne parlent. Il lui suffisait de se taire.

— Mais il ne l'a pas fait. Parce qu'il veut voir son baveux au plus vite. Il sait qu'il informera ses complices de son arrestation.

— En gros, dès qu'il aura parlé à son avocat, le reste de son équipe sera au courant et ils vont se tenir planqués.

— Reste la gamine, pensa Coste, tout haut. Elle, elle peut craquer. Et peut-être qu'elle sait des choses.

— Sauf que Tiretto va avoir accès au procès-verbal d'interpellation et il verra bien qu'Aurélie Alves a été attrapée en même temps que Franck. Je ne sais pas quel est le rapport entre ces deux-là, mais si les complices de Mosconi lui font confiance pour ne pas les balancer, je doute qu'ils se reposent entièrement sur une gamine. Donc ils ne vont pas rester au même endroit. Où qu'ils se trouvent, ils vont bouger et personne ne connaîtra leur nouvelle planque, pas même Franck Mosconi.

— À moins qu'on oublie de parler d'Aurélie Alves dans nos procès-verbaux, proposa Coste, conscient de sortir des clous.

— Tu veux qu'on fasse des faux ? s'étonna Sam.

— Je veux qu'on aille au bout de cette enquête. Vous me collez la gosse dans les cellules de notre service au troisième étage et Mosconi reste au rez-de-chaussée. Ils ne doivent pas se croiser.

*
* *

— Tu veux voir un médecin ? demanda Johanna.

— Non. Non, ça va, bafouilla la jeune fille.

— Un avocat ?

Elle manqua de s'effondrer en larmes.

— Mais pourquoi ? J'ai fait quoi ?

— J'hésite entre tout un tas d'infractions. Tu sais que ton ami Franck pourrait se retrouver complice dans une affaire de meurtre et que par conséquent, toi aussi ? Et quand on a cherché à te parler, t'as joué les sprinteuses, ce qui ne plaide pas en ta faveur. Alors, tu veux un avocat ? C'est payant, c'est très cher et il n'y a que les coupables qui en ont besoin, l'embourba Johanna.

— Alors non, refusa Aurélie, de plus en plus perdue.

— T'es mineure, je dois contacter un responsable légal. Tu choisis qui ?

365

— Mon père. Tomas Alves.

— Numéro de téléphone ?

*
* *

Tiretto débarqua dans le quart d'heure à l'accueil du SDPJ. Il fut reçu par un certain capitaine Coste, en charge de l'affaire concernant son client. Sous le contrôle de Sam, qui avait fait aussi vite qu'il avait pu pour modifier le procès-verbal d'interpellation, il tourna les pages de la procédure, notant dans son carnet les informations qui lui semblaient utiles.

— C'est assez gênant d'avoir quelqu'un derrière mon épaule pendant que je lis, lança-t-il à Sam.

— J'imagine que c'est pas le truc le plus gênant de votre métier, mais vous êtes dans mon bureau, alors j'y suis aussi. Si vous voulez je peux vous sortir une chaise dans le couloir.

Tiretto ne releva pas la pique, habitué à être rarement le bienvenu dans les locaux de police.

— Je peux voir mon client, maintenant ?

Mosconi fut extrait de sa cellule et accompagné dans le local prévu pour les entretiens avocat où Tiretto le rejoignit. À sa vue, les épaules de Franck s'affaissèrent. Plus de comédie. L'attitude orgueilleuse et le masque de criminel imperturbable qu'il réservait aux policiers disparurent.

— Alors ?

— Alors rien. Vous avez été vu par les flics de Saint-Denis à bord d'une Volvo volée. Donc on vous accusera de vol, ou de recel, à la limite. Même si

366

cette voiture, poursuivit l'avocat, a été impliquée vingt-quatre heures plus tôt dans le meurtre d'Antoine Doucey, le pédophile que vous avez fait libérer par erreur. J'imagine que l'on doit cela à Alex ?

— Elle a fait ça en taupe, sans prévenir personne. Tu penses bien que je l'en aurais empêchée. Je savais qu'elle nous mettrait dans la merde avec sa putain de morale.

— C'est bien pour cela que je n'en ai pas. Taisez-vous pendant le temps de votre garde à vue et vous devriez sortir rapidement.

— Et pour la voiture ?

— Vous ne vous en souvenez pas ? s'étonna Tiretto. Vous l'avez trouvée à Saint-Denis, moteur tournant, portes ouvertes, et vous l'avez amenée chez un ferrailleur pour vous faire un billet.

— C'est un peu gros, non ?

— Peut-être, mais ce sera aux policiers de prouver le contraire. Alors on reste sur cette version.

— Justement en parlant de flics, on a qui sur le dos ? Tu les connais ?

Tiretto sortit son calepin de la poche de sa veste et retrouva la page où il avait pris ses notes.

— Le Groupe crime 1 du capitaine Coste. Ce n'est pas vraiment une bonne nouvelle si vous voulez mon avis. On le dit tenace et parfois borderline. On dit aussi la même chose de son équipe. Attendez…

Il tourna la page suivante et lut les noms relevés sur les procès-verbaux.

— Lieutenant Ronan Scaglia, lieutenant Johanna De Ritter et brigadier Samuel Dorfrey.

Franck sembla hésiter sur la phrase à venir, puis se lança :

— Et j'ai été interpellé seul ?

— Pourquoi ? Vous étiez avec quelqu'un ?

— Putain, Tiretto, ta mère t'a jamais dit qu'on ne répondait pas à une question par une autre question ? J'ai été interpellé seul ou pas ?

— Oui, Franck. Il n'y a que vous qui êtes mentionné dans la procédure. Mais vous m'inquiétez. Vous savez que pour vous défendre, je dois tout savoir ?

— Il n'y a rien d'autre à savoir. Prévenez le père.

— Pas Alexandra ?

— Elle s'est mise hors jeu toute seule. À partir de maintenant, on traite avec monsieur Mosconi.

*
* *

Coste raccompagna lui-même Tiretto vers la sortie. Il ouvrit la grande porte vitrée de l'accueil et laissa passer l'avocat.

— Vous avez le droit d'être présent à chaque audition, évidemment.

Tiretto afficha un air de compassion feinte.

— Nous parlons d'un simple vol, capitaine. Pour le peu qu'il vous en dira, je me contenterai de lire votre prose demain, mais merci pour l'attention. Par contre, ne perdez pas de temps pour la visite du médecin, mon client a quand même été victime d'un accident. Ce serait dommage qu'un vice de procédure mette à mal votre enquête.

Coste le regarda s'éloigner vers sa berline Audi, garée indûment sur un emplacement réservé à la police. Arrivé au niveau du pare-brise, l'avocat décrocha la contravention glissée sous l'essuie-glace, cadeau de la maison. Ronan rejoignit Coste au même moment.

— Dans deux minutes, il balance tout au reste de l'équipe.

— Tout sauf Aurélie. Demande à Johanna de commencer son audition et qu'elle me trouve le lien entre elle et Franck Mosconi. Avec un peu de chance, elle connaît l'identité des autres, des adresses, un lieu de repli, la moindre miette qui nous fera avancer.

Ils quittèrent l'entrée de l'hôtel de police pour se diriger vers l'ascenseur qui menait aux étages de la PJ et croisèrent le chemin d'un homme rondouillet au visage crispé. Il s'arrêta devant le bureau de l'accueil, face à l'adjoint de sécurité qui finissait de bâiller.

— Bonjour, j'ai été convoqué par le lieutenant De Ritter. C'est au sujet de ma fille.

Sa voix inquiète porta à travers la salle, jusqu'aux oreilles des deux flics.

— Monsieur Alves ? Capitaine Coste, lieutenant Scaglia, SDPJ. Nous sommes en charge de la procédure contre Aurélie.

Tomas s'emporta presque.

— Qu'est-ce qu'elle a fait ? C'est toujours ces histoires avec les gamins à scooters du centre commercial ? Je lui ai dit que ce n'était pas de bonnes relations, que ça lui causerait des problèmes. Mais je ne comprends pas, normalement je suis convoqué par la Brigade des mineurs.

D'un geste, le policier l'invita à le suivre.

— Laissez-moi vous expliquer.

Dans la salle d'audition, Tomas Alves, mal à l'aise, se tortillait sur la chaise inconfortable qu'on lui avait proposée. Coste ouvrit le dossier posé devant lui, sous le regard attentif de Ronan, adossé au mur dans un coin de la pièce.

— Nom et prénom ?

— Alves, Tomas, sans « h ».

— Date et lieu de naissance ?

— 2 août 1969, à Orleix, dans les Hautes-Pyrénées.

— Profession ?

Persuadé qu'une nouvelle bêtise d'adolescente justifiait sa présence et bien que les flics ne soient pas ceux auxquels il était habitué, Tomas ne se douta pas des effets de sa réponse.

— Je suis fonctionnaire au tribunal de grande instance de Bobigny.

Les doigts de Coste s'arrêtèrent au-dessus du clavier.

— Fonctionnaire. Précisez ?

— Je suis responsable des scellés.

Coste se retourna vers Ronan qui, message compris, s'absenta quelques secondes du bureau avant d'y revenir, procédure complète dans les bras, suivi par Johanna et Sam, informés de la tournure surprenante que venait de prendre l'enquête. Entouré des quatre policiers, Tomas angoissa sérieusement.

— Je crois que vous êtes dans l'obligation de me donner les raisons de l'arrestation de ma fille, protesta-t-il faiblement.

Pour toute réponse, Ronan ouvrit la chemise en carton et fit glisser sur le bureau la photo de Franck Mosconi. Juste sous le nez de Tomas. L'homme bloqua net : les flics avaient trouvé le lien entre lui et les braqueurs et ce lien passait par Aurélie sans qu'il s'explique comment. Il revit Rhino l'attraper par les cheveux et le traîner dans le salon. Et Alex lui souffler qu'elle mettrait la tête d'Isabel dans son four...

Coste claqua des doigts et Tomas fut de retour dans cette pièce, après trois secondes d'absence.

— Monsieur Alves ?

Il ferma les yeux et contrôla sa respiration. Le matin, Isabel l'avait embrassé sur le perron de leur pavillon d'un baiser plus doux et plus long que les autres jours, comme pour le préparer à cette journée.

— Je ne connais pas cette personne, affirma-t-il en relevant le visage.

Ronan prit la parole, plus agressif.

— Franck Mosconi. Votre fille a été interpellée en sa compagnie. Il est le cousin de Nunzio Mosconi, un des détenus libérés suite au braquage des scellés de votre service. Toutes nos pistes terminent à vos pieds. Vous allez avoir du mal à vous sortir de là juste en vous taisant.

Tomas reçut un coup au ventre en imaginant Aurélie et Franck Mosconi. Que faisait-elle avec ce type plusieurs jours après que lui et son équipe lui avaient pété le nez, avaient gardé prisonnière sa famille et les avaient menacés de mort ?

— Je suis désolé. Je ne connais pas cette personne, répéta-t-il mécaniquement, les poings serrés.

Puis il s'enferma dans le silence. Coste jaugea le petit homme et lut dans son attitude un mélange de peur et de résignation. Ronan saisit le bras de Tomas, le releva, lui passa les mains dans le dos et le menotta.

— Monsieur Alves, il est 10 h 15, vous êtes placé en garde à vue pour complicité de vol à main armée.

Tomas se laissa faire, mille questions en tête comme autant d'aiguilles dans son cerveau. Coste le regarda partir avec la nette impression de rater quelque chose et quand ils furent seuls, Sam confirma la sensation.

— On tape à côté de la cible, là, non ? Tu as vu sa tête quand on lui a présenté la photo. J'ai cru qu'on allait le perdre. Manifestement, il le connaît. Ce que je ne m'explique pas, c'est qu'il préfère aller en garde à vue et y laisser sa fille pour protéger Mosconi.

— À moins que ce ne soit pas Mosconi qu'il protège. Johanna, tu as fait une première audition d'Aurélie. Composition de la famille ?

— On vient d'en placer les deux tiers en cellule. Reste la mère. Isabel. Les parents sont inconnus de nos services. Aurélie a fait quelques conneries d'ado, du banal sans gravité. Je ne les vois vraiment pas monter ce braquage ensemble.

— Pourtant, si on doit trouver quelque chose, ce sera par leur biais, décida Coste, alors on fait quand même les vérifications d'usage. Sam, je veux tous les relevés bancaires sur deux mois, le compte du père, celui de sa femme et celui d'Aurélie. Idem pour les téléphones, tu nous sors les factures détaillées sur le même laps de temps. Johanna, envoie une équipe de l'Identité judiciaire à leur adresse et tu les accompagnes avec Ronan pour une perquisition du domicile. Et vous me ramenez madame Alves. D'un côté des braqueurs, de l'autre une famille sans histoires. Je veux savoir comment ces deux mondes se sont rencontrés.

57

Rhinocéros commençait à en avoir assez. Être baby-sitter ou garde-malade n'avait jamais fait partie du plan et il s'en plaignit à Dorian.

— Nano est planté devant la téloche depuis ce matin et je suis même pas sûr qu'il comprend ce qu'il mate. Si on continue de le bourrer de cachetons, il sortira jamais la tête du trou.

— Je sais, lui accorda Dorian, mais il tourne à ça depuis des semaines. On ne peut pas le sevrer d'un coup, ce serait dangereux. Il doit se tenir correctement à l'aéroport. Alex dit qu'il faut attendre qu'on soit en Corse, que tout sera plus simple là-bas.

— Et moi je dis que tu vas prendre tes petites couilles dans tes mains et tu vas lui dire qu'elle s'occupe elle-même de son frère.

Dorian tourna la tête vers Alex, assise à la table au centre du loft, fixant son téléphone portable posé juste devant elle. Il la rejoignit et s'assit sur la chaise voisine.

— Un problème avec Nano ? s'alarma-t-elle.

Dorian la connaissait assez pour savoir que ce n'était pas le moment de lui faire état des petits soucis d'orgueil de Rhinocéros.

— Non, tout va bien. Faudra juste penser à le nourrir avec autre chose que des antidépresseurs.

Comme absente, elle n'avait pas levé les yeux de son téléphone.

— Des nouvelles de Franck ? demanda Dorian.

— Rien. Ça fait deux heures qu'il devrait être rentré avec une nouvelle voiture. J'ai appelé quatre fois et j'ai laissé quatre messages. Quelque chose s'est mal passé, je le sens.

— Tu veux pas en profiter pour passer un peu de temps avec Nano ? Je crois que Rhinocéros sature.

Alex hésita, puis se décida à traverser le loft. À mi-chemin, une mélodie aérienne emplit l'espace. Skype l'avertissait d'une demande de communication. Elle fit demi-tour, s'installa, et fronça les sourcils. « Mr M. » s'affichait sur un coin de l'écran. Elle accepta d'un clic de souris et le visage de son père apparut. Peau tannée par le soleil, rides du front profondes, crâne rasé et chemise blanche ouverte de quelques boutons. Derrière lui, une fenêtre donnait sur un ciel bleu. Un homme dont on ne vit que le buste passa à son côté et déposa un verre d'eau pétillante sur la table.

— Papa ?

Vu la distance et la connexion, une latence d'une demi-seconde espaçait les réponses et son père n'avait pas encore bougé, le regard noir et visiblement mécontent.

— Je n'aurais jamais dû t'autoriser à monter ta propre équipe, tu ne sais pas protéger tes hommes, attaqua-t-il avec un fort accent corse qui donnait à ses phrases une allure de leçon, ou de morale.

Alex fut un instant décontenancée par la violence de l'introduction et, face à ce recadrage, redevint immédiatement la petite Alexandra.

— De quoi tu parles, papa ? Nano est là, avec nous. On a réussi le coup et on décolle demain matin d'Orly.

— Avec Franck ?

— Bien sûr avec Fr...

Elle ravala la fin de sa phrase quand elle réalisa que son père en savait plus qu'elle.

— Et après le braquage du tribunal pour faire sortir ton frère, tu comptes braquer la Police judiciaire pour faire sortir ton cousin ?

Rhinocéros et Dorian étaient maintenant debout derrière elle, à distance suffisante pour ne pas entrer dans le champ de vision de monsieur Mosconi, ni subir sa colère. Alex préféra se taire, consciente qu'elle ne ferait que bégayer.

— Franck est en garde à vue depuis 10 heures ce matin, poursuivit-il. Tiretto sort de chez les flics.

— On sait ce qui s'est passé ?

Laissant arriver la question jusqu'en Corse, monsieur Mosconi but une gorgée d'eau fraîche.

— Une histoire de voiture volée, il va falloir que tu m'expliques.

— On... On ne risque rien, il ne parlera pas, osa-t-elle.

— Je le sais bien. J'ai confiance. Mais les vols de voiture, c'est au commissariat que ça se traite, pas à la Police judiciaire, encore moins à la Criminelle. D'après l'avocat, ce sont des flics à ne pas sous-estimer. Maintenant, il faut partir du principe que vous êtes tous identifiés. La planque reste votre meilleur abri. Mais vous ne pourrez plus quitter la France par les lignes officielles. Vous allez prendre le même trajet que les bijoux.

— L'aéroport du Bourget ?

— Je suis en train d'organiser votre retour sur l'île. J'ai réservé un vol. Dans la soirée, tu seras contactée par un ami parisien. Il a des passeports pour chacun de vous. J'imagine aussi que vous allez être à court de liquide. Il y remédiera. Et après cette conversation, tu grilleras ton ordinateur. Vous décollez demain à 13 heures, d'ici là, tu crois que tu pourrais arrêter de mettre le feu au continent ?

Alex baissa les yeux. Depuis ses huit ans, elle se battait pour que son père la considère comme ses frères, mais elle n'avait droit qu'à des remontrances et du mépris, toujours. Pourtant, la voix de monsieur Mosconi redevint plus calme, presque paternelle.

— Alexandra. On me dit que tu as tué un homme ?

Putain de grande bouche de Tiretto, pensa-t-elle. Il avait dû avoir l'info par Franck et, comme un petit chien dressé à lécher, avait tout répété au patriarche. Elle serra les dents et pour la première fois, assumant sa décision, réussit à soutenir le regard de son père.

— C'était nécessaire.

— Je sais. On m'a dit qui il était. Tu as bien fait. Mais c'est une opération dans une opération. Tu aurais dû rentrer, mettre ton équipe à l'abri et préparer ton coup. On y aurait pensé ensemble, correctement.

— Franck m'a donné les mêmes conseils. Je ne l'ai pas écouté.

— Et il est maintenant entre les mains des policiers.

Coupable, elle le laissa conclure.

— Rentre à la maison. Nous parlerons de ton avenir.

58

Pour la troisième fois dans l'après-midi, Tomas, Aurélie et Franck étaient passés sous le feu nourri des questions du Groupe crime 1. Pour la troisième fois, chacun était resté sur ses positions et les procès-verbaux qui sortaient des imprimantes ne dépassaient pas une demi-page.

Franck reconnaissait avoir volé une voiture, trouvée comme un cadeau sur la voie publique, attendant patiemment que les flics se fatiguent et que les heures de sa garde à vue s'égrènent.

Tomas et sa fille auraient nié jusqu'à leur parenté pour protéger la famille et Aurélie trouvait encore plus de force à vouloir sauver Franck.

Isabel Alves avait été amenée au service et y avait été entendue. Si son mari avait blêmi devant la photo de Mosconi, elle s'était liquéfiée et dans un très mauvais jeu d'acteur avait assuré ne pas le connaître, d'une voix à la limite de casser. Elle restait depuis dans un bureau fermé, portable confisqué, dans une sorte de garde à vue qui ne disait pas son nom.

Coste et Johanna s'accordaient un café, laissant Ronan se dépêtrer parmi toutes les réponses aux réquisitions faites plus tôt dans la matinée.

— Tu nous fais un point ? l'invita Coste en reposant sa tasse.

— De ce que je vois, aucun mouvement sur leurs comptes bancaires. Si Tomas Alves a reçu de l'argent, c'était en liquide. Par contre, les lignes téléphoniques sont plus intéressantes. Celles d'Aurélie et de la mère sont restées inactives le jour du braquage et les trois jours précédents.

— Une ado qui n'utilise pas son portable pendant quatre-vingt-seize heures, j'aurais tendance à vérifier son pouls, fit remarquer Johanna.

— Par contre, Tomas s'est bien servi du sien. Il a reçu des appels qu'il a chaque fois redirigés sur messagerie et il en a passé un seul sur une ligne qui est coupée depuis. Je vais la faire analyser.

— Soit ils ont utilisé d'autres portables pendant le coup, soit on les a empêchés de communiquer, supposa Coste.

— Rien en perquisition au domicile et tout le monde reste muet, ajouta Johanna. On fait quoi de la mère ?

— Je ne sais pas s'il faut la protéger ou la suspecter, peut-être les deux. Alors elle reste où elle est.

— On ne la colle pas en garde à vue ?

— Et pour quels motifs ? objecta Coste. Apprécie le trio : Dorian Calderon, connu pour des cambriolages, Franck Mosconi, un malfrat corse, plus une blonde inconnue, flingue à la main, et nous on fait quoi ? On focalise sur un père, sa fille de seize ans et sa femme ? La seule manière de faire tenir droit cette histoire, c'est de considérer que la famille Alves a été utilisée, via Tomas, pour monter le braquage. Je suis persuadé qu'on a juste trouvé des victimes de plus.

— Alors pourquoi Aurélie continuerait à fréquenter Franck Mosconi des jours après ?

— Possible qu'elle le connaissait avant. C'est peut-être elle qui a parlé du boulot de son père. C'est peut-être elle, sans le savoir, qui a donné l'idée à Mosconi de monter le braquage.

— Et excepté la Volvo qu'il conduisait, comment on relie Mosconi avec le couple qui sort du box ?

— Tu m'emmerdes Ronan, j'en suis au même point que toi. Je tâtonne, je gymnastique, j'hypothèse. On respire une minute et on les reprend en audition.

Entre la découverte du corps dans le box et la traque de la Volvo, l'équipe avait dormi six heures en deux jours et l'épuisement se sentait dans les rangs.

— Alors on leur pose les mêmes questions indéfiniment ? demanda Johanna.

— Oui, indéfiniment et de plus en plus fort, trancha Ventura que personne n'avait vu dans l'encadrement de la porte.

Il fit un pas de plus, s'imposant dans le bureau, et continua sur un ton péremptoire :

— Un gardé à vue on l'éreinte, on le brise, on le pousse à bout. Promettez-leur l'enfer, faites-les pleurer mais par-dessus tout, faites-les parler. Vous avez une famille. Menacez les uns devant les autres. Utilisez les leviers empathiques. C'est trop doux tout ça ! Si vous ne vous en sentez pas capables, je peux vous adjoindre l'équipe de Jevric. Vous vous êtes permis de m'en dire le plus grand bien mais en attendant, elle, ses affaires, elle les termine. Alors vous me sortez un miracle de votre cul et vous me faites avancer cette enquête.

En quittant le bureau avec autant de délicatesse qu'il était intervenu, il manqua de percuter Sam, une liasse de feuilles entre les mains. Coste le regarda partir en se demandant qui, parmi ses profs de management à l'école de police, avait soufflé à Ventura cette manière de motiver les troupes. Sam prit place au milieu du groupe et rebondit sur la dernière phrase du nouveau chef de la section criminelle.

— Le miracle, si ça sort du fax, ça marche aussi ?

— Les voies du Seigneur, s'amusa Johanna. T'as trouvé quoi ?

Il se fit une place sur le canapé et, sur la table basse qui leur faisait face, organisa ses documents.

— Il y a deux jours, Rivière du GRB nous a identifié Dorian Calderon. On a pu voir que le type n'avait aucun mouvement bancaire ou téléphonique, comme s'il était en stand-by. Le genre de silence qui précède un coup. Victor, tu nous as demandé de fouiller toute sa vie et ses déplacements, ce que j'ai fait. Et là, ce sont les collègues de la police aux frontières qui nous répondent.

Il tourna les pages à la recherche de la bonne information.

— Ils l'ont retrouvé sur un vol Paris-Ajaccio il y a deux mois. Je me suis fait fournir le listing passagers et devinez qui était avec lui, dans le même avion à une rangée derrière ? Michaël Mention. Côté hublot, pour mater la Méditerranée.

— Qui ? fit répéter Ronan.

— T'es vraiment un poisson rouge. Michaël Mention, le seul complice qu'on lui connaît, le type avec qui il a fait deux mois de tôle pour une série de cambriolages. Rhinocéros, ça te rappelle un truc ?

— Bon, OK, ils se voient toujours, ça nous rapproche pas du braquage, tempéra Johanna.

— Et ils vont en Corse, poursuivit Ronan dont le nom de famille, Scaglia, y puisait ses racines. Corse, comme Franck et Nunzio Mosconi. Mais tous les gens qui vont sur l'île ou en viennent ne sont pas des mafieux ou des poseurs de bombes, il va falloir trouver plus probant.

— Vont et viennent, c'est exactement ce que je me suis dit, poursuivit Sam. Alors j'ai fait vérifier leur retour.

Il tourna encore quelques pages pour arriver à une liste de passagers dont plusieurs noms avaient été surlignés en jaune fluo.

— Nous avons donc, une semaine plus tard, un vol Ajaccio-Paris avec Dorian et Rhinocéros, toujours ensemble mais cette fois à deux emplacements opposés dans l'appareil. Et c'est là que le miracle arrive.

— J'ai tellement envie de te cogner quand tu prends ton temps comme ça, s'irrita Ronan. T'as intérêt à avoir du lourd.

— Tu jugeras par toi-même, affirma Sam, sûr de lui.

Il lui tendit le listing et reprit ses propres notes.

— Allée 3, siège 36, Franck Mosconi. Allée 5, siège 59, Nunzio Mosconi. Et allée 7, siège 71, tu lis quoi ?

Ronan laissa filer son doigt, rangée après rangée.

— Alexandra Mosconi ?

Sam, qui commençait à parfaitement maîtriser l'art difficile du suspense, sortit de son dossier la toute dernière feuille, un photo-portrait agrandi du passeport d'Alexandra Mosconi d'un côté, et le couple sortant du box de l'autre. Tout le monde se pencha.

— Teinture ? tenta Coste.

— Perruque, corrigea Johanna.

Sam se recula confortablement dans le canapé.

— Ça ressemblerait pas à une équipe constituée, ça ?

— Te repose pas, le recadra Coste. On migre chez Rivière, il semblait en savoir un bout sur cette famille.

Alors qu'ils se levaient, le téléphone de Johanna résonna dans la poche de son treillis. Elle vérifia l'appelant et dans une moue coupable, renvoya l'appel sur messagerie.

— Un souci ? vérifia Victor.

— Non, juste mon fils. C'est la troisième fois.

Sam, parrain depuis peu, l'interrogea du regard. Elle les rassura.

— Rien, je vous promets. On a réservé un petit gîte pour le week-end, en Normandie. On est déjà vendredi et bientôt 18 heures, cette affaire ne se termine pas et Malo doit sentir que je ne vais pas tarder à les lâcher.

Au même moment, le portable de Sam s'activa à son tour et sur l'écran d'accueil, l'icône du logiciel traqueur qu'il avait fabriqué pour son filleul après l'affaire dramatique de David Sebag faisait de petits bonds. Johanna s'excusa presque.

— Si je décroche pas, il passe à toi, évidemment.

Sam composa le numéro du domicile de la famille De Ritter et une voix enfantine lui répondit.

— Oh Malo ! Le traqueur c'est seulement si tu te sens en danger.

— Ouais, je sais, mais là je suis en danger de pas partir en week-end. Y a une piscine et un bateau pirate, en plus.

— Écoute, on est sur une grosse affaire avec de vrais vilains. Tu devrais être fier de ta mère.

— Je suis fier, riposta Malo. Mais y a pas d'autres policiers pour faire ce travail ? Juste deux jours ? Tu veux pas demander à Victor ?

— Eh non, justement, lascar. On n'a pas meilleur flic que Johanna, ici. Sans elle, on est tous perdus. Même Victor Coste.

— Beh ouais, je comprends, céda l'enfant.

— Alors tu te prépares, tu files avec ton père et ta sœur et nous on essaie de terminer au plus vite, OK ?

— Mouais.

— Et surtout, oublie pas ton traqueur. Si tu te fais attaquer par un pirate à crochet, moi je débarque avec Clochette.

Sam raccrocha et Johanna l'embrassa sur la joue.

— Pas meilleur flic que moi ? dit-elle dans un sourire.

— T'emballe pas.

*
* *

— Les Mosconi ? Merde, vous choisissez vos cibles, apprécia Rivière. Je suis pas surpris que personne ne vous parle. Franck préférera crever dans l'honneur et ta petite famille doit être terrorisée.

Le groupe avait squatté le bureau du commandant, cherchant les infos à la source. Un sur une chaise, l'autre sur un coin de table, Coste debout face à Rivière.

— Je t'avais bien dit qu'on les avait ciblés sur un braquage de bijouterie ? demanda celui-ci.

— Oui. Tu m'as aussi dit que vous n'aviez pas réussi à les accrocher.

— On a planqué des jours et des nuits pour rien devant l'aéroport privé du Bourget.

— Pourquoi là-bas particulièrement ? interrogea Sam.

— Parce que l'endroit n'est fréquenté que par les fortunés et que les contrôles sont effectués par des sociétés privées et non par la police. Ces mêmes sociétés qui vendent les voyages à ces mêmes fortunés. Le serpent se taille une pipe, donc. Ils regardent à peine les pièces d'identité et encore moins le chargement. C'est de là que, d'après notre indic, les Mosconi devaient faire décoller leur butin.

— Mais ses infos étaient foireuses, si je me souviens bien.

— Vu ce qui lui est arrivé par la suite, à l'indic, je crois plutôt qu'elles étaient bonnes. La PJ d'Ajaccio a retrouvé des petits morceaux de son corps après l'incendie de sa maison. Avec son fils de cinq ans au premier étage.

Johanna frissonna à la pensée de son pavillon pris par les flammes avec un de ses gosses à l'intérieur. De son côté, Coste imbriqua les pièces et se lança dans une phrase qu'il construisit au fur et à mesure.

— Nunzio Mosconi est pincé avec une montre issue d'un braquage de bijouterie. Il se fait serrer et termine à Marveil. Puis les scellés du tribunal se font visiter et le petit Mosconi se retrouve libre. Plus tard c'est Franck Mosconi qu'on découvre à la colle avec la gamine Alves dont le père est responsable du service des scellés.

— Soit Tomas Alves a participé volontairement, soit ils l'ont forcé, assura Rivière. Mais de toute façon, ce n'est pas lui qui va vous parler. Les Mosconi règlent leurs affaires au plomb ou à l'essence, ça ne donne pas envie d'être bavard.

— Alors on arrête les auditions ? demanda Ronan.

— Pour l'instant, confirma Coste. Et on cible la dernière personne sur laquelle nous n'avons pas encore travaillé. Alexandra Mosconi. Déterrez-moi tout. Il est 18 heures. On fait un point dans une heure.

59

Ventura fixait l'horloge qui rebondissait de droite à gauche sur son fond d'écran. Il s'agaça encore quelques secondes jusqu'à ce qu'elle affiche 19 heures et céda à son impatience.

Il longea le bureau du Groupe crime 1 et y aperçut l'équipe. Sur le tableau blanc presque entièrement recouvert, Coste faisait face au portrait d'Alexandra Mosconi. Il annotait dans les rares espaces libres les nouvelles informations que découvraient Sam, Ronan et Johanna à son sujet.

— Je peux savoir pourquoi nos quatre gardés à vue ne sont pas chacun en audition à se faire étriller ? aboya Ventura.

— Trois. Isabel Alves reste à notre disposition mais elle n'est sous aucune mesure de rétention, répondit Coste. Pour le reste, on pense trouver plus d'informations de notre côté qu'en leur posant toujours les mêmes questions.

— C'est pas le moment de faire dans le douillet. Je vous ai demandé de faire jouer les leviers empathiques, bordel ! C'est le mot empathique que vous ne saisissez pas ? Faire craquer les uns en attaquant les autres. On a une famille unie sous la main, il n'y a rien de plus facile à briser.

— Nous risquons aussi de les mettre en danger. Il faudrait que Rivière vous fasse un topo au sujet de ceux qu'on chasse. Ils sont assez irritables, semble-t-il. Mais grâce à Ronan nous sommes remontés sur une ligne téléphonique que Tomas Alves a contactée une fois. Il ne l'avait jamais appelée avant, jamais après et comme elle est coupée depuis, nous pensons qu'elle peut avoir un lien avec les braqueurs.

— Je l'ai fait analyser, enchaîna l'intéressé. Elle a été très active quelques jours avant le braquage et a borné dans le vingtième arrondissement, vers Belleville.

— Belleville, répéta Ventura, irrité. Des immeubles, des immeubles et des immeubles. Même si c'est leur ligne, vous allez mettre des jours à localiser précisément leur planque.

Il souffla de mécontentement et se décida à prendre les choses en main. Coste lui semblait trop procédurier et tout cela manquait de nerf à son goût. Il hésita à les secouer puis changea d'avis.

— Où est la mère ?

— Dans le bureau voisin.

Il les regarda comme on se désole face à de mauvais élèves puis quitta la pièce pour se diriger d'un pas décidé vers les bureaux du Groupe crime 2 où il trouva Jevric en plein briefing avec ses hommes.

— Lara, avec moi. J'ai besoin de vous pour passer à la vitesse supérieure.

À la suite du désagréable speech de Ventura, l'équipe de Coste, interloquée, était sortie du bureau. Elle assista au retour du commandant, Jevric à sa suite, ravie d'être enfin considérée. Ventura ouvrit à la volée la porte de la pièce où se trouvait Isabel Alves et la fit sursauter.

— Capitaine Jevric, vous placerez madame en garde à vue. Mais d'abord, je vais lui faire faire le tour du propriétaire.

Il l'attrapa par le bras, la leva de force et la mena sans ménagement vers les cellules du service. Sur le chemin, Isabel ne posa pied à terre qu'une fois sur deux, à moitié portée par Ventura. Johanna se tourna vers Coste, inquiète.

— Il va faire quoi, là ?

— Jouer avec ses putains de leviers empathiques. Ça risque d'être moche. Sam et Ronan, restez là et continuez à fouiller la ligne téléphonique. Johanna, tu me suis.

Ventura arriva aux gardes à vue du SDPJ, jeta un œil aux moniteurs vidéo et s'adressa au flic de faction.

— Vos caméras, elles enregistrent ?

— Non, c'est juste de la surveillance, commandant.

— Parfait, alors regardez ailleurs.

Il resserra son étreinte autour du bras d'Isabel et la traîna littéralement, passant exprès devant la cellule d'Aurélie qui, voyant sa mère maltraitée, bondit aussitôt.

— Vous faites quoi ? hurla-t-elle. Lâchez-la ! Elle a rien fait !

Ventura s'arrêta net devant le rectangle de Plexiglas qui permettait de voir à l'intérieur de la cellule.

— Toi, tu fermes ta gueule. Regarde ta mère une dernière fois parce que dans quelques heures, je vous éparpille tous dans une prison différente.

Il tira à nouveau sur le bras d'Isabel qui manqua de chuter, se fit ouvrir la geôle voisine et l'y balança avec dégoût.

— Pas bouger ! cracha-t-il.

Coste et Johanna restaient sur le qui-vive, mâchoires serrées, prêts à intervenir. Alors qu'Isabel et Aurélie tentaient de se rassurer à travers les murs épais qui les séparaient, Ventura se rendit jusqu'au fond du couloir, ouvrit la dernière porte, en sortit Tomas et le poussa violemment jusqu'à la cellule de sa fille. Arrivé là, il attrapa son prisonnier par la nuque et l'écrasa contre le Plexiglas. Aurélie, apeurée, y colla la main, comme si elle pouvait lui caresser le visage. Elle avait tant pleuré depuis le début de la journée que ses yeux irrités et gonflés lui donnaient un air malade. « Papa », souffla-t-elle, meurtrie. Ventura dérapa plus encore.

— Regarde-le lui aussi, ton père. Profites-en. Tu sais ce qu'on fait aux petits gros comme lui en taule ? On les fait couiner. Tu comprends ce que ça veut dire ?

Il saisit le col de chemise de Tomas pour le faire reculer de quelques centimètres et tapa à nouveau son visage contre la porte.

— Et toi, papa, regarde ta fille ! Elle va vous envoyer en prison, toi et ta femme. Complicité de braquage, c'est vingt ans de placard. Tout ça parce que cette petite pute est tombée amoureuse d'une crevure. Ça te fait quel effet, ta fille qui baise avec un criminel ?

D'un coup sec, Ventura le tira en arrière et l'homme chuta au sol, les yeux baissés et pleins de larmes. Rhinocéros n'avait pas été plus brutal que ce flic. Puis

Tomas croisa le regard d'Isabel et un sentiment de honte le submergea. L'un et l'autre ne pouvaient rien faire contre ce déchaînement de violence. Ventura le laissa par terre et s'en désintéressa comme d'un vulgaire clochard. Il fit un pas en avant et se posta face à Aurélie, folle de rage et de peine.

— Tu savais que ton Franck Mosconi était marié ? bluffa-t-il. Il a deux enfants dont une fille qui a presque ton âge. Tu crois qu'il va chercher à te protéger ? Tu crois qu'une fois sorti d'ici il va t'appeler pour aller au cinéma ou en pique-nique romantique ? T'es complètement conne ou quoi ?

Il désigna son père du doigt, toujours assis à même le ciment, humilié face aux siens.

— Regarde-le, putain ! Il va tenir combien de temps en cabane ? Et si j'y colle aussi ta mère, tu sais que toi tu pars en foyer ? Alors parle-moi. Franck Mosconi, vous vous contactiez pour vous voir, non ? Où ? Quand ? Comment ?

Ventura se retourna, releva Tomas, écrasa de nouveau son visage contre le Plexiglas et reposa les trois mêmes questions en lui cognant la tête. Où ? Quand ? Comment ? Et à chaque coup, la cellule trembla d'un bruit sourd.

Aurélie se jeta contre la porte et frappa de ses deux mains en hurlant :

— Laissez-le ! C'est d'accord !

Un silence, comme dans l'œil d'un cyclone. Ventura avait ferré. Johanna se tourna vers Coste, furieuse que la technique du commandant ait fonctionné. Tomas, abattu, laissa sa fille les sauver.

— Laissez-le... Je vais parler, céda-t-elle d'une voix faible.

Ventura lâcha sa prise et le père s'effondra à genoux. Le commandant s'adressa ensuite à Jevric.

— Ramassez-moi ça et recollez-le au trou. Amenez la gamine en audition chez Coste et si elle ne s'est pas mise à table dans cinq minutes, foutez la mère en garde à vue.

Puis il laissa ce chaos derrière lui comme si rien ne s'était passé. Tomas prostré. Aurélie recroquevillée dans un coin, incapable de retenir ses sanglots. Isabel paralysée par cette scène qu'elle n'aurait jamais cru possible dans un service de police.

Coste lut une certaine satisfaction sur le visage de son commandant alors qu'il quittait l'endroit.

— T'es un porc, Ventura.

— Je suis peut-être un porc, mais toi, t'as une nouvelle piste.

— Tout le monde sait qu'avec la torture on obtient plus d'aveux.

— Joue pas les indignés ! Reconnais que je t'ai fait gagner du temps, profite de la petite Alves tant qu'elle est chaude. Soit tu tires avantage de la situation, soit tout cela n'aura servi à rien. Choisis.

60

— Leur planque, j'y suis allée. Une fois…

De retour dans leur bureau, Johanna avait apporté un verre d'eau et même si le ton de Coste n'avait rien à voir avec celui de Ventura, les tremblements d'Aurélie n'avaient pas encore cessé. Ronan déposa face à elle une planche photo sur deux pages représentant l'équipe Mosconi au complet.

— Tu les reconnais ?

Aurélie les dévisagea les uns après les autres, puis détailla.

— Elle c'est Alex. Ici, c'est Franck, ils sont de la même famille. Lui, il se fait appeler Rhinocéros, c'est un ami de celui-ci, Dorian. Dorian et Alex sont ensemble.

— Et qui mène le groupe ?

Ronan, comme Sam, avait parié sur Franck. Coste et Johanna avaient porté leur choix sur Dorian. Lorsque l'adolescente pointa du doigt la dernière photo, chacun ravala son pronostic sexiste.

— C'est elle qui dirige. Alex.

Coste poursuivit l'audition.

— Et c'est toi qui as parlé à Franck du travail de ton père ?

— Jamais ! s'emporta Aurélie. Ils sont arrivés un soir. Ils savaient déjà tout. Ils l'ont forcé à les aider.

— Et tu m'expliques pourquoi tu le fréquentes encore des jours après ?

Aurélie se renferma un instant, puis revint à l'essentiel.

— C'est vrai qu'il est marié ? Et mes parents, vous allez les libérer ?

— Dans cet ordre ? demanda Johanna, navrée.

*
* *

Salle de Réunion – 20 h 30.
Briefing d'opération.
Groupes Crime 1, Crime 2 et GRB.

Depuis l'épisode des cellules, Ventura avait pris l'enquête en charge et ne semblait plus vouloir la lâcher. Il organisa les équipes et mit en place l'opération.

— Quatorze rue Levert, vingtième arrondissement de Paris. Un immeuble de quatre étages. Apparemment, la petite s'est fait honorer au premier et elle n'y a vu que des bureaux vides. Donc on part sur les étages supérieurs. Dans l'ordre Crime 2 étage 2, GRB étage 3 et Crime 1 étage 4. On agit en simultané. Des questions ?

Coste se trouvait à proximité de Rivière et, conscient de n'avoir aucun crédit face à Ventura, lui glissa son bloc-notes sur lequel il avait écrit un seul mot : Planque. Rivière lut et se fit son porte-parole.

393

— On ne ferait pas mieux de surveiller un peu ?
Ne serait-ce que la soirée, histoire de savoir qui est
là, de voir si des lumières s'allument et s'éteignent
et à quel étage ?

— Non, trancha Ventura. Mosconi a vu son avocat
et il a dû informer le reste de ses complices. Soit
ils sont déjà partis, soit ils sont sur le point de le
faire. On ne peut pas perdre de temps, on attrapera
qui on attrapera.

Rivière repoussa le bloc-notes vers son propriétaire après y avoir griffonné un dessin obscène qui
fit sourire Coste.

Les groupes se séparèrent le temps de s'équiper.
Armes, bélier pour enfoncer les portes, grenades
lacrymo, pare-balles et boucliers de protection en cas
de réplique lourde. Avant de quitter la pièce, Rivière
se confia à Ventura, de commandant à commandant.

— J'ai l'impression que tu as pris Coste en grippe.

— C'est juste professionnel. S'il foire cette interpellation, je lui retire l'affaire et je la passe à Jevric.

— Coste est un bon flic. Pas sûr qu'elle fasse
mieux. Personne ne t'a parlé d'elle ?

— Je n'aime pas les bons flics. J'aime les flics
dévoués à leur hiérarchie.

À ces mots, comme certaines personnalités resteront
toujours incompatibles, Rivière comprit l'inutilité de
poursuivre le débat.

61

Depuis la fin d'après-midi, Dorian, dans son costume noir sur mesure, et Alex, beaucoup moins apprêtée en jean et pull large, attendaient avec impatience l'appel de l'homme de confiance de Mosconi père. Celui que sur l'île on appelait le portraitiste. Dorian passa la main sur le ventre d'Alex car il était le seul à savoir pourquoi le pull large était de plus en plus nécessaire.

— Tu veux que j'y aille seul ? s'inquiéta-t-il.

— Non, il ne te connaît pas. Ce n'est qu'à moi qu'il donnera les passeports. Les ordres de mon père sont clairs.

— Il ne m'aime vraiment pas.

— Moi je t'aime et c'est suffisant.

Touché, il se baissa pour l'embrasser, le téléphone vibra sur la table et d'un geste large, Alex le dégagea sur le côté.

— Bouge, c'est lui.

Puis elle ânonna une série de « oui » et de « d'accord » en enregistrant les informations avant de raccrocher.

— Dans vingt minutes au kiosque à journaux du métro Jaurès.

— Pourquoi il ne se déplace pas jusqu'ici ?

— Il ne veut même pas nous rencontrer. Il connaît mon visage, c'est un vieil ami de la famille. Dès qu'il me verra, il déposera les passeports dans une enveloppe entre des magazines.

— C'est beaucoup de précautions.

Il n'y avait qu'à regarder l'ordinateur sur lequel, à la demande de son père, Alex avait posé deux épaisses plaques aimantées afin d'effacer définitivement toute information pour comprendre que monsieur Mosconi n'était pas prêt à parier sur un retour sans encombre.

— Avec les flics qu'on a sur le dos, mon père a dû lui dire que nous n'étions plus sûrs à cent pour cent. C'est déjà beau qu'il accepte.

Dorian attrapa son imperméable et Alex sa veste parmi les divers vêtements et uniformes pendus au portant. Elle tira sur la bandoulière d'un des sacs en toile noire rangés dessous, l'ouvrit et hésita entre deux armes.

— Tu veux y aller chargée ? s'étonna Dorian.

— On est allés trop loin pour prendre le moindre risque.

Sa main passa sur un pistolet en métal noir, frôla un revolver argenté avant de revenir sur le pistolet dont elle se saisit et qu'elle glissa entre ses reins et sa ceinture. Elle se retourna vers son frère qui somnolait dans le canapé-lit déplié, télé toujours allumée, puis s'adressa à Rhinocéros.

— Encore un peu de patience, d'accord ? C'est bientôt terminé.

Rhinocéros grommela son consentement et les laissa partir.

Évidemment, deux minutes plus tard, Nano se réveilla.

— On est où ? demanda-t-il, complètement paumé.

— Au loft. En sécurité, le rassura le balafré.

— Et Alex ?

— Elle revient dans moins d'une heure.

Nano se leva d'un bond, comme réveillé par une décharge électrique.

— Non ! Elle me laisse jamais seul. Elle a promis qu'elle me laisserait plus jamais seul.

Hystérique, il se mit à arpenter le loft, ouvrit les toilettes puis la salle de bains et, ne trouvant pas sa sœur, se dirigea vers la porte d'entrée. Rhinocéros souffla.

— Putain, tu vas où ?

Nano mit un pied sur le palier, Rhinocéros le ceintura par-derrière pour le faire rentrer et le jeta sur le canapé.

— Tu restes là ! ordonna-t-il.

Nano se releva et, comme si sa mémoire s'effaçait au fur et à mesure, se redirigea vers l'entrée. Il tituba, manqua de chuter, se rattrapa à la table, se stabilisa un instant et vomit une gerbe marron qui inonda le sol.

— Merde, il faut que ça arrive maintenant et à moi, c'est pas possible ! enragea son baby-sitter.

Nano s'essuya les lèvres du revers de la manche.

— Ça va pas. Ça va pas du tout. Il me faut mes cachets. J'arrive pas à respirer, j'étouffe.

Puis il s'écroula. Ses yeux partirent en arrière et une attaque de panique aiguë lui provoqua une série de convulsions. Rhinocéros passa un bras sous ses genoux et l'autre sous ses épaules, le souleva et l'emmena sous la douche. Il ouvrit l'eau à fond et en quelques secondes, les tremblements cessèrent.

— J'ai besoin de mes cachets, je t'en supplie. J'ai l'impression qu'on m'écrase la poitrine.

Rhinocéros courut vers le canapé et retrouva, à proximité de l'accoudoir, le tube qu'il secoua de haut en bas. Vide. De l'autre côté du loft, dans la salle de bains, les lamentations de Nano se faisaient de plus en plus fortes. Il ne pouvait pas décemment le laisser une heure dans cet état. Il se souvint alors de la fois où, pendant un braquage, Dorian s'était ouvert le bras sur une vitrine cassée et des soins que cela avait nécessité. Il courut vers le sac en toile noire laissé à vue par Alex et le posa sur la table. Il en sortit les serflex, la grenade utilisée lors du braquage du TGI puis un petit revolver argenté cinq coups et, enfin, mit la main sur l'ordonnancier qu'il cherchait. Dans certaines situations, aller aux urgences ou se rendre chez un médecin manque de discrétion, surtout lorsque la blessure peut faire penser à une plaie par balle ou à l'arme blanche. Dès lors, l'ordonnancier volé chez un toubib s'avérait très utile. Il lut le nom du médicament sur l'étiquette du tube vide, Clomipramine, et le reporta à la va-vite avant de signer d'un gribouillis.

De retour dans la salle de bains, il s'apprêta à s'excuser pour ce qu'il allait faire mais ne découvrit qu'un Nano évanoui sur le carrelage, à la respiration saccadée. Il lui entoura le poignet droit d'un serflex et l'attacha au croisement du robinet et du tuyau d'arrivée d'eau. Il y avait une pharmacie au bas de la rue et l'aller-retour ne devrait pas lui prendre plus de deux minutes.

Tout se passerait bien.

CINQUIÈME PARTIE

Dérapages

« Un membre de mon équipe est mort.
C'est ma responsabilité. Ça revient au même. »

Capitaine Victor Coste

62

À 21 heures, les véhicules de police banalisés se garèrent à la suite, à une centaine de mètres de l'entrée de l'immeuble. De la voiture de Rivière sortit un homme, bleu de travail et sacoche en cuir. Il remonta la rue, s'arrêta au numéro qu'on lui avait indiqué, regarda des deux côtés avant de se mettre à genoux et, en deux coups de perceuse électrique, perfora le cylindre de la porte. Puis le serrurier se leva, quitta les lieux, hocha la tête en passant devant les flics et les laissa poursuivre leur opération.

En silence, les trois équipes sortirent des voitures et chacun ferma sa porte sans la claquer. Ils pénétrèrent dans l'immeuble, s'accordèrent sur un timing de trente secondes et les groupes se divisèrent. Celui de Lara Jevric resta devant la double porte battante du deuxième. Cinq secondes. Rivière et ses hommes montèrent au troisième et se mirent en position. Quinze secondes. Coste et son équipe arrivèrent au quatrième et Ronan empoigna le bélier. Vingt-cinq secondes.

Nano se réveilla en sursaut. La crise d'angoisse avait sévèrement malmené son cerveau englué et mis aux

401

oubliettes les dix dernières minutes. Il se retrouvait donc dans une salle de bains, habillé mais pourtant trempé jusqu'à l'os, le poignet attaché à la tuyauterie. Il paniqua dans la seconde, se débattant en se sciant la peau avec le plastique de son lien. Comme un chien enragé, il l'attaqua à la dent avec tant de force qu'il se déchaussa une incisive et la recracha au sol. Il chercha autour de lui le moindre objet coupant et ses yeux tombèrent sur une trousse de toilette sur une étagère en verre. D'un coup de pied, il la fracassa, la trousse tomba à quelques centimètres de lui et il en sortit une petite paire de ciseaux avec laquelle il dut s'y reprendre à plusieurs fois avant de couper le serflex. Chancelant, il glissa sur le carrelage de la douche, manqua de se fendre le crâne et réussit enfin à sortir de la salle de bains. Juste au moment où la porte d'entrée éclatait sous le coup de bélier de Ronan qui fit un pas de côté pour laisser pénétrer l'équipe, armes à la main.

Face à Nano, sur la table centrale du loft, se trouvait le sac en toile noire de Franck et autour, des liens serflex, une grenade, un ordonnancier, un tube vide d'antidépresseurs et un revolver argenté cinq coups.

Le fracas de la porte volatilisée s'ajoutant à l'irruption de quatre inconnus dans un lieu dont il ne se souvenait pas : Nano eut peur pour sa vie. Dans un geste réflexe, il posa la main sur le revolver, l'empoigna et le braqua devant lui. Vu l'angle de tir, il lui suffisait d'appuyer sur la détente pour toucher le premier flic qui lui faisait face. Et comme ce flic était Coste, le cœur de Johanna explosa sous l'adrénaline et elle tira deux fois. Comme à l'entraînement sur le stand. Tête. Cœur. Nano vacilla sous le choc des impacts, s'écroula sur la table et glissa au sol.

Dans la rue, Rhinocéros courait presque, son sachet de pharmacie serré dans la main. Il arriva devant l'immeuble, sortit son jeu de clefs et s'apprêtait à l'insérer dans la serrure quand il remarqua qu'il n'y en avait plus. La limaille de fer au sol lui confirma que la porte avait été forcée et il prit la fuite, jetant les tubes de Clomipramine dans la première poubelle sur son passage.

Au quatrième étage, les oreilles bourdonnaient encore du double tir de Johanna. Les synapses boostées par la tension, l'esprit dans un état de clarté absolue, Coste fit le point des conséquences. Il éjecta le chargeur de son arme et en préleva deux cartouches.

— Dans trois secondes, Jevric et Rivière seront là. J'ai besoin que vous me fassiez confiance et que personne ne discute mes ordres.

Sam et Ronan ne réagirent pas vraiment. Malgré leur expérience, ils venaient d'assister à leur première mort par balles en direct. Johanna restait le bras tendu, arme au poing, les yeux dans le vague, paralysée.

— Johanna, écoute-moi.

Aucune réponse. Coste la secoua par les épaules et elle revint au centre du loft.

— Donne-moi ton arme, vite.

Elle la lui tendit, machinalement, répondant à l'ordre. Coste fit coulisser le chargeur et y inséra ses propres cartouches. Il inclina ensuite l'arme et en frotta fortement la chambre d'éjection sur la peau de son poignet avant de la rendre à Johanna.

— On est entré, il m'a visé et j'ai tiré. Tu m'entends ? C'est moi qui ai tiré, vous enregistrez ? Il n'y aura rien d'autre à dire.

Avant que la moindre opposition ne se formule, les équipes du Groupe crime 2 et du GRB déboulèrent comme des diables, flingues tendus prêts à riposter. À la vue de Nunzio Mosconi baignant dans deux litres de sang, ils les rangèrent dans leurs étuis et Lara attrapa sa radio.

— Crime 2 pour état-major. On a besoin d'une ambulance.

Rivière s'approcha de Coste, calmement.

— Victor ? Ça va ? Tu le reconnais ?

— Oui. C'est le petit frère. Nunzio Mosconi.

— En prison au moment du braquage, non ?

— Je sais. On a encore tapé à côté.

63

Quarante minutes plus tard, Dorian et Alex, argent et nouveaux passeports en poche, marchaient en direction du loft. Encore un virage et ils ne seraient plus qu'à quelques numéros de l'immeuble. Une porte cochère s'ouvrit à leur passage et Rhino leur tomba dessus. Il avait eu tout son temps pour préparer son histoire. Une histoire qui se devait d'être convaincante s'il ne voulait pas devenir la prochaine cible d'Alexandra dont il avait laissé le frère, attaché comme une offrande faite aux flics. Il les attira dans la cour intérieure sombre, à l'abri des regards.

— Il se passe quoi ? cria Alexandra. Tu fous quoi dehors ? Où est Nano ?

— Les flics nous ont trouvés, chuchota-t-il.

— Et t'as abandonné mon frère ? accusa Alex, le menton tremblant de rage.

— Calme-toi, j'ai pas pu faire autrement. Ils ont forcé la porte d'entrée et ça s'est entendu jusque là-haut. Je voulais prendre nos affaires pour ne laisser aucune trace derrière nous et c'est là que Nano a pété les plombs.

— Mais putain, tu peux pas gérer un gamin défoncé aux cachetons ?

— Il s'est mis à gueuler. On allait se faire serrer. Il criait que tu lui avais promis de jamais l'abandonner, qu'il ne partirait pas sans toi. Il a hurlé ton prénom en disant que tu viendrais pour lui, je ne pouvais rien faire. J'ai quitté le loft, je me suis planqué au troisième, j'ai vu les flics passer et je me suis barré. Je suis désolé, mais tu voulais que je fasse quoi ? Que je me fasse attraper avec lui ?

Rhinocéros n'était pas très fin, mais quand il s'agissait de sauver sa peau, il savait trouver les bons mots. Ceux en verre coupant qui vous lacèrent de culpabilité. Justifier ses actes à travers une promesse qu'Alex n'avait pas tenue venait de lui éviter une probable balle dans la tête par le clan Mosconi.

Alex se sentit faible, ses jambes flanchèrent et Dorian la rattrapa de justesse.

— Tout ça pour ça, souffla-t-elle. C'est pas possible. C'est pas juste.

Alors qu'elle tentait de se relever, un moteur rugit dans la rue, accompagné d'une sirène qu'elle reconnut. Elle se retourna vers Rhinocéros, livide.

— C'est pas la musique des flics, ça ! C'est les secours ! Pourquoi ils ont besoin des secours ?

Dorian essaya de la retenir, en vain. Personne ne pouvait freiner Alex quand elle décidait de quelque chose. Encore moins lorsqu'il s'agissait de son petit frère. Elle entrouvrit la porte cochère et cibla le café-brasserie qui faisait l'angle, offrant une vue suffisante sur leur planque.

— C'est risqué, osa Rhinocéros.

À cinquante mètres de l'entrée de l'immeuble, Alex et les deux hommes s'assirent à une table proche de la baie vitrée du café, séparée de quelques clients qui leur permettraient de se dissimuler si la police venait renifler trop près.

— Je vous sers quoi ?

Aucun d'entre eux ne fit attention au garçon de salle qui répéta sa question.

— Trois cafés, répondit Dorian.

— C'est les flics qui vous intéressent ? bavarda le serveur. C'est rare de les voir intervenir en direct. Je me demande bien sur qui ils sont tombés. Des terroristes peut-être ?

Une ambulance, des voitures banalisées, d'autres sérigraphiées et des flics un peu partout, en civil et en uniforme, bloquaient la circulation des deux côtés de la rue. Les techniciens de scènes de crime montèrent les étages, valises d'Identité judiciaire à la main.

Dans ce bouillonnement d'activité, une berline noire fut autorisée à s'approcher. Elle se gara et le commissaire divisionnaire Abassian[1], de l'Inspection générale de la police, en sortit. Long manteau sombre et cheveux noir corbeau, il grimpa les quatre étages et retrouva l'équipe de flics dans le loft. Coste, séparé des autres, était face à un homme en blouse blanche qui procédait à un prélèvement sur la peau de son poignet. Abassian s'approcha alors que le technicien préservait le tampon[2] dans un étui hermétique.

---

1. Voir *Code 93*.
2. Lors du « tamponnage », dit test atomique, un prélèvement est effectué à l'aide d'un tampon au niveau du poignet, pour vérifier les traces de résidus de tir et permettre d'affirmer si un individu a fait usage de son arme à feu.

— Bonjour, capitaine.

— Je n'irais pas jusque-là, mais bonjour aussi, commissaire.

— Vous avez respecté la procédure ? poursuivit-il sans perdre de temps.

— Oui, mon arme est déjà sous scellé.

— Parfait.

— Et l'Identité judiciaire vient de procéder au tamponnage.

— Bien. Reste à prouver la légitime défense, conclut Abassian.

Puis il se tourna vers le corps inerte au centre de la pièce, qui attirait toute l'attention du photographe police.

— D'un autre côté, avec un assaillant qui a encore son arme à la main, ça devrait aller vite.

— Et maintenant, commissaire ?

— Il est 22 heures, je vous place en garde à vue le temps de votre audition et d'une prise de sang[1]. Que votre équipe reste à notre disposition.

Coste se retourna vers les siens, puis suivit Abassian. Une fois dehors, il s'engouffra dans la berline et alors qu'elle quittait la rue, un brancard porté par deux ambulanciers fut extrait de l'immeuble. Sur le brancard, un sac noir mat dont la fermeture Éclair était remontée jusqu'en haut ne laissait aucun doute quant à l'état de la victime.

---

1. Lorsqu'un policier fait usage de son arme, il est immédiatement placé en garde à vue par l'IGPN, l'Inspection générale de la Police nationale (anciennement IGS), pour être auditionné (établir la légitime défense) et examiné (test stupéfiants, test alcoolémie).

Lorsque Alex aperçut la housse mortuaire, elle se leva d'un bond, renversant deux cafés sur trois et faisant se retourner quelques clients. Ce fut Rhinocéros qui se décida à agir en l'attrapant par le bras et en la rasseyant de force.

— Tu veux faire quoi, là, Alex ? Tirer dans le tas ? T'as trop de flics et pas assez de cartouches. Tu comptes les terminer avec tes petits poings ?

Le brancard fut chargé dans l'ambulance et Alex fut saisie d'une violente nausée. Dorian l'accompagna aux toilettes, laissant Rhinocéros seul à une table inondée de café.

Elle releva la tête de la cuvette et se laissa nettoyer le visage, comme une enfant, au-dessus du lavabo. Elle fondit en larmes, là où elle était, dans des chiottes sales, entourée de messages orduriers, dans une odeur de pisse écœurante.

— Fais-moi sortir d'ici, je t'en supplie.

64

De retour au service, Ronan, Sam et Johanna se sentirent orphelins. Ils avaient suivi des cours de gestion du stress, ils savaient que l'usage de l'arme faisait partie des possibles d'une carrière, même si chaque flic prie pour que cela n'arrive jamais, et pourtant, aucun d'entre eux ne réussissait à toucher terre.

Être autorisé à tuer lorsqu'on est en légitime défense n'enlève rien au fait d'ôter une vie, ou d'être témoin de cette scène. Ils étaient tous choqués, déphasés, personne n'avait encore parlé. Ils entendaient à nouveau les déflagrations, le bruit du corps s'écroulant, le sang s'écoulant. Johanna se leva, ferma la porte de leur bureau, et s'autorisa enfin à craquer.

— C'est moi qui ai tiré… Je comprends rien. C'est moi qui ai tiré ! J'aurais jamais dû le laisser faire. La légitime défense, elle tenait, non ? Pourquoi il s'est accusé à ma place ?

— T'en as pas une petite idée ? répondit Sam avec bienveillance.

Elle le regarda, interdite, alors il développa.

— Nunzio Mosconi est en prison. Ils risquent le tout pour le faire sortir en braquant le tribunal et ils nous montrent qu'ils n'ont peur de rien. Pour une raison qu'on ignore encore, ils butent Doucey, en prouvant que tuer est dans leurs cordes. Et les avertissements de Rivière : « Les Mosconi règlent leurs problèmes au plomb ou à l'essence. » Tu te souviens de ce qui est arrivé à l'indic de la PJ d'Ajaccio. Son fils de cinq ans cramé dans leur baraque ? C'est ça que tu risquais.

Johanna secoua la tête et se tourna vers Ronan.

— Non, c'est pas pour ça ?

Il baissa les yeux, gêné, mais ne nia pas.

— Ça ressemble à du Coste, pourtant.

À cet instant, le commandant Ventura fit irruption dans le bureau qu'il considérait comme sien, sans prendre la peine de toquer.

— Vous allez bien ? débuta-t-il.

Et comme personne ne prit la peine de lui répondre, il enchaîna.

— Aucun collègue blessé, c'est l'essentiel.

— Mais si on avait planqué un peu, je persiste à penser qu'on aurait pu avoir une partie de la bande. Et peut-être même s'éviter un cadavre.

— Pas de sentimentalisme, lieutenant Scaglia, sinon il faut changer de métier. Par contre, vous me mettrez de l'ordre dans votre procédure et vous la déposerez au groupe de Jevric.

— J'ai l'impression qu'on nous vire de notre propre anniversaire, grinça Ronan.

— Vous ne pouvez pas poursuivre cette enquête avant d'avoir été entendus par l'Inspection. Pour Coste, ce sera une bonne partie de la nuit ; pour vous, le rendez-vous est à 8 h 30 demain matin, vous y serez auditionnés simultanément. Et pour revenir à votre remarque, cette opération est insatisfaisante parce que votre supérieur a trop traîné. Pour être un flic efficace il faut jouer avec les règles des salauds qu'on traque.

Ronan serra les poings. Sam se redressa dans le canapé.

— Vous ne devriez pas. C'est pas le moment. On est un peu à fleur de peau pour tout vous dire.

Ventura ignora l'avertissement.

— Si un flic n'a pas les couilles de se tacher les mains pour son job, personne ne m'empêchera de le dire, et si Coste...

Le crochet de Ronan s'écrasa sur la lèvre de Ventura qui perdit l'équilibre et dut se rattraper au mur.

— Je vous avais prévenu, commandant, le défia Sam, on est un peu à fleur de peau.

Ronan restait face à Ventura, torse bombé, visage en avant et poings toujours serrés, prêt à s'en resservir s'il le fallait. Ventura, la rage aux yeux et le visage déformé par la colère, le menaça, en se tenant bêtement le côté du visage comme un enfant giflé injustement.

— Scaglia, tu viens de bousiller ta carrière ! Je vais te le faire payer jusqu'à ta retraite.

Ce fut au tour de Johanna de s'approcher de lui, dans ce bureau où Ventura se sentit de moins en moins en sécurité.

— Tu vas rien faire du tout. Tu vas te nettoyer et oublier ça, comme moi j'oublierai ta petite séance de torture vicieuse dans les cellules de garde à vue sur une famille victime avec une gosse mineure. Maintenant, tu nous laisses s'il te plaît.

65

Hôtel de Banville – Paris XVIIe.
23 heures.

Sans hésitation, le réceptionniste reconnut Alex et les souvenirs de cette nuit mouvementée lui firent adopter une attitude pincée. Dorian se présenta à lui et tenta de l'amadouer.

— Je sais que nous avons pu vous paraître légèrement excentriques il y a quelques jours, commença-t-il en glissant un billet de cinq cents euros plié sur le comptoir.

Le réceptionniste passa du billet à Dorian, fit disparaître l'argent d'un geste discret jusqu'à sa poche et retrouva tout son sens de l'hospitalité.

— Si l'excentricité n'a plus sa place dans les quatre-étoiles… Combien de chambres ?

— Deux. Voisines. Au premier étage. Et communicantes.

Ils sortirent de l'ascenseur et s'arrêtèrent devant les chambres 7 et 8. Rhinocéros ouvrit la première et Dorian s'apprêtait à suivre Alex dans la seconde quand elle le repoussa d'un geste ferme.

— Je vais téléphoner à mon père. Je préfère être seule, ne m'en veux pas.

Pendant le trajet en taxi, elle n'avait pas décroché un mot. Renfermée sur elle-même, mais étonnamment calme, comme si les sentiments de détresse et de peine profonde avaient été remplacés par un autre. Plus fort. Dorian n'osa pas s'opposer et suivit Rhinocéros.

Isolée dans la chambre, elle referma la porte derrière elle et s'assit sur le rebord du lit. Bien qu'elle ne se trouvât pas dans la suite occupée par Nano, elle en reconnut la décoration, identique, et son ventre se vrilla. Elle sortit de la poche de sa veste l'enveloppe contenant les passeports et chercha celui de son frère qu'elle ouvrit à la page où était sa photo, visage souriant et innocent, comme lorsque, enfants, ils avaient la plage pour terrain de jeu. Il n'avait fallu que soixante-douze heures pour qu'elle perde tout contrôle de la situation. Ne restait plus qu'à sauver ce qui pouvait l'être. Elle consulta le moteur de recherche de son portable et composa le numéro qu'on lui indiquait.

— Aéroport du Bourget, société Prime Flight, bonsoir, l'accueillit une voix féminine, douce comme du velours.

— Madame Carat. J'appelle pour une modification de réservation.

Le temps de consulter son ordinateur et l'employée revint vers elle.

— Carat. Trois places pour le vol de demain samedi à 13 heures.

— Il n'y aura que deux personnes. J'ai par contre besoin d'une place pour un vol ultérieur en billet open. Même destination.

Logistique assurée, elle toqua à la porte communicante.

Dans la chambre voisine, Rhinocéros partageait avec Dorian un constat récapitulatif plutôt édifiant.

— Ça commence à faire beaucoup. Nano mort, Doucey mort, Franck en garde à vue… Ce serait pas un vortex à emmerdes ta gonzesse ?

Dorian se retourna vers lui, menaçant.

— C'est marrant comme tu les vois pas, les moments où tu devrais fermer ta gueule.

Deux coups toqués à la porte et Dorian se leva.

— Comment ça s'est passé ? demanda-t-il, inquiet.

— Mal, évidemment, lui répondit Alex. J'ai reçu de nouvelles consignes.

— On reste ?

— Non, je reste. Vous décollez demain, comme prévu. Moi, je surveille Tiretto qui doit s'occuper du rapatriement du corps de Nano.

— Que tu sois ici ou en Corse, je ne vois pas trop ce que ça peut changer, lui opposa Dorian.

— Vraiment ? Tu ne vois pas ? répondit-elle sèchement. Tu m'imagines rentrer sur l'île sans mon frère ? Tu penses à la honte de le laisser derrière moi. Tu me vois, face au clan, leur dire qu'il arrive bientôt, que je l'ai abandonné.

— Alors je reste.

— Tu commences à m'emmerder, Dorian. Si les flics nous ont remontés jusqu'au loft, c'est qu'ils nous ont identifiés. Ils cherchent donc trois personnes. Mieux vaut se séparer. Et je préfère régler les affaires de famille en famille.

Dorian reçut un coup au cœur. Une famille, il pensait en construire une avec Alex. Se voir écarté le toucha plus qu'il ne l'aurait pensé. De son côté, Rhinocéros restait sur le concept de vortex à emmerdes et il était ravi de s'en éloigner. Alex l'y attira pourtant de nouveau.

— Je vais avoir besoin de toi demain matin. Nous devons régler un dernier point.

Elle récupéra son portable dans la poche arrière de son jean et en ôta la coque protectrice sous laquelle se cachait une clef fine de consigne de gare. Seul moyen de pression contre Tiretto, elle ne l'avait jamais quittée. Le balafré la reconnut.

— Les scellés ? Tu veux que j'aille la déposer au cabinet de l'avocat ?

— Non. Gardons quand même nos distances. La planque a été grillée et je sais que Franck n'aurait jamais parlé. Les seuls à la connaître sont mon père et Tiretto.

— Alors qu'il aille se faire foutre avec ses scellés.

— On n'a pas vraiment le choix. Ils intéressent d'autres personnes et ce n'est pas le moment de se mettre de nouveaux ennemis à dos. Quoi qu'il en soit, j'ai encore besoin de l'avocat.

66

Lara Jevric avait passé presque toute la nuit à consulter les milliers de pages de procédure de l'affaire Mosconi, lorsqu'à 9 heures précises Tiretto fit une apparition sur le pas de son bureau.

— Le commandant Ventura vient de m'informer que vous reprenez l'enquête ?

— Dont je ne discuterai pas avec vous, le coupa-t-elle. Vous voulez voir Franck Mosconi ?

— Non. Je viens pour Nunzio.

Jevric leva un sourcil, gênée d'avoir à lui apprendre la mauvaise nouvelle.

— Ça risque d'être compliqué. Il est décédé hier soir.

— Je sais. Mais voyez-vous, même les morts ont droit à un avocat. La famille compte se porter partie civile et dans l'attente, je suis chargé de m'occuper de son rapatriement. Enfin, dès que vous en aurez terminé avec l'autopsie. D'où ma visite.

— La légiste l'a planifiée pour aujourd'hui. Je vous contacterai. Maintenant, si vous pouviez dégager d'ici ce serait une bonne nouvelle.

Tiretto ne bougea pas pour autant.

— Vous saluerez le capitaine Coste de ma part. J'imagine que même pour un professionnel, faire usage de son arme est perturbant.

— C'est pas très fin comme approche, mais vous n'aurez aucune information de ma part.

— La procédure change de main et j'apprends que Coste vient de sortir de garde à vue à l'IGPN. La déduction est assez simple. Je serai à mon cabinet toute la matinée, si vous cherchez à me joindre.

*
* *

Coste sortit de sa douche, le corps fumant, une serviette sur les épaules, nettoyé d'une nuit blanche lors de laquelle il avait ressassé à l'infini la même histoire devant le commissaire Abassian, jusqu'au lever du soleil.

Il passa un tee-shirt propre et un jean puis se rendit à la cuisine où il inséra une capsule dans la machine à café. Quatrième jour sans sommeil, son cerveau commençait à peiner et il aperçut un chat noir, assis sur le bord de l'évier. Il cligna des yeux plusieurs fois avant de réaliser qu'il ne s'agissait que d'une ombre projetée. Se reposer quelques heures devenait absolument nécessaire, mais il venait de recevoir un SMS de Ronan l'informant que les auditions à l'IGPN venaient de prendre fin et qu'ils débarquaient tous chez lui. Un SMS qui avait dû être envoyé sur le trajet puisque l'Interphone résonna dans l'entrée.

Ils étaient maintenant réunis dans le salon et Johanna fut la première à demander des comptes.

— Je m'en veux d'avoir accepté.

— Tu n'as rien accepté. Je ne t'ai pas vraiment offert d'alternative.

— Sam dit que c'est parce que tu as peur des conséquences.

— Tu as une famille, Johanna. Il ne se passera certainement rien, mais je ne veux courir aucun risque.

Sam s'avança, un peu gêné.

— C'est beau de le dire maintenant, mais je crois que si j'avais eu ta présence d'esprit, j'aurais fait la même chose.

— On est flics, poursuivit Ronan. Les emmerdes, on a signé pour. Ni Karl, ni Malo ou Chloé n'ont a être impliqués.

Johanna, à la fois touchée et agacée d'être si maternée, oscillait entre merci et merde.

— Tu sais, poursuivit Coste, tuer, c'est la pire chose qui peut arriver à un policier. Je ne te parle pas de la culpabilité ou des répercussions psychologiques, je te parle du parcours du combattant judiciaire qui s'ensuit. Ce sont des affaires qui mettent des années à être jugées. Tu gardes une marque indélébile, une tache sur ton dossier qui ne te lâchera jamais. L'Administration t'abandonne complètement et beaucoup de flics entrent en dépression, démissionnent. Certains se sont même suicidés.

— Parce que toi t'es immunisé ? railla Ronan.

Coste ne répondit pas et Johanna se cala dans le canapé, rancunière.

— Il est pas immunisé, précisa-t-elle, c'est juste qu'il en a plus rien à foutre. J'ai tort ?

Sam et Ronan se tournèrent vers elle, intrigués.

— De quoi tu parles ?

— Victor démissionne, lâcha-t-elle enfin.

Le silence s'abattit dans ce salon où personne ne voulait croire à cette nouvelle.

— Comment tu l'as appris ? demanda Coste.

— Par Léa. Je te rappelle que c'est moi qui l'ai consolée quand tu l'as plaquée. Elle a passé des soirées entières à la maison avec nous, comme si notre présence la maintenait proche de toi. Depuis, on se voit souvent et on parle. De tout, et de ça aussi.

— Et tu comptais nous en informer quand, Victor ? s'emporta Sam, blessé.

— Quand je l'aurais eu accepté moi-même. Vous pensez que c'est une décision facile ?

— Je savais que l'affaire de David Sebag t'avait mis un coup, mais je pensais que tu t'en relèverais, avoua Ronan.

— Ça fait quinze ans que je me relève après chaque enquête, chaque mort, chaque victime, chaque assassin. J'ai besoin d'arrêter. Alors me coller la mort de Nunzio Mosconi sur le dos, je trouvais que c'était une belle révérence. La dernière chose que je pouvais faire pour le groupe. Ton groupe, maintenant, Ronan.

Dans l'entrée, un bruit de clef dans la serrure, une porte qui se referme et Léa apparut dans le salon. Malgré la présence de l'équipe, elle focalisa sur Coste, son manteau encore sur le dos.

— Je viens de terminer l'autopsie de Nunzio Mosconi. Le lieutenant envoyé par Jevric me dit que c'est toi qui as tiré. C'est pour ça que je n'ai pas réussi à te joindre de toute la soirée ? Tu aurais pu m'appeler, non ?

Sam et Ronan baissèrent les yeux et Johanna évita son regard. Léa comprit qu'elle venait d'interrompre une réunion à laquelle elle n'aurait pas dû assister et, loin de la freiner, cette idée décupla sa curiosité et son énervement.

— Mais je le vois trop quand vous êtes merdeux. Vous avez des têtes de couillons fautifs. Il s'est passé quoi ?

Un instant d'embarras se posa entre eux comme un voile.

— C'est moi, souffla Johanna.

La légiste se tourna vers elle avec un visage qui lui ordonna sur-le-champ de faire une phrase plus longue.

— C'est moi qui ai tiré, Léa.

67

La secrétaire de Tiretto ne l'avait jamais vu aussi
nerveux. Elle avait annulé à sa demande les deux
derniers rendez-vous de la matinée et avait été invi-
tée à prendre sa pause déjeuner plus tôt, et même
à revenir plus tard. Peut-être était-ce la présence de
cet homme, dans son bureau depuis plus d'une demi-
heure. Un homme qui lui avait tout de suite rappelé
ceux que l'on voit, au cirque, briser les chaînes en
acier et plier les barres de fer. Elle rassembla ses
affaires et laissa son patron jouer au monsieur Loyal.

— À quelle heure doit-elle appeler ?
— Dix heures. Elle est généralement ponctuelle.
— Il lui reste une minute pour être fidèle à sa
réputation.
— Ce n'était pas la peine de vous déplacer. Je
vous aurais remis le scellé dès qu'il aurait été en
ma possession. Monsieur Darcy n'a plus confiance ?
— Monsieur Darcy n'a jamais confiance, répondit
Boyan. Et moi non plus. Mon meilleur ami m'a tiré
dans le dos dans la région des mines d'or de Tibesti
au Tchad pour une bête histoire de lingot qu'il voulait garder pour lui. Alors la confiance, voyez-vous…

Comme l'appel ne venait toujours pas, Tiretto tenta d'alimenter la conversation pour éviter un silence gênant.

— Puisque vous êtes face à moi, j'imagine que votre ami a été arrêté.

— Non. Je l'ai abattu à deux cent dix mètres de distance, au fusil à lunette. Il n'a jamais su qui avait appuyé sur la détente. Cette idée me plaît.

L'avocat réalisa que le silence était parfois préférable à la curiosité et la sonnerie de son portable sécurisé le délivra enfin de ce tête-à-tête inconfortable. De l'autre côté de la ligne, un autre personnage, tout aussi intimidant, ne le laissa même pas se présenter.

— Tes amis veulent toujours leurs scellés ?

— Bonjour Alexandra. Oui, ils s'impatientent, même, si je peux me permettre.

— Ce ne sera pas gratuit.

Tiretto fit un sourire à Boyan comme s'il menait la danse et gérait la situation, alors qu'une fine pellicule de transpiration se déposait sur sa lèvre supérieure. Constatant son malaise, le Serbe s'avança au-dessus du bureau, appuya sur la touche du haut-parleur et se repositionna sur la chaise qui grinça sous son poids.

— De combien parlons-nous ?

— Je ne veux pas d'argent. Je n'en suis plus là. Je veux le nom du flic qui a tué mon frère.

Boyan leva un sourcil appréciateur comme s'il trouvait la démarche logique et Tiretto souffla, rassuré de n'avoir qu'une simple information à révéler.

— Coste. Le capitaine de police Victor Coste, du SDPJ 93. C'est le chef du groupe qui est à vos trousses depuis le début de la semaine.

— Et son adresse personnelle ?

Tiretto comprit un peu mieux le projet de sa cliente.

— Vous allez trop loin, Alex. Les vengeances ne s'arrêtent jamais, elles ne font que changer de camp. Vous aurez la police entière sur le dos et vous l'attirerez vers moi, et mes amis.

— Je te comprends. Si c'est ta décision. Alors tu leur diras que les scellés seront déposés au tribunal dans la matinée. C'est courtois de ma part, ça leur laisse quelques heures pour jeter une valise dans la Seine, avec toi à l'intérieur.

— Alex, les policiers ne sont pas aux Pages Jaunes et leurs adresses sont dans leurs dossiers, gardés à leur service. Même pour moi...

Elle lui coupa la parole, agacée d'entendre ses problèmes au lieu d'écouter ses solutions.

— Et comment tu t'y prends quand tu cherches un témoin ou un débiteur ? Tu chiales en te disant qu'ils ne sont pas aux Pages Jaunes ? Je te croyais meilleur que ça.

Boyan acquiesça, moqueur, comme si depuis le début Alex et lui étaient de mèche. Il trouvait, chez cette femme, un adversaire respectable.

— Je te laisse deux minutes, conclut-elle avant de lui raccrocher au nez.

Tiretto reposa son portable et consulta en toute hâte son répertoire téléphonique.

— Plus qu'une minute et cinquante secondes, l'informa Boyan.

— J'ai l'impression que cela vous amuse.

— Beaucoup. Quand elles sont bien menées, les négociations sont toujours un spectacle instructif et plaisant.

L'avocat stoppa la course de son doigt sur un nom. Un an plus tôt, il avait réussi un plaidoyer à la limite du tour de magie en faisant acquitter un fonctionnaire accusé de fraude. Seul l'avocat connaissait sa culpabilité et il avait même négocié pour qu'il garde son job, et obtienne une prime pour réparation du préjudice moral.

Il composa le numéro et une voix à la limite de la dépression l'accueillit.

— Service des impôts centre des finances publiques bonjour.

— Bonjour. Le poste de monsieur Dorin s'il vous plaît.

Déclic et transfert de ligne, une nouvelle voix, pas plus enjouée, prit la suite.

— Paul Dorin, section contentieux.

— Tiretto à l'appareil. J'ai besoin d'une adresse d'imposition.

— Je vous ai déjà dit que je ne voulais plus faire ça, répondit l'homme, embarrassé.

— Je double le tarif. Et je garde ce que je sais pour moi.

Une pause pour montrer sa désapprobation, mais le collet à la patte, Dorin n'hésita pas bien longtemps.

— Je vous écoute.

— Victor Coste. Dans le 93.

Quelques touches de clavier pianotées, le temps d'une consultation.

— Je l'ai. Coste. Victor. 10, rue Victor-Hugo, 93500 Pantin. Et n'appelez plus s'il vous plaît.

Seules dix secondes restaient sur le délai imposé et le portable de Tiretto sonna de nouveau.

— T'es dans une valise ?

— Non, j'ai ce que vous voulez. Victor Coste, 10, rue Victor-Hugo à Pantin dans le 93. Et nos scellés ?

— Ils sont à la gare du Nord. Consigne 68.

— La clef ?

— Elle arrive.

À l'extérieur s'entendit un bruit de verre brisé puis l'alarme de la voiture de l'avocat retentit dans tout le quartier. Rhinocéros, mission accomplie, disparut au détour d'une rue.

Tiretto et Boyan sortirent au pas de course du hall spacieux de l'hôtel privé qui accueillait le cabinet et coururent vers l'Audi. La vitre avant droite était explosée et sur le siège avant en cuir, parmi les débris de verre, se trouvait une petite clef fine. Boyan tapota amicalement sur l'épaule de l'avocat.

— J'ai l'impression qu'ils ne te font pas plus confiance que nous.

— Merde, ils auraient pu la glisser dans la boîte aux lettres, ou sous l'essuie-glace ! Ils n'étaient pas obligés de me péter la bagnole…

— Ouais… Il te font pas confiance… Et ils t'aiment pas trop non plus.

Tiretto ne releva pas et lui tendit la clef.

— Bon. Vous avez ce que vous êtes venu chercher, vous pouvez rassurer monsieur Darcy.

Boyan se souvint de la conversation téléphonique.

— Mais votre Alexandra, elle a parlé de plusieurs scellés, non ? Vous ne voulez pas les récupérer ?

— Je n'en ai rien à faire, c'était juste pour embrouiller les flics. De toute façon il y en a un qui est mort et l'autre n'est pas mon client, alors…

68

Trente minutes plus tard, Boyan Mladic foulait le sol de la gare du Nord, ignorant zonards, clochards et usagers. Vigipirate écarlate depuis le début de l'année, les militaires et leur Famas lui rappelèrent son passé et les patrouilles de flics, son présent.

Il descendit par l'Escalator au sous-sol, longea les rangées de casiers, inséra la clef dans la consigne 68 et tourna. Trois enveloppes kraft l'y attendaient et, rassuré, il attrapa son portable.

— Monsieur Darcy, je suis en face de notre problème.

— Et les nuages se dispersent. Bon travail, cher ami.

— Mais apparemment, j'ai aussi récupéré les problèmes des autres.

— Ça ne change rien. Détruisez le tout.

— Le tout ? Nous nous immisçons dans des affaires qui ne nous concernent pas. Vous ne préférez pas que je laisse les autres scellés là où ils se trouvent ?

— Si le seul problème qui disparaît est le nôtre, ce n'est pas très discret. Tout s'est bien passé ?

— En quelque sorte. La petite braqueuse est plus solide que je ne le pensais.

— Vous l'avez rencontrée ?

— Pas vraiment. J'ai assisté à la conversation téléphonique entre elle et Tiretto. Elle a demandé le nom et l'adresse du flic qui a abattu son frère. Je ne sais pas ce qu'elle compte faire, ni si elle ira jusqu'au bout, mais elle a de la ressource.

— Vous semblez l'apprécier.

— Elle se débrouille pas mal. J'aurais aimé l'avoir de notre côté.

— Elle est malheureusement trop proche de Tiretto et donc trop proche de nous. Nous n'en sommes plus à un petit GPS qui pourrait vous coller trois ans en prison. Tiretto a commandité un braquage d'État pour nous sortir de là, et si cette affaire éclate au grand jour, nous devenons ses complices. On ne peut pas la laisser se faire interpeller par les flics, elle aurait trop à dire.

— Vous auriez dû me laisser à Marveil, dit Boyan, sans la moindre ironie.

— J'y aurais laissé n'importe qui d'autre, avoua Darcy. On essaie de localiser cette Mosconi depuis des jours. Maintenant que vous savez où elle se dirige, ne la lâchez pas.

Sous les six premières statues de la gare du Nord, Boyan décacheta les enveloppes les unes après les autres. Il cassa le CD d'écoutes téléphoniques sans effort et le jeta dans une poubelle publique. Puis il soupesa le couteau de chasse, le fit virevolter entre ses doigts pour en vérifier l'équilibre et le glissa dans la poche de son pantalon. Et enfin, sous le regard surpris d'un SDF dans son sac de couchage, il explosa à deux reprises le GPS contre l'une des colonnes de l'entrée principale avant de le jeter dans la même poubelle.

Sans le savoir, il venait de piétiner la morale en laissant Gabriel « Scalpel » Rezelny assassin pour l'éternité, et en acquittant définitivement Yassine Chelli du meurtre de David Sebag.

69

Sam et Ronan étaient retournés au service pour y rédiger le procès-verbal d'interpellation. Bien que la procédure leur ait été enlevée, le Groupe crime 1 était le seul à pouvoir raconter ce qui s'était passé au loft pendant les quatre secondes qui avaient suivi le coup de bélier dans la porte. Et comme ils n'avaient pas besoin d'être douze pour écrire, Johanna avait été autorisée à rentrer chez elle, le temps de dire au revoir à ses enfants, et Coste était resté chez lui avec Léa, le temps de se faire engueuler.

— Alors c'est ce qui s'est passé dans ta tête ?

— J'ai cru que je pourrais protéger les deux. Johanna en m'accusant du tir…

— Et moi en me dégageant du tableau ?

— Je ne te dégage de rien. Je te demande juste qu'on prenne nos distances, un ou deux mois, le temps de voir comment réagissent les Mosconi.

— J'en ai marre de passer après ton groupe. C'est la dernière fois que j'accepte tes conneries de grand flic protecteur.

— Tu n'es jamais passée après. Je t'ai toujours considérée comme un membre de mon équipe, tu le sais.

Il posa la main sur la cuisse de Léa qui se hérissa comme un chat et le dégagea d'un coup de patte.

— Me touche pas, tu m'énerves. C'est aussi beau que con ce que tu as fait. Tu te mets en danger et je me demande si tu aurais fait pareil pour Sam ou Ronan.

— T'es en train d'insinuer que j'ai un faible pour Jo ?

— J'insinue rien, maugréa-t-elle, je le sais. Je le vois.

Coste éclata de rire et malgré la réticence de Léa, l'entoura de ses bras jusqu'à ce qu'elle se laisse faire.

— Tu m'énerves, mais tu m'énerves, chuchota-t-elle.

Il l'embrassa doucement dans le cou.

— Je voudrais que tu prennes toutes tes affaires et que tu rentres chez toi. Je vais t'appeler un taxi.

— Arrête, je peux très bien le faire toute seule. Et puis ils n'ont pas besoin de toi. Passe la journée avec moi, Victor.

— Il faut que je retourne au service pour signer le P-V sur la mort du frère Mosconi et le groupe doit faire un briefing sur toute l'affaire à l'équipe de Jevric. Ça va nous prendre une bonne partie de la journée. Et vraiment, je voudrais qu'on soit le plus prudents possible pendant au moins les prochaines semaines. Ça ne change rien aux aurores boréales, je ne crois pas que les Mosconi aient des oreilles jusqu'au Canada. Je suis même persuadé qu'ils en resteront là.

— Et après, c'est fini ?

— Fini. Plus de PJ, plus de stress, plus d'horaires merdiques. Après, ce sera juste nous, ailleurs.

— Coste juste pour moi ?

— C'est tout ce dont j'ai envie.

Il attrapa son manteau, se dirigea vers la porte et Léa le retint par la ceinture. Elle s'apprêtait à l'embrasser quand Coste vit un lapin noir sautiller dans le couloir jusqu'à la salle de bains. Léa se retourna à son tour et ne vit évidemment rien.

— Quelque chose ?

— Non, je transforme les ombres en petits animaux.

— Ça fait combien de temps que tu n'as pas dormi ?

— Après David Sebag, c'est devenu compliqué, et ça a empiré par la suite. Je ne sais pas, plus de quatre jours je crois.

— Quatre-vingt-seize heures, c'est la limite. Ce sont des paréidolies. Ton cerveau mouline et transforme des ombres floues en choses connues.

— Ou alors j'ai un lapin et un chat qui squattent mon appartement.

*
* *

Johanna se retrouva en maman ours, Chloé accrochée à sa jambe droite, Malo à sa jambe gauche, le téléphone collé à l'oreille.

— Je suis désolée, ça braille pas mal à la maison. Répète ? À quelle heure le briefing ?

— Quatorze heures, en salle de réunion avec Crime 1 et Crime 2. Ça te laissera même le temps de te reposer un peu si tu veux.

— Je ne vois pas comment j'y arriverais.

Karl vint à son secours, décrocha les deux bébés ours et Johanna s'enferma dans la cuisine.

— Tu l'as dit à Karl ? demanda Sam.

— Non, sinon il serait resté avec les enfants. Je vais profiter de ce week-end pour digérer le truc. La Normandie, ça risque de m'étouffer. J'ai envie de rester avec vous. Je lui parlerai plus tard.

Johanna entendit une série de cris et de pleurs dans le pavillon et fut rappelée à son rôle de mère.

— Faut que je te laisse. À tout de suite.

Karl avait fait ce qu'il avait pu pour organiser tout seul le week-end et leurs trois valises étaient maintenant dans l'entrée. Les gamins tiraient la tronche et Johanna les consola de longues minutes avant qu'ils acceptent de suivre leur père.

— J'aimerais savoir s'ils feraient la même crise si c'était moi qui me défilais, se demanda Karl.

Johanna lui mit une main aux fesses et se colla contre son épaule.

— Je ne me défile pas, j'ai une affaire sur le dos. Et pour être honnête, je crois bien que je pourrais les emmener en vacances trois semaines sans qu'ils remarquent ton absence. Il va falloir t'y faire, je crois que tes enfants te détestent.

Ils s'embrassèrent amoureusement, assez pour que Chloé et Malo fassent des « beurk » indignés.

— Vous oubliez rien, les enfants ?

— Si, toi, bougonna Malo.

Elle regarda la voiture s'éloigner, un pincement au cœur, et toute animation disparue, se retrouva seule avec elle-même. Beaucoup trop seule. Elle sentait la poudre et la transpiration, elle sentait la ville et la voiture de police et elle décida de prendre un bain. Elle sortit son arme qu'elle posa sur la table de la cuisine, ôta son pull qu'elle laissa tomber sur la moquette du salon, défit ses chaussures, abandonnées dans les escaliers, ôta sa ceinture et passant devant la chambre des enfants, aperçut sur la table de chevet une petite boîte noire. Le traqueur de Malo. Elle se précipita pour l'attraper, le glissa dans la poche de son jean et descendit deux à deux les marches de l'escalier, avec l'espoir qu'un dernier caprice ait bloqué la voiture devant la maison. Mais elle ouvrit la porte sur une rue déserte. Malo s'en voudrait beaucoup de l'avoir oublié et elle l'imagina rouspétant et même suppliant Karl pour qu'il fasse demi-tour.

Elle referma la porte et poursuivit son effeuillage jusqu'à la salle de bains.

70

Aéroport privé du Bourget.
Société Prime Flight.

Les pieds des larges fauteuils s'enfonçaient dans la moquette violet profond du salon VIP de la société privée de transport aérien. Sur le mur de droite, un imposant écran bleu informait les clients des départs et des arrivées. Toute la partie gauche était vitrée et permettait de voir le ballet des jets et des avions-taxis manœuvrant au sol, s'envolant ou atterrissant. Dorian, immédiatement à l'aise avec le luxe, avait accepté la coupe de champagne proposée par l'hôtesse tandis que Rhinocéros préférait jouer les périscopes, scrutant l'endroit, détaillant chaque nouveau voyageur et se retournant au moindre mouvement.

— Calme-toi, Michaël, on est en zone neutre ici. Il ne peut rien nous arriver.

— Il ne peut rien nous arriver… répéta Rhino. Tu sais que c'est le début de tous les films catastrophes ?

— Mais regarde, on n'est pas dans le vrai monde ! Tous les gens que tu vois ici sont prêts à débourser huit mille euros de l'heure pour ne pas se mélanger avec la petite société. T'as vu le contrôle de nos passeports ?

— Lequel ? Quand ?

— C'est bien ce que je te dis. On va monter dans un avion vers la Corse et personne n'a réellement regardé qui nous sommes. Simplement parce qu'on a acheté notre tranquillité. C'est de cette manière que nous faisons voyager nos butins de braquage et pas une seule fois le receleur n'a été ennuyé. Considère cet endroit comme une bulle magique. Une bulle dans laquelle tu peux croiser des évadés fiscaux, des terroristes, des passeurs de migrants, des trafiquants de drogue…

— Et des criminels en fuite.

— Aussi.

Cette fois-ci, Rhinocéros ne refusa pas la coupe tendue par la séduisante hôtesse en tailleur gris souris et petit chapeau bleu. D'abord parce que le discours de Dorian l'avait rassuré mais aussi parce que, après une accélération à coller au siège, le train arrière de l'avion avait quitté le sol et que les nuages sombres commençaient à être en dessous de la carlingue et plus au-dessus de leur tête. Il aurait à peine le temps de se détendre que l'appareil serait déjà en descente vers Ajaccio. Le trajet serait rapide et le champagne encore pétillant dans sa coupe à l'arrivée.

Léa passa dans la salle de bains et y récupéra ce
que Coste avait appelé « toutes ses affaires ». Soit
deux nuisettes, quelques bouquins, une brosse à dents
et une crème de jour. Puis elle lui vola un tee-shirt et
un pull au passage et fourra le tout dans un sac large
en tissu qu'elle avait repéré dans l'armoire de la
chambre.

Elle entra l'adresse sur son portable et l'application lui répondit qu'un taxi serait présent, en bas
de l'immeuble, dans les cinq à sept minutes. À la
sixième minute, un SMS de confirmation l'informa
que la voiture était bien arrivée. Elle attrapa son sac,
traversa le salon, ouvrit la porte et se retrouva face
à un canon de pistolet, braqué juste sur son front.

— Si tu cries, t'es morte. Retourne-toi.

Léa s'exécuta. Alex passa le bras gauche fermement sous sa gorge et de l'autre main, posa l'arme
sur sa tempe.

— Si t'es toute seule ici, hoche la tête.

Léa, terrorisée, obéit et hocha.

— T'es qui ? Sa femme, sa sœur, sa bonne ?

Toujours sous la menace de l'arme, Alex la traîna,
contrôlant les pièces les unes après les autres, écrasant

sa trachée jusqu'à l'étouffement, puis elle poussa Léa au centre du salon.

— Je t'ai posé une question. T'es qui ?

— Sa... femme, réussit-elle à répondre en reprenant son souffle.

— Parfait. Tu feras l'affaire. Appelle-le et dis-lui de venir. Si ta voix change, si tu essaies quoi que ce soit, ce sera votre dernière conversation.

Léa ne bougea pas. Il n'avait pas été besoin de faire les présentations.

— Vous êtes Alexandra Mosconi ? osa-t-elle.

Alex lui asséna sur le front un violent coup de canon de pistolet qui la fit chuter au sol. L'entaille saigna aussitôt et abondamment, laissant un filet rouge passer sur le sourcil, contourner l'œil et longer la joue jusqu'à ses lèvres. Léa goûta son propre sang.

— À chaque question que tu me poseras, à chaque seconde que tu me feras perdre, j'abîmerai un peu plus ta jolie gueule. Tu saisis ? Alors si je te demande d'appeler Coste, tu le fais.

Léa s'essuya le visage du revers de la manche. Respira un grand coup, pensa aux aurores boréales, à Victor, puis plongea ses yeux dans ceux d'Alex.

— Non.

Alex ne s'attendait pas à cette réaction.

Léa n'aurait pas cru en avoir le courage.

Alex se remémora alors les enseignements de Rhinocéros et se décida à devenir plus directive. Le premier coup de pied qu'elle lui envoya de toutes ses forces dans le ventre coupa le souffle à Léa, les deuxième et troisième la firent se replier sur elle-même. Elle passa à côté de sa cheville gauche et l'écrasa d'un coup sec du talon dans un bruit de biscotte cassée. Léa hurla de douleur. Puis Alex s'age-nouilla à son côté.

— Tu sais ce qu'il m'a fait ?

— Il s'est simplement défendu, articula Léa diffi-cilement, essayant de mettre sa souffrance de côté et de garder le focus pour ne pas s'évanouir.

La crosse du pistolet atterrit de pleine volée entre sa pommette et son œil, qui en moins de cinq secondes commença à gonfler et à se fermer.

— Mauvaise réponse. De toute façon, j'ai changé d'avis. Tu me sembles assez amoureuse pour beugler dans le téléphone que tu n'es pas toute seule. Je ne cours pas le risque. Pas grave, on va l'attendre.

Alex attrapa un des fauteuils de la pièce, le tira jusque dans l'entrée et s'y installa confortablement, juste devant la porte, arme sur les genoux. Il ouvri-rait, elle lui laisserait le temps de la stupeur, dirait le prénom de son petit frère et tirerait.

Dans le salon, la respiration de Léa était accompa-gnée d'un bruit rocailleux et sifflant. Elle se transporta mentalement sur la table de la morgue et procéda à sa propre autopsie. Cheville fracassée. Entaille du cuir chevelu. Écrasement de la trachée. Une côte brisée, probablement deux. Pronostic vital non engagé, à moins que le sifflement de sa respiration ne soit pas dû à l'étranglement mais à un pneumothorax, auquel cas il lui restait grosso modo une quarantaine de minutes avant que les choses ne se compliquent salement.

— On va l'attendre et tu assisteras à tout. Tu as la meilleure place.

Ventura avait eu la bonne idée de laisser le Groupe crime 1 en paix et avait redirigé toute son attention et son mauvais caractère sur l'équipe de Jevric, laissant Coste relire le procès-verbal d'intervention et corriger de-ci de-là quelques coquilles et oublis.

Dans le canapé rouge du bureau, Ronan avait de plus en plus de mal à ne pas fermer les yeux et regardait Sam décrocher au fur et à mesure les photos et notes du tableau blanc, comme on raconterait une comptine à l'envers. L'affaire passait entre d'autres mains et il n'y avait rien à y redire. Juste à obéir.

Posé à côté d'une colonne de procédures en attente, le téléphone de Coste vibra, le prénom de Léa s'afficha et il décrocha, perplexe, ignorant s'il allait devoir encore s'expliquer ou s'excuser de ses choix. Contre toute attente, une voix masculine et autoritaire se fit entendre.

— Coste ?

Un « capitaine » ou un « monsieur » l'auraient rassuré.

— Oui. Qui êtes-vous ? Vous faites quoi avec ce portable ?

Sam et Ronan se tournèrent vers lui, l'oreille habituée à identifier les intonations de voix, comme l'hésitation, l'impatience… ou l'angoisse.

— Désolé, monsieur. Lieutenant Guillaume, brigade des sapeurs-pompiers. Vous connaissez la propriétaire de ce téléphone ? Votre numéro est le dernier à avoir été composé. Vos voisins ont entendu du bruit et…

*
* *

Il n'avait fallu à Ronan que quelques minutes et quelques rétroviseurs abîmés sur le trajet pour se garer au frein à main devant l'immeuble de Coste, déjà encombré par une voiture de patrouille et le camion des secours.

Coste ignora l'ascenseur et monta les trois étages en quelques enjambées, suivi de près par ses hommes. Au fond du couloir, sa porte d'entrée ouverte, un flic en tenue, calepin à la main, et trois pompiers entourant une civière. Le décor habituel de toutes ses interventions lors d'un meurtre ou d'une agression. Sauf qu'aujourd'hui, cela se passait chez lui.

Le policier en uniforme s'écarta et Coste aperçut Léa, allongée sur le côté, un masque respiratoire sur la bouche.

— Elle est stabilisée mais on doit l'emmener aux urgences, l'informa un pompier qu'il ne regarda même pas. Détresse respiratoire, elle perd connaissance toutes les dix secondes. Une côte a probablement perforé le poumon droit. Vous souhaitez nous accompagner ?

441

Coste s'assit à même le sol et attrapa la main de Léa qui ouvrit les yeux. Le regard qu'elle lui porta restait indéfinissable et sa voix, quasi inaudible.

— Je suis désolée, chuchota-t-elle, à peine consciente, dans le masque qui se couvrit de buée.

— Désolée de quoi ? C'est moi qui ai déconné.

Elle repartit dans les vapes et il lui serra la main plus fort alors que les pompiers l'écartaient doucement afin de la soulever.

Un peu rude, Ronan attrapa Coste par l'épaule et lui fit faire trois pas en arrière qui le menèrent dans le salon.

— Pardon, Victor, mais il faut que tu atterrisses. Je sais que c'est pas le bon moment, mais y a rien qui va, là. Tu le vois, quand même ?

Coste avait du mal à détacher son attention des secouristes et de Léa. Il fit un effort pour redevenir policier.

— De quoi tu parles ? Mosconi m'a retrouvé plus vite que prévu et moi j'ai laissé Léa…

— Arrête, putain ! le coupa Ronan. Si c'est elle qui est venue, alors pourquoi Léa est en vie ? Pourquoi Mosconi n'est pas restée à t'attendre ? Tu vas comprendre, à la fin ?

Le portable de Sam vibra dans sa poche et l'icône du traqueur fit un bond. Il l'effleura et une carte du 93 apparut, se rétrécit à un quartier, puis à une rue. Il s'approcha de l'équipe, blême.

— Les gars. Le traqueur de Malo s'est activé. Et il n'est pas du tout en Normandie. Il est chez Johanna.

Dans l'esprit de Coste, les informations s'imbriquèrent comme un coup de poing. Léa avait tout fait pour le protéger. Tout, jusqu'à déplacer le danger.

Tout, jusqu'à dire la vérité. Il se tourna vers le brancard où elle avait repris conscience et comprit enfin ce regard indéfinissable : un mélange de honte et de culpabilité.

— Je suis désolée, répéta-t-elle, les yeux pleins de larmes.

Furieux et affolé à la fois, Coste ne contrôla pas la force de sa voix et lui cria dessus. Les mains tremblant sur la civière, il la secoua presque.

— Qu'est-ce que t'as fait ? Léa ! T'as pas fait ça ? Dis-moi que t'as pas fait ça, putain !

Stupéfait de son attitude, un pompier s'interposa, le dégagea sans ménagement et le colla au mur. Sam assura au secouriste qu'il prenait la relève, saisit le bras de Coste et l'attira à l'extérieur de l'appartement pendant qu'à la radio Ronan donnait ses instructions à l'état-major.

— Appel d'urgence. Collègue en danger. Tous les véhicules disponibles au 5, rue de la Renaissance sur la commune du Pré-Saint-Gervais au domicile du lieutenant De Ritter. Collègue en danger. Je répète, appel d'urgence...

74

Sur les quatre kilomètres qui séparaient le domicile de Coste de celui de Johanna, Ronan n'avait pas décéléré. Sirène, gyrophare, feux rouges grillés, klaxons et crissement de pneus, le vacarme extérieur reflétait exactement l'état de tension intérieure de chacun des trois flics. La radio cracha et, suite à l'alerte d'un collègue en danger, même la voix de l'opérateur semblait anxieuse.

— État-major pour PJ. Une BAC et deux patrouilles se dirigent vers vous d'ici quelques minutes. D'autres renforts en route. Quelle est votre position ?

Aucun d'entre eux ne répondit. À l'arrière, Sam composait pour la quatrième fois le numéro de Johanna alors que Victor et Ronan regardaient devant eux, visage fermé, le cerveau parasité par la haine et l'anxiété. Aucun son distinct ne parvenait à eux, dans un cocon de bruits ouatés, le tête écrasée dans un étau.

Une fois arrivé, Ronan fit grimper la voiture sur le trottoir, roula sur la petite pelouse devant la maison et freina brusquement, enfonçant les pneus dans le gazon tendre. Les trois sortirent, arme à la main braquée devant eux, prêts à arroser.

Coste ne put s'empêcher de crier le prénom de Johanna en s'approchant de l'entrée. Sur le perron, il constata que la porte était entrouverte. Il la poussa du bout du pied et fit entrer le canon de son pistolet en premier.

*
* *

Alex avait sonné. Johanna avait ouvert, et reculé sous la menace. Elle avait regardé son arme de service sur la table de la cuisine, malheureusement trop loin. Alors elle s'était assise, obéissant à l'ordre, sans grand espoir, puisqu'elle connaissait la suite. Elle avait malgré tout appuyé discrètement sur le bouton d'appel du traqueur de Malo, toujours dans la poche arrière de son jean. Les garçons arriveraient peut-être à temps…

Alex l'avait regardée, sans émotion. Elle ne lui avait pas fait de longue tirade, ni expliqué les comment et les pourquoi de sa vengeance. En dernier recours, Johanna avait essayé le tout pour le tout, des larmes incontrôlables perlant jusqu'à sa bouche.

— J'ai deux enfants. Ils s'appellent Malo et Chloé.

Et comme Alex ne pouvait en entendre plus, elle avait mis fin à tout cela.

*
* *

Sam était livide, assis à même la pelouse, son flingue toujours à la main, la tête entre les genoux. Il n'avait pas pu rester plus de quelques secondes à l'intérieur. Ronan sortit du pavillon, chancelant, il manqua de tomber et préféra s'adosser contre le mur.

445

Coste était assis, les mains posées sur la table du salon. Devant lui, Johanna, les yeux clos, menton sur la poitrine, un trou carmin au cœur et le bas du tee-shirt inondé de sang. Il resta là, à la regarder.

Johanna, la bouée de sauvetage de ces trois flics un peu perdus, chacun à sa manière.

En fond sonore, les véhicules de police toujours plus nombreux se garaient au fur et à mesure autour du pavillon. Et face à Sam et Ronan, hébétés, assis par terre comme s'ils étaient tombés, personne n'osa poser un pied sur la pelouse. Les sirènes se coupèrent les unes après les autres, ne laissant que les gyrophares tournoyer silencieusement.

À l'intérieur, le portable de Johanna vibra et le prénom de Karl s'afficha à l'écran. Coste s'en saisit mais n'eut pas la force de répondre et le glissa dans la poche de sa veste. Il chercha en lui la colère, il chercha la peine mais rien ne vint, comme s'il mettait tout cela de côté. Il chercha en vain les sentiments humains adaptés et ne trouva que de la résignation et de la volonté. Il savait que l'horreur lui reviendrait en boomerang quand tout serait terminé. Mais tout n'était pas terminé.

Il se leva, se rendit à la cuisine, attrapa l'arme de Johanna et en sortit le chargeur pour contrôler qu'il était plein. Il passa à côté du corps inerte et ne put s'empêcher de l'embrasser doucement, une dernière fois.

Lorsqu'il sortit du pavillon, Sam et Ronan le regardèrent se diriger vers les policiers qui attendaient respectueusement, incapables de savoir comment réagir face à cette situation. Coste s'adressa au premier.

— Appelez le SDPJ et demandez le commandant Rivière ou le capitaine Jevric. La victime se nomme De Ritter. Johanna. Elle est de la maison.

La quinzaine de flics s'écarta pour laisser passer le Groupe crime 1. Coste rejoignit la voiture et s'assit à l'avant, portière ouverte. Sam et Ronan restèrent autour, anéantis.

— Quand j'aurai cette pute entre les mains… commença Ronan.

Puis l'humain se mélangeant au professionnel, Karl et les gosses lui revinrent à l'esprit et il se demanda qui allait passer le coup de fil.

— Elle ne peut pas s'enfuir, ajouta Sam. Sa tête est partout, elle se fera griller au moindre contrôle. Elle va rester sur Paris ou sur le 93, elle va faire une erreur, et à ce moment, on sera là.

Puis sans transition, il fut à son tour submergé par la réalité.

— Putain, les gosses, et Karl ? Qui va leur dire ?

Coste avait fermé la case émotion et ne se laissait plus guider que par une rage froide.

— Sauf si elle joue les diamants.

Sam et Ronan avaient perdu le fil et Coste se fit plus clair, presque robotique.

— D'après Rivière, le groupe Mosconi utilisait l'aéroport du Bourget pour écouler les bijoux des braquages, parce qu'il n'y a presque pas de contrôle. Passer inaperçue, c'est ce qu'elle cherche. Si j'étais elle, c'est là que je foncerais.

Avec cette déduction, Coste leur offrait une porte de sortie à ce cauchemar. Une mission, une échappatoire.

— Si j'étais elle, ajouta Ronan tout en montant dans la voiture, je m'arrêterais sur le bas-côté et je me tirerais une balle dans la tête.

Les portières claquèrent et Coste démarra.

— Relance la sirène et le gyro, on va aller vite.

— Et qu'est-ce qu'on fait si on la trouve ? interrogea Sam.

— Tu sais très bien ce qu'on doit faire, alors si quelqu'un veut descendre, c'est maintenant.

Le moteur rugit et les pneus dérapèrent dans un brusque demi-tour.

Sur l'autoroute, à tombeau ouvert, Coste dépassait les autres véhicules comme s'ils étaient à l'arrêt. Le portable de Johanna vibra dans sa poche. Il serra les dents et accéléra.

75

Aéroport privé du Bourget.
Société Prime Flight.

Sur le trajet, Sam avait contacté la police aux frontières et son interlocuteur l'avait informé que parmi les onze sociétés privées de transport aérien du Bourget, une seule planifiait un vol vers la Corse dans la journée. Plus précisément, l'avion devait décoller dans moins d'une heure.

À l'accueil de la société Prime Flight, Coste montra sa carte police et Sam déposa sa tablette numérique sur laquelle s'affichait une photo d'Alexandra Mosconi. Le visage hostile des trois flics intima au réceptionniste l'ordre de répondre rapidement.

— Effectivement. Elle est dans nos salons. Arrivée il y a environ une demi-heure.

— Combien de personnes avec elle ?

— Nous avons trois vols prévus. Le premier en Corse pour une personne. Les deux autres pour Londres avec six passagers. Cela nous fait sept personnes en attente au salon.

— Vous pouvez faire une annonce micro ?

Et puisqu'il ne s'agissait pas vraiment d'une question, le réceptionniste s'exécuta.

Alexandra s'était débarrassée de son arme en la glissant sous le siège du taxi qui l'avait déposée à l'aéroport. Elle se retrouvait maintenant vulnérable et l'intense dose de stress à laquelle elle s'était soumise faisait des nœuds dans son abdomen, comme si deux mains puissantes serraient ses entrailles jusqu'à l'écrasement. Une douleur somatique, lancinante et vive. Elle caressa son ventre et s'excusa tout bas pour ce qu'elle faisait subir à son hôte. Sa voix fut recouverte par une autre qui flotta dans le salon à travers les petites enceintes accrochées au mur.

— Un contretemps technique nous force à retarder les vols à destination de Londres. Les passagers concernés sont priés de se rendre à l'accueil pour se voir informés des nouveaux horaires.

Un père bougonna en récupérant les manteaux de ses deux enfants et tempêta en leur courant après, entre les fauteuils et les tables basses. Trois hommes d'affaires se jetèrent un regard blasé et entendu, puis, tout en se levant, sortirent leurs agendas pour vérifier ce que cet imprévu allait bousculer dans leur emploi du temps de businessmen. Et Alex se retrouva seule.

Elle n'avait jamais vu Coste. Ni Sam ou Ronan. Elle les reconnut pourtant dès qu'ils firent irruption dans le salon VIP. Ils se dévisagèrent à quelques mètres de distance et Alex se leva, refusant de se faire interpeller assise, à la manière d'une victime attendant sa sentence.

Sans hésiter, Coste dégaina et la braqua. Elle lut dans ses yeux une certaine fatalité, comme un abandon, et comprit alors qu'il n'était pas là en tant que flic. Maintenant face à face, ils pouvaient presque se toucher. Le canon dirigé vers le cœur, le doigt de Coste glissa du pontet à la détente, sans pour autant parvenir à appuyer.

Le voyant hésiter, Ronan sortit son arme à son tour.

— Si t'y arrives pas, moi je vais le faire.

Les douleurs au ventre d'Alex disparurent dans l'instant et elle se sentit libre. Elle avait fait l'impossible pour sortir son frère de prison, puis, quand tout avait dérapé, elle avait rééquilibré la balance en abattant cette femme flic.

Ils seraient fiers d'elle sur l'île.

Contre toute attente, elle leva la main et la posa sur le canon sans que Coste ne réagisse, puis elle baissa l'arme pour qu'elle pointe sur son ventre légèrement rebondi.

— Tire ici. On partira ensemble.

Coste baissa les yeux et constata l'arrondi. Cette nouvelle information accentua l'orage qui bousillait son cerveau. Le bras toujours tendu il hurla pour se donner du courage. Pour Léa. Pour Jo.

Sam s'approcha. C'était pour être là, à ce moment précis, qu'il les avait accompagnés.

— Les gars, c'est pas nous ça. On n'est pas comme ça.

La respiration d'Alex se suspendit à ses mots.

— On ne se le pardonnera jamais. On en crèvera, vous le savez.

Derrière Alex, sur le tarmac, une biche passa sous l'aile d'un avion. Elle leva la tête, aux aguets, huma l'air comme si elle percevait un danger et Coste cligna des yeux pour la faire disparaître.

Son flingue semblait peser une tonne. Son bras s'abaissa doucement. Puis il se laissa tomber sur le fauteuil le plus proche, furieux d'être si faible. Alexandra les regarda, et ce n'est qu'à cet instant qu'elle réalisa leur similitude. Ils étaient dévastés par la tristesse et la haine, comme elle. Ils ne respiraient que pour se venger, comme elle l'avait fait. Mais un soupçon de morale et ce qu'il leur restait aujourd'hui d'humanité lui avaient sauvé la vie.

Ronan rangea son arme, s'assit à côté de Coste et Sam passa les menottes aux poignets de la jeune femme avant que l'un ou l'autre ne change d'avis.

Sortant de la société Prime Flight et longeant l'un des immenses hangars à avions, Ronan tenait fermement Alex Mosconi par le bras. Tandis qu'il l'escortait vers leur voiture à une centaine de mètres de l'autre côté des grilles qui entouraient l'aéroport, il se félicita que cette enquête soit entre les mains de Jevric. Passer quarante-huit heures à auditionner la meurtrière de Johanna, il n'en aurait pas eu le courage et pire, ses pulsions premières risquaient de refaire surface.

— Tu sais comment elle s'appelait ? lui demanda-t-il, écœuré par l'injustice de la voir toujours respirer.

— Johanna, souffla Alex.

— Tu sais qu'elle a deux enfants ?

— C'est la dernière chose qu'elle…

Une déflagration au loin fit s'envoler quelques oiseaux sur l'une des pistes d'atterrissage et dans le même instant, le côté droit du crâne d'Alexandra explosa, envoyant une giclée de sang et d'os sur le sweat-shirt et le visage de Sam. Le corps s'effondra alors que Ronan le tenait toujours par le bras et dans un réflexe de survie, les deux autres policiers sortirent leurs armes et balayèrent autour d'eux, à la recherche du tireur.

Dans la lunette de visée de Boyan, Coste se trouvait au centre, et tentait de localiser l'origine du tir. En trois gestes assurés, le Serbe démonta son fusil en autant de parties et le rangea dans sa mallette. Il avait eu une certaine affection pour cette petite braqueuse et la mission d'aujourd'hui le fit s'aimer encore un peu moins.

Rejoignant sa voiture, il composa le numéro de monsieur Darcy pour l'informer que sa réputation et celle de ses sociétés n'étaient plus en péril.

76

Les mains d'Alexandra se serrèrent un peu plus autour du cou de Léa jusqu'à ce qu'elle se réveille en sursaut dans sa chambre d'hôpital, aux unités médico-judiciaires, la gorge encore douloureuse mais en sécurité.

Assis sur un fauteuil à son côté, Coste lui tenait déjà la main pour la rassurer, même endormie.

L'esprit cotonneux, elle profita d'une seconde sans attache avec la réalité avant que le regard de Coste ne l'attrape, ne la plaque sur terre et que tout lui saute à la mémoire. Sans un mot, elle lui posa la question et Coste n'eut qu'à baisser les yeux pour lui répondre.

De peur d'y lire un reproche, Léa tourna la tête pour ne plus le voir et les larmes montèrent. Elle se rappela le visage de Victor au-dessus d'elle, accusateur, violent.

« Qu'est-ce que t'as fait, Léa ? », avait-il crié.

De sa voix, encore blessée et légèrement plus grave, elle se défendit.

— Je devais attendre et te regarder mourir ?

Coste ne répondit pas.

— Je t'aime Victor. Je peux pas aimer quelqu'un plus que ça. Je t'ai choisi, toi. Tu m'en veux ? Tu me détestes ?

Il embrassa la main de Léa qu'il tenait encore.

— Non. Je ne t'en voudrai jamais. Tu m'as sauvé la vie.

Léa n'en fut pas rassurée car elle le savait, Coste n'estimait sans doute pas valoir ce sacrifice.

— Karl ? Les enfants ?

— Je n'ai pas eu le courage. Ils sont quelque part, ensemble, encore heureux. Sam est parti il y a deux heures pour les rejoindre.

— Tu n'as pas voulu l'accompagner ?

— Je suis là où je dois être.

Léa savait au fond d'elle que cela ne serait pas si simple. Elle resterait encore longtemps celle par qui le malheur avait trouvé son chemin. Toujours, peut-être.

— Tu me pardonneras ?

Coste s'approcha et l'enlaça, plongea sa tête dans son cou, sentant la douceur de ses cheveux, respirant son odeur.

— Tu n'es coupable de rien et je n'ai rien à te pardonner, Johanna.

Son lapsus lui brûla les lèvres. Johanna… Coste venait de tirer ce prénom dans le cœur de Léa. Elle se serait enfuie si elle avait pu, mais bloquée dans ce foutu lit, elle ne sut que tourner la tête et les larmes montèrent à nouveau. Il ne lui pardonnerait jamais.

— Pars. S'il te plaît, le supplia-t-elle.

*
* *

Il faisait trop froid pour se baigner, mais bien assez beau pour se balader sur la plage, pourtant déserte. Malo et Chloé en bottes colorées, épuisette à la main, et Karl faisant le point avec son appareil photo pour envoyer quelques souvenirs à Johanna, histoire de la faire pester de rater ces instants.

Sur celle-ci Malo tire la langue. Original. Sur celle-là, Chloé, avec son sourire en touches de piano, montre fièrement un petit crabe pêché. Sur la suivante, le crabe s'est rebellé d'un coup de pince et la petite prend ses jambes à son cou.

Partant de la promenade qui longeait la plage, une jetée de pierre s'enfonçait dans la mer. Un homme, les mains plongées dans les poches de son sweat, s'approcha et Karl reconnut sa silhouette. Il chercha du regard si le reste de l'équipe ne suivait pas. La surprise aurait été jolie.

Sam n'avança pas plus et s'assit sur la jetée. Karl s'étonna de cette retenue et mit quelques secondes à comprendre. Son cœur s'emballa et il se tourna vers les enfants.

— Malo, tu fais attention à ta petite sœur, je reviens.

77

Village de Cargèse.
Corse-du-Sud.

Dorian restait immobile sur une terrasse, en haut d'une falaise, protégé par une rambarde qui ne soutiendrait pas son poids s'il devait glisser. Quarante-cinq mètres plus bas, la Méditerranée, sauvage et calme, comme Alex la lui décrivait avant qu'il vienne pour la première fois, cinq années plus tôt.

Monsieur Mosconi descendit les marches menant de sa villa au chemin de terre qui serpentait jusqu'à la terrasse privée et rejoignit Dorian. Derrière eux, Rhinocéros et un homme de main chargeaient deux valises dans le coffre d'une voiture.

Tiretto avait téléphoné la veille et leur avait tout raconté.

Dorian avait bu, beaucoup trop, et s'était explosé les poings contre les murs de sa chambre. Monsieur Mosconi s'était retiré et n'était pas réapparu de la soirée. Et au matin, ils s'étaient évités. Jusqu'à ce moment.

— Tu l'as laissée seule, attaqua le patriarche, le regard rivé sur l'horizon, pour ne pas croiser celui de Dorian.

— Elle me l'a demandé. Elle m'a dit que c'était pour s'assurer du retour de Nano.

— Tu l'as laissée seule, répéta Mosconi considérant qu'aucune excuse ne serait acceptable.

— Oui, monsieur.

— Retourne-toi, s'il te plaît.

Dorian obéit et aperçut Sofia Mosconi derrière lui. Sur le perron de la villa, la mère d'Alex les regardait.

— Je voulais te jeter ici, poursuivit Mosconi. Par la falaise, juste devant notre terrasse, pour pouvoir y penser tous les jours. C'est Sofia qui m'en a empêché. Elle dit que c'est pour Alex, parce qu'elle t'aimait. Elle a toujours été ma préférée. J'espère qu'elle le savait.

Dorian regarda une vague s'écraser contre la paroi rocheuse. L'amour d'Alex venait de lui sauver la vie.

— Je veux que tu t'en ailles avec ton ami. Maintenant. Au village, arrêtez-vous à l'église grecque, il y a un homme qui vous attend. Il vous donnera de l'argent, vous changerez de voiture et vous le suivrez jusqu'à l'aéroport. Je vous conseille le Maghreb, c'est le plus proche. Mais ne mettez plus les pieds sur l'île.

Dorian n'osa pas dire merci. Une dernière fois, il photographia mentalement cette vue qu'Alex avait aimée à chaque stade de sa vie, enfant, adolescente et adulte.

*
* *

Routes étroites et arides, soleil de plomb, sur le chemin vers le centre de Cargèse, Rhinocéros voulut se faire confirmer un sentiment confus.

— Excuse-moi mais, on ne devrait pas être morts, là ?

— Parle pour toi. Je ne me sens pas très vivant.

— Et j'imagine que tu ne l'as pas mis au courant pour Alex. Je veux dire, votre enfant.

— Je ne savais même pas que tu avais remarqué.

— Je suis peut-être une brute mais je fais attention à mes amis. J'en déduis donc que Mosconi ne sait rien.

— C'est bien pour ça que tu respires encore, précisa Dorian, sombre.

Il décéléra à l'entrée du village et, suivant les indications de monsieur Mosconi, se gara sur le parvis de l'église, le long d'une série de maisons aux volets bleus fermés.

— On sait à quoi ressemble le type ? demanda Rhinocéros.

— J'ai pas vraiment demandé de précisions. Il devrait reconnaître la voiture des Mosconi.

— On attend, alors…

Au bout de la rue, une fourgonnette noire aux vitres fumées apparut et roula vers eux, au pas.

— Euh… Dorian ? Tu la vois ?

— Je vois qu'elle.

Dorian se retourna pour amorcer un demi-tour quand trois voitures se garèrent en couronne derrière lui. Bloqué dans les deux sens. La fourgonnette fonça sur eux, pila dans un grand coup de frein et les portières latérales s'ouvrirent, laissant échapper quatre hommes en combinaison noire, fusil à pompe en main qu'ils collèrent directement sur le pare-brise, prêts à le faire voler en éclats au moindre geste suspect.

— Police ! hurlèrent dix voix différentes.

Rhino et Dorian posèrent doucement leurs mains sur le tableau de bord, histoire de ne pas se faire transpercer de toutes parts par l'antigang de la Police judiciaire d'Ajaccio.

Mosconi avait demandé à sa femme l'autorisation d'éliminer Dorian et Rhinocéros. Et elle avait refusé. Il lui avait alors juré que, comme elle le souhaitait, il ne leur arriverait rien.

Mais Sofia avait ajouté qu'elle n'était pas si généreuse que cela.

Trois jours plus tard.
SSPO – Service de soutien
psychologique opérationnel.

La psy poussa le cendrier en verre devant elle. Malgré les stores aux trois quarts baissés, un rayon de soleil traversa la pièce et révéla les arabesques de fumée en suspens.

— Vous voulez bien me raconter comment tout a commencé ?

L'homme écrasa sa cigarette d'un tour de poignet.

— C'est une histoire qui a plusieurs commencements, dit-il.

La psy faisait nerveusement tournoyer son stylo entre ses doigts. Il était évident que l'homme en face d'elle l'intimidait.

— Vous savez au moins pourquoi vous êtes là ?

— Parce que j'ai tué deux personnes. Vous craignez que ça devienne une habitude ?

— Vous n'en avez tué qu'une. En légitime défense qui plus est. Pour le second cas…

Sec et impatient, l'homme ne la laissa pas terminer.

461

— Un membre de mon équipe est mort. C'est ma responsabilité. Ça revient au même.

Il fouilla dans la poche de sa veste et en sortit un paquet de cigarettes en mauvais état. Entre les doigts de la psy, le stylo tournait de plus belle.

— Personne n'a vécu ce qui vous est arrivé. Personne n'oserait vous juger. Je voudrais simplement que l'on reprenne du début, ensemble.

— Depuis le meurtre ou l'évasion de prison ?

— Un peu avant.

— Alors à partir de l'enlèvement du gosse ?

— C'est un bon départ. Et s'il vous plaît, n'oubliez rien.

L'homme haussa les épaules et s'alluma une nouvelle cigarette.

— Je ne vois vraiment pas l'intérêt, puisque ma décision est prise.

— J'insiste. De plus, dans ces circonstances, cet entretien est obligatoire, vous le savez.

Il tira une large bouffée, puis il céda, à contrecœur.

— Je m'appelle Coste. Victor Coste. Je suis capitaine au SDPJ 93. Il y a…

Il fit un rapide calcul et s'étonna lui-même de tout ce qui avait pu se passer dans un laps de temps si court.

— … douze jours exactement, le Groupe crime 1 a été chargé de l'affaire David Sebag. Un enlèvement avec demande de rançon.

— C'est dans ces circonstances que vous avez enquêté sur Yassine Chelli, si j'en crois le dossier. Interpellé, emprisonné puis libéré. Vous vous sentez aussi responsable ?

— Je me fous de lui. Je ne pense qu'à sa victime.

— Pourtant, il semble qu'il ne sera jamais puni. N'est-ce pas la finalité de votre travail ?

— J'ai longtemps pensé comme vous. Mais je réalise qu'il y aura toujours un Yassine Chelli quelque part. Que c'est sans fin. Et qu'il pourrisse dans une cellule ou pas, il n'existe jamais de réparation à un homicide.

— Rien que la justice puisse proposer ?

— La justice n'est qu'une demande de vengeance et la vengeance n'a jamais soulagé les âmes.

— Que diriez-vous de la mort alors ? Serait-elle plus juste, à votre sens ?

Les images se télescopèrent. Les larmes de Léa. Le cœur rouge de Johanna. Le canon de son arme pointé sur le ventre d'Alex Mosconi.

— J'en ai eu l'occasion. Je ne l'ai pas saisie.

— Savez-vous pourquoi ?

— Je vous l'ai dit. Il n'existe pas de réparation. Le mal est fait.

La psy se recula dans son siège.

— C'est une attitude peu commune chez un flic de la Crime.

— Alors vous comprenez ma décision.

– 79 –

La secrétaire du commissaire divisionnaire
Stévenin déposa le parapheur sur le bureau de son
patron et comme il ne contenait qu'une lettre du
ministère de l'Intérieur, la liste des sélectionnés au
stage de conduite rapide et un rapport de démission,
elle décida de patienter, debout devant lui, sage et
silencieuse.

Stévenin feuilleta l'ensemble, signa la lettre, donna
son accord pour le stage, ôta la troisième feuille et
la rangea dans un des tiroirs latéraux.

— C'est son choix, non ? s'étonna la secrétaire.

Le commissaire leva les yeux, surpris de cette
audace inhabituelle.

— Je connais Coste mieux qu'il ne se connaît.
C'est un flic. Pire que ça, c'est un chien policier. Un chasseur. Il ne sait faire que ça. Il a été
dressé pour ça. On ne peut pas se séparer d'un
flic comme lui. Quinze années que je l'envoie sur
les enquêtes les plus merdiques du département.
Des affaires qui auraient flingué n'importe quel
cerveau.

— C'est bien ce qui lui est arrivé, non ?

— Ce ne serait pas lui rendre service que de

transmettre ce rapport. Il a simplement besoin de temps. Où qu'il soit et quoi qu'il espère y trouver, il reviendra au chenil. Je laisse juste la porte entrouverte.

ÉPILOGUE

Quatre jours plus tard.
Cimetière de Pantin.

Sam posa un genou sur le gazon anglais impeccable et rectifia la cravate de Malo. Chloé, dans les bras de son père, semblait totalement accaparée par les arbres des allées et les fleurs sur les tombes, comme si elle ne réalisait pas vraiment. Ronan accompagnait Léa, béquille en soutien et, une fois la cérémonie terminée, ils s'approchèrent de Karl. Imperceptiblement, Léa ralentit son pas, gênée de sa propre présence, et c'est Karl qui parcourut le reste du chemin.

— Je suis content que tu sois venue.

— Je ne comprends pas comment tu peux me pardonner, souffla-t-elle.

Chloé gigota dans les bras de Karl et Ronan l'attrapa pour aller lui faire voir de plus près ce massif de lilas qui l'intéressait tant.

— Je ne peux pas t'en vouloir, Léa. Probablement parce que j'aurais fait exactement la même chose que toi. J'aurais choisi la personne que j'aime.

Puis son visage se fit plus dur.

— Mais je ne te pardonne pas. Je ne le pourrai pas. Tu es là pour Johanna et les enfants, pas pour moi.

Violence inattendue, Léa encaissa le coup et Karl l'abandonna là où elle était.

— Tout va bien ?

Elle se retourna et réalisa la présence de Sam, libéré de Malo.

— Oui, merci.

— Karl va rester avec les parents de Johanna. Mieux vaut les laisser entre eux, mais avec Ronan on va boire un verre. Jo nous en voudra si on ne le fait pas.

— Faudrait pas la vexer. Partez devant, je vous suis.

Léa emprunta l'allée ombragée et disparut au premier virage. Elle fit quelques pas sur les pavés irréguliers et s'assit sur un banc de pierre entre deux arbres. Elle composa un numéro sur son portable et laissa la sonnerie traverser la planète. La voix rassurante de Coste eut un effet apaisant.

— C'était comment ?

— Beau. Et digne. Tu nous as manqué. Aux gosses surtout, ils n'ont pas compris.

— Tu parles de Ronan et Sam ?

— T'es bête.

— Je sais, pardon.

— Et toi ? C'est comment ?

Coste était emmitouflé dans un anorak, le froid lui piquait le nez et les doigts. Il ôta sa capuche fourrée et leva les yeux. Au-dessus de sa tête, le ciel était parcouru d'immenses draperies vertes.

— Coloré, répondit-il simplement.

Ils laissèrent un temps en suspens, comme si Léa, elle aussi, assistait à ce spectacle unique. Mais le silence qui se prolongeait l'inquiéta.

— Tu reviens quand ? demanda-t-elle.

La respiration de Coste se transformait en petits nuages de buée blanche et l'aurore boréale verte vira au violet.

— Tu reviens, Victor ?

JE REMERCIE...

Ma famille, pour leur amour. Martine, Claude, Victor, Corinne et Bruno. Il n'y aura jamais rien de plus important que vous.

Michel Lafon, dont la confiance me porte.

Huguette Maure, ma directrice littéraire, mon amie, et Béatrice Argentier, notre vigilante correctrice.

Margaux Mersié, à l'efficacité survitaminée.

Claire Germouty, mon Jiminy Cricket.

Catherine Winckelmuller, mon agent paratonnerre.

Pocket et France Loisirs qui ont laissé sa chance à un nouvel auteur de polars et à son flic du 93.

Dominique Noviello, l'ancre de mon encre.

Éric pour ses infos capitales sur le monde carcéral.

Valérie B., mon indic à la Crime.

François Maldonado qui répond à mes soucis d'enquête le jour comme la nuit... et qui m'a accueilli dans sa famille.

Aurélie, merci pour ton aide inestimable...

Mes primo-lectrices : Martine, Danièle, Dodo et Lucie.

Les libraires en général, pour cette passion que nous partageons... Et en particulier : Joachim à

Reims, Danièle en Bretagne, Olivier et Anne à Lille, Pépita à Mont-de-Marsan, Aline à Bobigny, Caroline Vallat à Rosny, Gérard Collard ET sa super équipe ainsi que leurs Déblogueurs, Julien à Toulouse, Bruno à Toulouse, Le Genre Urbain à Belleville, Stéphanie à Mandelieu.

Les blogueurs passionnés et leurs sites. Sans vous, que tout serait triste ! Lucie Merval de Zonelivre, Loley et ses Readers, Sang pour Sang Polar, Cédrik Armen sous sa douche, Léa Touch Book, Plume Libre, Clair de Plume, La Ligue de L'imaginaire, Les Chroniques de Mandor, Cécile et ses Mordus de Thrillers, Guillaume et ses Tribulations d'une Vie, Livraddict, Quatre sans Quatre family, Black is Black, Lila sur sa Terrasse, My Inner Shelf, Rock and Tea, Web TV Culture de Philippe Chauveau et un souvenir de Saint-Étienne, le blog Mollat de Véronique, Totalybrune, La Vie des Livres, EnCœur des Livres, Littéraventures, le Sang des Livres, Ce que Marguerite Lit, Les Cibles d'une lectrice « à visée », Le Cinéma des Livres, Les Chroniques acides de Lord Arsenik, Amis-Lecteurs, La Fabrique à Lectures, Abracadabra, Jess Kaan, Delcyfaro, In Libro Veritas, Il est bien ce livre ?, Cousines de Lectures, Sous les Pavés la Plage, C'est Contagieux ! avec la Smadja connexion, Lire Délivre, Lire c'est Libre, Lucie Love Live with Books, Envies de Livres, Lady's Blog, Au Bazaar des Livres, De Livres & d'Épice, Mon Féerique blog littéraire !!!!!, Romans sur Canapé, Focus Littérature, Livres et Fourneaux, The Big Blowdown, Les Motordus d'Anne Ju, Les lectures de Lailai, Paroles d'Auteurs, Le Blog d'Argali, Mot-à-mots, Sous les Galets un Livre, Collectif Polar, Un livre à Nice, et Blog 813.

Une amie... qui m'a dit qu'il ne fallait pas citer les journalistes parce que ça faisait copinage. Donc je ne les cite pas mais je n'en remercie pas moins tous ceux qui ont parlé de mes romans avec bienveillance.

Mes compagnons de l'Aveyron : Bernard Hugues Saint Paul et Philippe Boscus.

Yves Rénier, mon flic de la télé... mon pote.

Joël Dupuch par qui tout a commencé...

Jamix, né une seconde fois, mais en mieux.

Fabienne Lauby, toujours quelque part dans ma tête.

Lilly Orenda et son microbe, qui m'accompagnent depuis les tout premiers mots...

Julie Casteran, soutien psy aux victimes de l'ambassade de France au Paris-Dakar (??) Tu ne t'enfuiras jamais assez loin pour que je t'oublie...

Petite Julie, la relève... Je parie sur toi !

Nicolas Cuche pour cette année formidable !

Mes potes du Canada, Sébastien (résiste mec !), Richard et France Migneault. Un jour, qui sait...

Ange Basterga et son jumeau maléfique P.M. Mosconi.

Benjamin pour nos apéros brainstorming.

Manon, pour avoir supporté mon caractère et ma susceptibilité.

Une pensée pour les murs de Paris, pour « Erex » et son frangin « Cost ».

Manu, poker star et encyclopédie du cinéma.

Mes amis de toujours, Mathias, Sébastien, Marie-Charlotte, Johanna N., Aline.

TABLE DES MATIÈRES

Prologue 9

PREMIÈRE PARTIE – ENTRE QUATRE MURS 11

DEUXIÈME PARTIE – LA RANÇON 75

TROISIÈME PARTIE – HOME INVASION 203

QUATRIÈME PARTIE – EFFET PAPILLON 249

CINQUIÈME PARTIE – DÉRAPAGES 399

Je remercie... 471

POCKET N° 16101

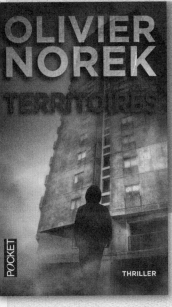

Les exécutions sommaires de trois jeunes caïds de Malceny, « plaque tournante de la came », mettent la SDPJ sur les dents...

THRILLER

Olivier NOREK

TERRITOIRES

À Malceny, dans le 93, on est habitués aux règlements de comptes. Mais un nouveau prédateur est arrivé en ville et, en quelques jours, les trois plus gros caïds du territoire sont exécutés. Le capitaine Coste et son équipe vont devoir agir vite, car leur nouvel ennemi s'implante comme un virus dans cette ville laissée à l'abandon, qui n'attend qu'un gramme de poudre pour exploser. Une ville où chacun a dû s'adapter pour survivre : des milices surentraînées, des petits retraités dont on devrait se méfier, d'inquiétants criminels de 12 ans...

Retrouvez toute l'actualité de Pocket :
www.pocket.fr

Ouvrage composé par
PCA 44400 Rezé

Imprimé en France par

MAURY IMPRIMEUR
à Malesherbes (Loiret)
en octobre 2019

Visitez le plus grand musée de l'imprimerie d'Europe

POCKET – 12, avenue d'Italie – 75627 Paris Cedex 13

N° d'impression : 240140
Dépôt légal : mars 2017
Suite du premier tirage : octobre 2019
S27080/06